DE VERDWENEN BROER

Van Mary Higgins Clark zijn verschenen:

Dood op de kaap en andere verhalen*
Dreiging uit het verleden*
Stille nacht*
Vaders mooiste*
Waar zijn de kinderen?*
Dodelijk ontwerp*
Geen tranen om een actrice*
Jou krijg ik nog wel!*
... heeft een meisje weggehaald*
Moord op afspraak*
Vergeet mij niet*
Het Anastasia syndroom en andere verhalen*
Maanlicht staat je goed*
Moord om middernacht*
Compositie in rood*
Verbinding verbroken*
Zondagskind*
Doe alsof je haar niet ziet*
Jij bent van mij*
Het donkerste uur*
De weduwe*
Het bloed kruipt*
Losgeld* (*samen met Carol Higgins Clark*)
De herrezen moordenaar*
De allerlaatste kans (*samen met Carol Higgins Clark*)
Horen, zien, zwijgen*
Met gebruik van keuken
Dubbele leugen*
Verdwenen in de nacht*
De stiefvader*
Gestolen goed (*samen met Carol Higgins Clark*)
Twee meisjes in het blauw*
Verloren bel

Van Carol Higgins Clark zijn verschenen:

Gevloerd*
Gescheurd
Uitgegleden
Opgekrast

*In POEMA-POCKET verschenen

Mary Higgins Clark

De verdwenen broer

SIJTHOFF

This edition published by arrangement with the original publisher, Simon & Schuster, Inc., New York.

Oorspronkelijke titel: *Where Are You Now?*
Vertaling: Carla Benink
Omslagontwerp: Edd, Amsterdam
Omslagbeeld: Bruno Press / Reporters BV

ISBN 978 90 218 0175 9
NUR 332

www.boekenwereld.com

Ter herinnering aan Patricia Mary Riker

'Pat'

Geliefde vriendin en bewonderenswaardige vrouw

Veel liefs

Waar ben je nu?
Wie is er onder je bekoring geraakt?
– 'The Kashmiri Song'
Woorden van Laurence Hope
Muziek van Amy Woodforde-Finden

I

Het is klokslag middernacht. Dat betekent dat Moederdag is begonnen. Ik logeer vannacht bij mijn moeder in haar appartement in Sutton Place, waar ik ben opgegroeid. Zij is in haar kamer verderop in de gang, en samen houden we de wacht. Zoals we elk jaar doen sinds mijn broer, Charles MacKenzie junior – 'Mack' – uit het appartement waar hij tien jaar geleden samen met twee andere laatstejaars studenten aan de Universiteit van Columbia woonde, is vertrokken. Sindsdien heeft niemand hem ooit weer gezien. Maar elk jaar belt hij op Moederdag op om mama te laten weten dat het goed gaat met hem. 'Maak je geen zorgen om me,' zegt hij dan. 'Ooit, op een dag, steek ik mijn sleutel in het slot en ben ik weer thuis.' Dan hangt hij op.

We weten nooit wanneer in die vierentwintig uur dat telefoontje komt. Vorig jaar belde Mack een paar minuten na middernacht en zat onze wacht er al op voordat die goed en wel was begonnen. Twee jaar geleden wachtte hij met bellen tot de laatste seconde en was mama doodsbang dat het minimale contact met hem voorgoed was verbroken.

Mack moet weten, dat kan bijna niet anders, dat onze vader bij de ramp van de Twin Towers is omgekomen. Ik was er toen van overtuigd dat hij, wat hij ook deed, zich op die verschrikkelijke dag geroepen zou voelen om naar huis te komen. Maar hij kwam niet. De Moederdag daarop begon hij tijdens zijn jaarlijkse telefoontje opeens te huilen. 'Ik vind het vreselijk van papa, echt vreselijk,' snikte hij, en toen verbrak hij de verbinding.

Ik ben Carolyn. Ik was zestien toen Mack verdween. Ik heb net als hij aan Columbia gestudeerd. Anders dan hij heb ik mijn rechtenstudie afgemaakt, aan Duke. Mack was daar aangenomen voordat hij verdween. Nadat ik vorig jaar in de Orde van Advocaten ben opgenomen, heb ik gewerkt voor een rechter van de civiele rechtbank in Centre Street in Manhattan. Rechter Paul Huot is onlangs met pensioen gegaan, dus op dit moment heb ik geen baan. Ik ben van plan te solliciteren naar de functie van assistent-officier van justitie in Manhattan, maar daar wacht ik nog even mee.

Eerst moet ik een manier bedenken om mijn broer te vinden. Wat is er met hem gebeurd? Waarom is hij verdwenen? Er is geen enkele aanwijzing dat er misdaad in het spel was. Zijn creditcards zijn nooit meer gebruikt. Zijn auto stond in de garage bij zijn appartement. Niemand met zijn uiterlijke kenmerken is ooit naar het mortuarium gebracht, al kregen mijn ouders in het begin soms het verzoek of ze naar het uit de rivier geviste of verongelukte lichaam van een onbekende jongeman wilden komen kijken.

Toen we opgroeiden, was Mack mijn beste vriend, mijn vertrouweling, mijn kameraad. De helft van mijn vriendinnen was verliefd op hem. Hij was de perfecte zoon, de perfecte broer, knap om te zien, aardig, geestig, een uitstekende leerling. Hoe sta ik nu tegenover hem? Dat weet ik niet meer. Ik weet nog wel hoeveel ik van hem hield, maar die liefde is voor een groot deel omgeslagen in woede en wrok. Ik wou zelfs dat ik kon betwijfelen dat hij nog leeft, dat iemand een wreed spelletje met ons speelt, maar dat kan ik niet. Jaren geleden hebben we een van zijn telefoontjes opgenomen en het patroon van zijn stem laten vergelijken met zijn stem in familiefilms, en ze zijn identiek.

Dit alles betekent dat mama en ik langzaam heen en weer bungelen in de wind, en voordat papa omkwam in die brandende hel, gold dat ook voor hem. In al die jaren ben ik nooit een restaurant of theater binnengegaan zonder onwillekeurig mijn blik rond te laten dwalen in de hoop dat ik Mack daar toevallig tegenkom. Mijn blik blijft dan rusten op mannen met net zo'n profiel en rossig haar, en soms moet ik beter gaan kijken. Ik herinner me dat ik wel eens iemand bijna omver heb geduwd in mijn haast om in de buurt van zo'n man te komen, die dan een volkomen onbekende bleek te zijn.

Dat ging er allemaal door mijn hoofd toen ik de volumeknop van de telefoon in de hoogste stand zette, in bed stapte en probeerde te slapen. Ik geloof dat ik inderdaad was ingedommeld, want toen de telefoon begon te rinkelen, vloog ik overeind. Op de verlichte wijzerplaat van de wekker zag ik dat het vijf voor drie was. Met mijn ene hand knipte ik het bedlampje aan en met de andere pakte ik de telefoon. Mama had al aangenomen en ik hoorde haar ademloos en nerveus zeggen: 'Hallo Mack.'

'Dag mama. Gefeliciteerd met Moederdag. Ik hou van je.'

Hij klonk welluidend en zelfverzekerd. Alsof hij zich nergens zorgen om hoeft te maken, dacht ik verbitterd.

Zoals gewoonlijk stortte mama in toen ze zijn stem hoorde. Ze begon te huilen. 'Mack, ik hou ook van jou, ik moet je zien,' zei ze smekend. 'Het kan me niet schelen wat je hebt gedaan of welke problemen je eventueel nog moet oplossen. Ik zal je helpen. Mack. In godsnaam, je bent al tien jaar weg! Doe me dit niet nog langer aan, alsjeblieft. Alsjeblieft...'

Zoals altijd bleef hij nog geen minuut aan de lijn. Ik weet zeker dat hij besefte dat we zouden proberen het gesprek te traceren en dat hij, omdat we inmiddels over die technologie beschikken, belde met een mobiel met een prepaid kaart erin.

Ik had van tevoren bedacht wat ik tegen hem wilde zeggen en dat deed ik vlug, want ik wilde dat hij het hoorde voordat hij ophing. 'Mack, ik zal je vinden,' zei ik. 'De politie heeft het geprobeerd en het is ze niet gelukt. De privédetective heeft je ook niet gevonden. Maar ik zal je wel vinden. Dat zweer ik je.' Ik had het kalm en vastberaden gezegd, zoals ik van plan was geweest, maar toen ik mijn moeder hoorde huilen, verloor ik mijn zelfbeheersing. 'Ik zal je vinden, ellendeling!' schreeuwde ik. 'En ik verwacht dat je een heel goede reden hebt om ons zo te kwellen!'

Ik hoorde een klikje en wist dat hij de verbinding had verbroken. Ik had mijn tong wel willen afbijten als ik het scheldwoord dat ik had gebruikt terug had kunnen nemen, maar dat kon natuurlijk niet.

In het besef dat mama woedend op me zou zijn omdat ik zo tegen Mack had geschreeuwd, trok ik mijn ochtendjas aan en liep de gang door naar de slaapkamer die papa en zij hadden gedeeld.

Sutton Place is een chique buurt in Manhattan, met herenhuizen en appartementen met uitzicht op de East River. Mijn vader heeft het appartement gekocht nadat hij zijn avondstudie rechten aan Fordham had afgerond en zich omhoog had gewerkt op een advocatenkantoor dat was gespecialiseerd in bedrijfsrecht. We hebben onze bevoorrechte jeugd te danken aan zijn hersens en zijn bereidheid om hard te werken, en dat laatste had hij te danken aan zijn moeder, een weduwe van Schots-Ierse afkomst. Hij heeft nooit toegestaan dat er ook maar iets in ons leven werd betaald door het geld dat mijn moeder heeft geërfd.

Ik klopte op haar deur en opende die. Ze stond voor het grote raam dat uitzicht biedt op de East River. Ze draaide zich niet om, hoewel ze wist dat ik binnen was gekomen. Het was een heldere nacht, en links zag ik de lichtjes van de Queensborobrug. Zelfs op dat tijdstip, lang voor zonsopgang, reed daar een stroom auto's in beide richtingen. Het bespottelijke idee kwam bij me op dat Mack misschien in een van die auto's zat en dat hij na zijn jaarlijkse telefoontje weer op weg was naar een verre bestemming.

Mack was altijd dol geweest op reizen, dat lag in zijn aard. De vader van mijn moeder, Liam O'Connell, was geboren in Dublin, had gestudeerd aan Trinity College en was als intelligente, hoogopgeleide jongeman zonder een cent op zak naar de Verenigde Staten gekomen. Binnen vijf jaar had hij de aardappelvelden op Long Island gekocht die uiteindelijk de Hamptons vormden, onroerend goed in Palm Beach County en onroerend goed in Third Avenue toen dat nog een vieze, donkere straat was in de schaduw van de treinrails die er bovenlangs liep. En toen had hij mijn grootmoeder over laten komen, een Engels meisje dat hij op Trinity had ontmoet.

Mijn moeder, Olivia, is een echte Engelse schoonheid. Ze is lang en op haar tweeënzestigste nog steeds zo slank als een den, ze heeft zilvergrijs haar, blauwe ogen en klassieke trekken. Mack lijkt sprekend op haar.

Ik heb het roodbruine haar van mijn vader geërfd en zijn lichtbruine ogen en koppige kaaklijn. Als mijn moeder hoge hakken droeg, was ze iets groter dan hij en ik ben net als hij van gemiddelde lengte. Ik verlangde ontzettend naar mijn vader toen ik door de kamer liep en een arm om mijn moeder heen sloeg.

Ze draaide zich vliegensvlug om en de woede die ze uitstraalde, was bijna tastbaar. 'Carolyn, hoe haalde je het in je hoofd op die manier tegen Mack te praten?' zei ze fel, met haar armen stijf over elkaar geslagen. 'Begrijp je dan niet dat hij een afschuwelijk probleem moet hebben om niet naar ons toe te kunnen komen? Begrijp je dan niet hoe bang en hulpeloos hij zich moet voelen, en dat zijn telefoontjes een soort kreten van wanhoop zijn?'

Voordat mijn vader stierf, hadden mijn ouders regelmatig dit soort emotionele gesprekken gevoerd. Waarbij mama Mack altijd in bescherming nam en mijn vader daar uiteindelijk zo genoeg van kreeg dat hij in staat was om de hele zaak van zich af te zetten en zich geen zorgen meer te maken. 'Liv, in godsnaam, hij klinkt heel normaal!' snauwde hij dan op het laatst. 'Misschien woont hij samen met een vrouw die hij niet aan ons wil voorstellen. Of misschien probeert hij om acteur te worden. Dat wilde hij immers toen hij klein was. Of heb ik hem te hard aangepakt toen ik hem dwong vakantiebaantjes te nemen. Wie zal het zeggen?'

Het was er altijd mee geëindigd dat ze elkaar hun verontschuldigingen aanboden, mama huilend en papa in alle staten en boos op zichzelf omdat hij haar van streek had gemaakt.

Ik was niet van plan weer de fout in te gaan door mezelf te verdedigen. In plaats daarvan zei ik: 'Mama, luister. We hebben Mack nog steeds niet gevonden, dus maakt hij zich absoluut geen zorgen om mijn dreigement. Bekijk het nu eens van een andere kant. Je hebt weer iets van hem gehoord. Je weet dat hij nog leeft. Hij klinkt heel opgewekt. Ik weet dat je een hekel hebt aan slaappillen, maar ik weet ook dat de dokter je die heeft voorgeschreven. Neem er een in en ga slapen.'

Ik wachtte niet op antwoord. Ik wist dat ik haar niet zou helpen door bij haar te blijven, want ik was ook boos. Boos op haar omdat ze tegen me was uitgevallen, boos op Mack, boos omdat de maisonnette met tien kamers veel te groot voor mama was en te vol stond met herinneringen. Ze wilde het appartement niet verkopen omdat ze er niet van overtuigd was dat Macks volgende telefoontje haar op een nieuw adres zou bereiken, en natuurlijk hield ze me regelmatig voor dat hij had gezegd dat hij ooit weer de sleutel in het slot zou steken en thuis zou komen. Thuis. Dat was hier, in Sutton Place.

Ik ging weer naar bed, maar ik kon niet meer slapen. Ik begon te bedenken hoe ik Mack kon gaan zoeken. Ik overwoog of ik naar Lucas Reeves zou gaan, de privédetective die papa in de arm had genomen, maar zag ervan af. Ik besloot de verdwijning van Mack te behandelen alsof die de dag daarvoor was gebeurd. Het eerste wat papa had gedaan toen we ons zorgen begonnen te maken om Mack was de politie bellen en hem opgeven als vermist. Ik zou bij het begin beginnen.

Ik kende mensen in het gerechtsgebouw waar ook de officier van justitie zijn kantoor had, en ik besloot dat mijn speurtocht daar zou aanvangen.

Ten slotte viel ik toch in slaap en droomde van een schimmige figuur die over een brug liep. Ik deed mijn uiterste best om hem niet uit het oog te verliezen, maar hij was me te vlug af en toen ik weer op vaste grond stond, wist ik niet welke kant hij op was gegaan. Maar toen hoorde ik hem roepen, met een droefgeestige, bezorgde stem: 'Carolyn, blijf waar je bent! Blijf waar je bent!'

'Dat kan ik niet, Mack,' zei ik hardop toen ik wakker werd. 'Dat kan ik niet.'

2

Monseigneur Devon MacKenzie zei vaak spijtig tegen bezoekers dat zijn geliefde Sint-Francis de Saleskerk zo dicht bij de episcopaalse kathedraal van de Heilige Johannes stond dat hij bijna onzichtbaar was.

Een jaar of tien geleden had Devon verwacht dat hij te horen zou krijgen dat Sint-Francis zou worden gesloten, en hij had beseft dat hij dat besluit niet zou kunnen aanvechten. De kerk dateerde uit de negentiende eeuw en moest uitgebreid worden gerestaureerd. Maar toen er in de wijk nieuwe appartementen werden gebouwd en oudere huizen werden opgeknapt, had hij tot zijn blijdschap zijn gehoor tijdens de zondagsmis steeds groter zien worden.

Het grotere aantal kerkgangers betekende dat hij in de afgelopen vijf jaar al een aantal gebreken had kunnen laten herstellen. De glas-in-loodramen waren schoongemaakt, het vuil dat de muurschilderingen had doen vervagen, was verwijderd, de houten banken waren geschuurd en opnieuw gevernist en de knielbankjes waren bekleed met zacht nieuw tapijt.

En toen paus Benedictus had verkondigd dat pastoors zelf mochten beslissen of ze ook een Tridentijnse mis wilden opdragen, had Devon, die Latijn kende, besloten dat hij de zondagsmis van elf uur voortaan in de oude taal van de Kerk zou doen.

De respons had hem verbijsterd. Voor die mis zat de kerk nu vol, niet alleen met ouderen, maar ook met tieners, die eerbiedig antwoordden met 'deo gratias' in plaats van 'God zij dank' en die 'pater noster' zeiden in plaats van 'onze vader'.

Devon was achtenzestig, twee jaar jonger dan de broer die hij op 11 september had verloren, en hij was de oom en peetvader van de neef die was verdwenen. Wanneer hij tijdens de kerkdienst zijn gehoor de tijd gaf voor hun eigen smeekbeden, bad hijzelf altijd voor Mack en dat hij op een dag weer thuis zou komen.

Op Moederdag bad hij daar nog heviger om dan anders. En toen hij die dag terugging naar de pastorie, stond er op zijn antwoordapparaat een boodschap van Carolyn: 'Oom Dev, hij heeft vanmorgen om vijf voor drie gebeld. Klonk prima. Wel weer meteen opgehangen. Tot vanavond.'

Monseigneur Devon kon horen hoe gespannen zijn nichtje was. Zijn opluchting omdat zijn neef toch weer had gebeld, mengde zich met felle woede. Verdomme, Mack, dacht hij. Heb je dan geen flauw idee wat je ons aandoet? Terwijl hij de priesterboord van zijn hals trok, pakte hij met zijn andere hand de telefoon om Carolyn terug te bellen.

Maar voordat hij het nummer kon intoetsen, klonk de voordeurbel.

Op de stoep stond zijn jeugdvriend, Frank Lennon, een gepensioneerde manager van een softwarebedrijf. Hij deed 's zondags in de kerk dienst als collectant, telde het ingezamelde geld en leverde het af.

Devon had lang geleden geleerd gezichten te lezen en hij zag het meteen als iemand een probleem had. Toen hij Frank Lennons verweerde gezicht zag, wist hij dat het iets ergs was. 'Wat is er, Frank?' vroeg hij.

'Mack was bij de mis van elf uur, Dev,' zei Frank zonder omhaal. 'Hij heeft een briefje voor jou in de mand gestopt, in een opgevouwen biljet van twintig dollar.'

Monseigneur Devon MacKenzie nam het papiertje aan, las de elf woorden die er in drukletters op waren geschreven en las ze voor alle zekerheid nog een keer: OOM DEVON, ZEG TEGEN CAROLYN DAT ZE ME NIET MAG ZOEKEN.

3

De afgelopen negen jaar had Aaron Klein elk jaar de lange rit gemaakt van Manhattan naar de begraafplaats in Bridgehampton om een steen te leggen op het graf van zijn moeder, Esther Klein. Ze was een levendige, gescheiden vrouw van vierenvijftig toen ze op een vroege ochtend tijdens het joggen, wat ze dagelijks deed, in de buurt van de kathedraal van de Heilige Johannes door een man was aangevallen en vermoord.

Aaron was toen achtentwintig, pas getrouwd, en had een degelijke baan met vooruitzichten bij de investeringsbank Wallace & Madison. Inmiddels had hij twee zoons, Eli en Gabriel, en een dochtertje, Danielle, dat hartverscheurend veel leek op haar overleden grootmoeder. Elke keer als Aaron naar de begraafplaats ging, voelde hij weer woede en frustratie omdat de man die zijn moeder had vermoord nog steeds vrij rondliep.

Ze was met een zwaar voorwerp op haar achterhoofd geslagen. Haar mobieltje had naast haar op de grond gelegen. Had ze zich bedreigd gevoeld en het uit haar zak gehaald om het alarmnummer te bellen? Dat was de enige verklaring die hij had kunnen bedenken.

Het kon niet anders of ze moest hebben geprobeerd iemand te bellen, maar volgens de politie had ze op dat tijdstip niet gebeld en was ze ook niet gebeld.

De politie was van mening dat het toeval was geweest. Haar horloge, het enige sieraad dat ze bij het joggen droeg, was verdwenen, net als haar huissleutel. 'Waarom zou iemand haar sleutel hebben meegenomen als hij niet wist wie ze was en waar ze woonde?' had hij de agenten gevraagd. Daar hadden ze geen antwoord op kunnen geven.

Ze had haar eigen voordeur gehad om de hoek van de door een portier bewaakte hoofdingang van een appartementengebouw, maar de rechercheurs hadden Aaron verzekerd dat er uit haar huis niets was gestolen. Haar portefeuille met een paar honderd dollar erin zat nog in haar tas. De paar waardevolle sieraden die ze bezat, lagen nog steeds in het juwelenkistje dat open op de ladekast in haar slaapkamer stond.

Het begon weer te regenen toen Aaron neerknielde en zijn hand legde op het met gras begroeide graf van zijn moeder. Zijn knieën zakten in de modderige grond toen hij de steen neerlegde en fluisterde: 'Mama, ik wou zo graag dat je de kinderen had meegemaakt. De jongens hebben dit jaar de kleuterschool en de eerste klas doorlopen. Danielle is nu al een actrice. Ik zie al voor me hoe ze over een jaar of twaalf auditie doet voor een van de toneelstukken die jij op Columbia zou hebben geregisseerd.'

Hij glimlachte bij de gedachte aan wat zijn moeder daarop zou zeggen. 'Aaron, je zit te dromen. Reken dat eens na. Tegen de tijd dat Danielle gaat studeren, zou ik vijfenzeventig zijn geweest.'

'Je zou nog steeds les hebben gegeven en stukken hebben geregisseerd, en je zou nog net zo veel pit hebben als vroeger,' zei hij hardop.

4

Op maandagmorgen ging ik, met het briefje dat Mack in de collectemand had gestopt in mijn tas, naar de arrondissementsrechtbank in Manhattan. Het was prachtig weer, zonnig en warm met een zoel briesje, het soort weer dat beter bij Moederdag zou hebben gepast dan de koude nattigheid die elke hoop op een feestje in de buitenlucht de bodem in had geslagen.

Mama, oom Dev en ik waren zondagavond uit eten gegaan. Toen oom Dev ons dat briefje had overhandigd, waren mama en ik natuurlijk meteen in alle staten. Eerst was mama helemaal opgewonden geraakt bij de gedachte dat Mack misschien ergens in de buurt woonde. Ze was er altijd van overtuigd geweest dat hij naar Colorado of Californië was gegaan. Toen was ze bang geworden dat ik hem met mijn dreigement dat ik hem zou gaan zoeken in gevaar had gebracht.

Ikzelf had eerst niet geweten wat ik ervan moest denken, maar daarna was mijn vermoeden steeds sterker geworden dat Mack diep in de problemen zat en probeerde ons daarbuiten te houden.

In de hal van Hogan Place 1 was het druk en de bewakers hadden hun handen vol. Hoewel ik me op verschillende manieren kon legitimeren, mocht ik, zonder dat ik een afspraak met iemand had, niet doorlopen. Terwijl de mensen achter me ongeduldig werden, deed ik mijn best om uit te leggen dat mijn broer werd vermist en dat we eindelijk iets hadden waarmee we de zoektocht naar hem konden beginnen.

'Mevrouw, u moet de afdeling Vermiste Personen bellen en een afspraak maken,' zei de bewaker. 'Wilt u nu alstublieft opzij gaan, zodat mensen achter u naar boven kunnen om aan het werk te gaan.'

Gefrustreerd liep ik weer naar buiten en pakte mijn gsm. Rechter Huot had civiele zaken behandeld en ik had niet veel met de assistent-officieren van justitie te maken gehad, maar ik kende een van hen, Matt Wilson. Ik belde de rechtbank en werd naar hem doorverbonden. Maar Matt was niet op kantoor en zijn antwoordapparaat gaf de bekende instructie: 'Laat uw naam, telefoonnummer en een kort bericht achter, dan bel ik u terug.'

'Met Carolyn MacKenzie,' begon ik. 'We hebben elkaar een paar keer ontmoet, ik was toen griffier van rechter Huot. Mijn broer wordt al tien jaar vermist. Gisteren heeft hij in een kerk in Amsterdam Avenue een briefje voor me achtergelaten. Ik heb hulp nodig om te proberen hem op te sporen voordat hij weer verdwijnt.' Ik eindigde het bericht met het nummer van mijn mobiel.

Ik stond op de trap voor het gebouw en er liep een man vlak langs me heen. Hij had brede schouders en kort grijs haar, en ik schatte hem op halverwege de vijftig. Hij liep vrij snel, maar ik wist dat hij me had gehoord toen hij tot mijn schrik stilstond en zich omdraaide. We keken elkaar even aan voordat hij kortaf zei: 'Ik ben rechercheur Barrott. Kom maar mee naar boven.'

Vijf minuten later zat ik in een kaal kantoortje met een bureau, een paar stoelen en stapels dossiers. 'Hier kunnen we rustig praten,' zei hij. 'In het grote kantoor is het te rumoerig.'

Hij bleef me recht aankijken terwijl ik hem over Mack vertelde en onderbrak me alleen om een paar vragen te stellen. 'Hij belt alleen op Moederdag?'

'Ja.'

'Hij vraagt nooit om geld?'

'Nooit.' Ik had het briefje in een plastic zakje gedaan. 'Misschien zitten hier zijn vingerafdrukken op,' zei ik. 'Tenzij hij het door iemand anders in de collectemand heeft laten stoppen. Want ik kan me bijna niet voorstellen dat hij het risico wilde lopen dat oom Dev hem vanaf het altaar zou zien.'

'Dat hangt ervan af. Hij kan zijn haar hebben geverfd, tien kilo zwaarder zijn geworden, een zonnebril op hebben gehad. Het is niet moeilijk je in een menigte te vermommen, vooral niet als iedereen regenkleding draagt.'

Hij keek naar het stukje papier. De letters waren door het plastic heen duidelijk leesbaar. 'Hebben we de vingerafdrukken van uw broer in het archief?'

'Dat weet ik niet. Toen we hem opgaven als vermist, had onze huishoudster zijn kamer thuis al afgestoft en gezogen. Op de universiteit deelde hij een appartement met twee vrienden en zoals het daar gaat, liepen er elke dag wel een stuk of tien anderen in en uit. En na de laatste keer dat hij zijn auto had gebruikt, was die gewassen.'

Barrott gaf me het zakje terug. 'We kunnen laten checken of er vingerafdrukken op zitten, maar ik kan u nu al vertellen dat we niets zullen vinden. Zowel u als uw moeder hebben het briefje vastgehouden en uw oom, de monseigneur, ook. En ik vermoed dat er tijdens de betreffende mis nog minstens één andere collectant heeft geholpen.'

Omdat ik dacht dat ik met meer argumenten moest komen, zei ik: 'Ik ben Macks enige zus. Mijn vader, moeder en ik hebben in het lab ons DNA laten bepalen voor een eventuele overeenkomst, maar daar hebben we nooit meer iets over gehoord. Dus vermoed ik dat er nooit iemand is geweest met wie het zelfs maar voor een deel overeenkwam.'

'Uit wat u me hebt verteld, mevrouw MacKenzie, begrijp ik dat uw broer geen enkele reden had om te willen verdwijnen. Maar als dat toch zijn bedoeling was, dan moet hij daar een reden voor hebben gehad. U hebt vast wel eens naar een tv-programma over vermiste personen gekeken en gehoord dat die mensen meestal een hoop problemen hadden die met geld of liefde te maken hadden. De afgewezen minnaar, de jaloerse man of vrouw, de lastige echtgenoot of echtgenote, de verslaafde die aan zijn trekken moest komen. U moet alles wat u van uw broer denkt te weten, opnieuw bekijken. Hij was eenentwintig. Volgens u was hij populair bij de meisjes. Had hij een vriendin?'

'Zijn vrienden zeiden van niet. Er heeft zich ook nooit een meisje gemeld.'

'Een heleboel jongelui van zijn leeftijd zijn verslaafd aan gokken. Nog meer experimenteren met drugs en raken daaraan verslaafd. Stel dat hij schulden had? Hoe zouden uw ouders daarop hebben gereageerd?'

Ik kon niet meteen antwoord geven. Toen kwam het bij me op dat dergelijke vragen tien jaar geleden ongetwijfeld aan mijn ouders waren gesteld, en ik vroeg me af of zij er ontwijkend op hadden geantwoord. 'Mijn vader zou woedend zijn geweest,' gaf ik toe. 'Hij verafschuwde mensen die geld over de balk gooiden. Mijn moeder heeft een eigen inkomen uit een erfenis. Als Mack geld nodig had, had hij er haar om kunnen vragen en zou zij dat niet tegen papa hebben gezegd.'

'Mevrouw MacKenzie, ik zal open kaart met u spelen. Ik geloof niet dat we hier met een misdaad te maken hebben, dus kunnen we de verdwijning van uw broer niet als een misdaad behandelen. U hebt er geen idee van hoeveel mensen er elke dag uit hun leven verdwijnen. Ze zijn gestrest. Ze kunnen het niet meer aan of erger, ze hebben er geen zin meer in. Uw broer belt u regelmatig...'

'Eens per jaar,' viel ik hem in de rede.

'Dat is nog steeds regelmatig. U hebt hem verteld dat u hem gaat zoeken en daar heeft hij meteen op gereageerd. "Laat me met rust," dat is zijn boodschap aan u. Ik weet dat het hard klinkt, maar ik raad u aan te accepteren dat Mack is waar hij wil zijn en dat de enige communicatie die hij nog met u en uw moeder wil hebben, dat telefoontje op Moederdag is. Maak het uzelf, uw moeder en uw broer niet moeilijker dan het is en leg u bij zijn wens neer.'

Hij stond op. Ons gesprek was afgelopen, dat was duidelijk. Ik mocht de tijd van de politie niet langer verspillen, dat was net zo duidelijk. Ik pakte het zakje en mijn blik viel opnieuw op de boodschap op het stukje papier: OOM DEVON, ZEG TEGEN CAROLYN DAT ZE ME NIET MAG ZOEKEN.

'U bent erg... eerlijk geweest, rechercheur Barrott,' zei ik. In plaats van 'eerlijk' had ik 'behulpzaam' willen zeggen, maar ik vond hem helemaal niet behulpzaam. 'Ik beloof dat ik u niet meer lastig zal vallen.'

5

Al twintig jaar lang waren Gus en Lil Kramer, allebei begin zeventig, de huisbewaarders van een uit vier verdiepingen bestaand appartementencomplex in West End Avenue, dat de eigenaar, Derek Olsen, had laten opknappen om aan studenten te verhuren. Toen hij hen in dienst nam, had Olsen gezegd: 'Denk eraan dat studenten, of ze nu slim of dom zijn, allemaal slonzen zijn. Hun keukens staan vol pizzadozen. Ze verzamelen genoeg lege bierblikjes om een oorlogsschip op te laten drijven. Ze gooien hun vuile kleren en natte handdoeken op de vloer. Dat vinden we niet erg. Na hun afstuderen gaan ze allemaal weg.

Wat ik wil zeggen,' had hij eraan toegevoegd, 'is dat ik net zo veel huur kan vragen als ik wil, maar alleen als de gemeenschappelijke ruimtes kraakhelder zijn. Ik verwacht van jullie dat je ervoor zorgt dat de hal en de gangen eruitzien alsof het gebouw in Fifth Avenue staat. Ik wil dat de verwarming en de airconditioning het altijd doen, dat problemen met de waterleiding onmiddellijk worden verholpen en dat de stoep elke dag wordt geveegd. Als er iemand vertrekt, moet dat appartement meteen opnieuw worden geschilderd. Wanneer een nieuwkomer met zijn ouders komt kijken hoe het er hier uitziet, moeten ze diep onder de indruk zijn.'

Twintig jaar lang hadden de Kramers de instructies van Olsen nauwlettend opgevolgd, en hun gebouw stond inmiddels bekend als deftige behuizing voor studenten. De jongelui die er een paar jaar woonden, hadden het geluk dat ze ouders hadden die diep in hun zak konden tasten. Veel ouders maakten een aparte afspraak met de Kramers om het onderkomen van hun kind regelmatig onder handen te nemen.

Op Moederdag hadden de Kramers in de Tavern on the Green gebruncht met hun dochter Winifred en haar man Perry. Helaas was Winifred bijna voortdurend aan het woord geweest, omdat ze haar ouders wilde overhalen hun baan op te zeggen en in hun huisje in Pennsylvania van hun pensioen te gaan genieten. Het was een monoloog die Gus en Lil al eerder hadden moeten aanhoren en hij eindigde steeds met hetzelfde refrein: 'Mama en papa, ik vind het vreselijk dat jullie nog altijd de troep van die studenten moeten opruimen.'

Lil Kramer had inmiddels geleerd dat het verstandigste antwoord hierop was: 'Misschien heb je gelijk, kind. Ik zal erover nadenken.'

Maar bij het regenboogijsje had Gus er geen doekjes om gewonden: 'We gaan pas met pensioen wanneer wij eraan toe zijn en geen dag eerder. Wat zou ik dan trouwens de hele dag moeten doen?'

Maandag in de namiddag, toen Lil een truitje zat te breien voor de aanstaande baby van een van haar vroegere studenten, dacht ze terug aan het irritante, maar goedbedoelde advies van haar dochter. Waarom wil Winifred maar niet begrijpen dat ik het hier bij de jongelui naar mijn zin heb? dacht ze boos. Voor ons is het bijna alsof we kleinkinderen hebben. Die heeft zij ons nooit gegeven.

Ze schrok op toen de telefoon begon te rinkelen. Gus was een beetje doof aan het worden en had het geluid harder gezet, maar het stond veel te hard. Je kon er de doden mee wekken, dacht Lil toen ze zich haastte om op te nemen.

Ze pakte de hoorn en hoopte dat het niet Winifred was, die haar tirade over hun pensionering wilde voortzetten. Maar even later wenste ze dat het toch Winifred was geweest.

'Met Carolyn MacKenzie. Spreek ik met mevrouw Kramer?'

'Ja.' Lil voelde dat haar mond droog werd.

'Mijn broer Mack woonde in een van uw appartementen toen hij tien jaar geleden verdween.'

'Dat klopt.'

'Mevrouw Kramer, we hebben onlangs iets van Mack gehoord, maar hij wil niet zeggen waar hij is. U begrijpt vast wel hoe mijn moeder en ik hieronder lijden, dus ga ik proberen hem te vinden. We hebben een aanwijzing gekregen dat hij misschien in de buurt woont. Mag ik met u komen praten?'

Nee, dacht Lil. Nee! Maar ze hoorde zichzelf het enige antwoord geven dat mogelijk was: 'Natuurlijk. Ik... Wij allebei... We mochten Mack erg graag. Wanneer wilt u komen?'

'Komt morgenochtend u uit?'

Dat is te vlug, dacht Lil. Ik heb meer tijd nodig. 'Morgen hebben we het erg druk.'

'Woensdag om een uur of elf dan?'

'Ja, dat kan wel.'

Toen ze de hoorn neerlegde, kwam Gus binnen. 'Wie was dat?' vroeg hij.

'Carolyn MacKenzie. Ze gaat zelf op zoek naar haar broer. Ze wil woensdagmorgen met ons komen praten.'

Lil zag dat het brede gezicht van haar man rood aanliep en dat hij achter zijn brillenglazen zijn ogen samenkneep. Met twee stappen stond zijn kleine, gedrongen gestalte voor haar. 'De vorige keer heb je de agenten laten merken dat je nerveus was, Lil. Denk eraan dat je dat deze keer niet doet, bij zijn zus. Hoor je me? Denk eraan dat je dat déze keer niet doet!'

6

Op maandagmiddag liep de dienst van rechercheur Roy Barrott om vier uur af. Het was die dag niet druk geweest en om drie uur drong het tot hem door dat hij eigenlijk niets bijzonders meer te doen had. Maar iets zat hem dwars. Alsof hij met zijn tong rondtastte in zijn mond op zoek naar een zere plek, ging hij in gedachten de dag nog eens na op zoek naar de reden voor zijn onrustige gevoel.

Toen hij terugdacht aan zijn gesprek met Carolyn MacKenzie, wist hij dat dat de oorzaak was. De blik van teleurstelling en minachting in haar ogen toen ze afscheid van hem had genomen, bezorgde hem opeens een gevoel van schaamte en het besef dat hij tekort was geschoten. Ze maakte zich verschrikkelijk veel zorgen om haar broer en had gehoopt dat het briefje dat hij in het collectemandje had gestopt de eerste stap zou zijn om hem terug te vinden. Hoewel ze dat niet had gezegd, was het duidelijk dat ze dacht dat hij in moeilijkheden verkeerde.

Ik heb haar met een kluitje in het riet gestuurd, dacht Barrott. Toen ze wegging, zei ze dat ze me niet meer lastig zou vallen. Dat woord had ze gebruikt: lastigvallen.

Terwijl hij achterover leunde op zijn stoel in het grote kantoor probeerde hij het geluid van de rinkelende telefoons buiten te sluiten. Even later haalde hij zijn schouders op. Het kan geen kwaad als ik dat dossier even inkijk, besloot hij. Al was het alleen maar om er zeker van te zijn dat het om een jongen ging die niet gevonden wilde worden, een jongen die ooit wel weer van gedachten zou veranderen en uiteindelijk in het programma van dokter Phil met zijn moeder en zus zou worden herenigd, voor een jankend publiek.

Zijn gezicht vertrok bij een steek van pijn in zijn reumatische knie toen hij opstond om naar de archiefafdeling op de begane grond te gaan, waar hij tekende voor het dossier MacKenzie. Hij nam het mee terug naar zijn bureau en sloeg het open. Behalve de stapel officiële rapporten en de verklaringen van de familie en vrienden van Charles MacKenzie junior, zat er een grote envelop met foto's in. Barrott haalde ze eruit en spreidde ze uit op zijn bureau.

Zijn blik ging onmiddellijk naar één ervan, een kerstkaart met de familie MacKenzie voor de kerstboom. De foto deed hem denken aan de kerstkaart die hij en Beth in december hadden verstuurd van hen tweeën met hun kinderen, Melissa en Rick, voor hun eigen kerstboom. Die kaart lag nog steeds ergens in zijn bureau.

De MacKenzies hebben zich voor hun foto heel wat mooier opgedoft dan wij voor de onze, dacht hij. Vader en zoon droegen een smoking, moeder en dochter een avondjurk. Maar het resultaat van beide foto's was hetzelfde: een glimlachend, gelukkig gezin dat hun vrienden prettige kerstdagen wenst en alle goeds voor het nieuwe jaar. Dit was waarschijnlijk de laatste kaart van hen vieren voordat de zoon verdween.

Inmiddels werd Charles MacKenzie junior al tien jaar vermist en was Charles MacKenzie senior op 11 september 2001 gestorven.

Barrott rommelde door allerlei papieren in zijn bureau tot hij de kerstkaart van zijn eigen gezin had gevonden. Met zijn ellebogen op het bureaublad hield hij de twee kaarten naast elkaar om ze te vergelijken. Ik bof, dacht hij. Rick heeft net zijn eerste jaar aan Fordham met prima cijfers gehaald en Melissa, die net zo slim is als hij, heeft haar derde jaar achter de rug en gaat vanavond naar een bal. Beth en ik boffen niet alleen, we zijn gezegend.

Maar stel, kwam er ineens bij hem op, dat mij tijdens mijn werk iets zou overkomen, dat Rick de campus van zijn universiteit zou verlaten en zou verdwijnen, en dat ik er dan niet meer zou zijn om hem te gaan zoeken...

Dat zou Rick zijn moeder en zijn zus nooit aandoen, nooit van zijn leven, hield hij zich voor.

Maar dat wilde Carolyn MacKenzie mij juist duidelijk maken over haar broer.

Langzaam sloeg hij het dossier Charles MacKenzie jr. dicht en legde het in de bovenste la van zijn bureau. Ik zal er morgen nog eens goed naar kijken, nam hij zich voor. Misschien moet ik nog eens langsgaan bij een aantal van de mensen die destijds een verklaring hebben afgelegd. Het kan geen kwaad hun nog eens een paar vragen te stellen om erachter te komen of hun geheugen sindsdien is opgefrist.

Het was vier uur. Tijd om naar huis te gaan. Hij wilde op tijd thuis zijn om foto's te nemen van Melissa in haar baljurk met haar vriend, Jason Kelly. Een aardige jongen, vond Barrott, al was hij zo mager dat, als hij een glas tomatensap zou drinken, dat net zo zichtbaar zou zijn als het kwik in een thermometer. En hij wilde een paar woorden wisselen met de chauffeur van de limousine die het stel zou ophalen. Een blik op zijn rijbewijs werpen en hem laten weten dat hij het niet in zijn hoofd moest halen ook maar één kilometer te hard te rijden. Hij stond op en trok zijn jasje aan.

Je doet alles wat je kunt om je kinderen te beschermen, dacht hij. Hij draaide zich om en riep 'tot morgen!' naar zijn collega's in het kantoor en liep de gang in. Maar soms gaat er, wat je ook doet, toch iets fout en raakt je kind betrokken bij een ongeluk of wordt het slachtoffer van een misdaad.

O God, laat dat ons alstublieft niet overkomen, bad hij toen hij op de liftknop drukte.

7

Oom Dev had Elliott Wallace verteld dat Mack een briefje in de collectemand had gestopt, en maandagavond gingen we met Elliott uit eten. Zijn meestal kalme gezicht stond een tikje bezorgd. Elliott is de CEO en directeur van Wallace & Madison, de investeringsbank in Wall Street die de geldzaken van onze familie beheert. Hij was een van de beste vrienden van mijn vader, en Mack en ik hebben hem altijd beschouwd als een soort oom. Elliott is al jaren gescheiden en volgens mij is hij verliefd op mijn moeder. Dat zij sinds het overlijden van mijn vader niet meer belangstelling voor hem heeft gekregen, is volgens mij ook een gevolg van de verdwijning van Mack.

Meteen nadat we aan zijn favoriete tafel in Le Cirque hadden plaatsgenomen, gaf ik hem het briefje van Mack en zei erbij dat ik me daardoor nog vaster had voorgenomen om hem te vinden.

Ik had gehoopt dat Elliott me in dat besluit zou steunen, maar hij stelde me teleur. 'Carolyn,' zei hij langzaam, terwijl hij het briefje een paar keer las, 'ik geloof niet dat je daar Mack een plezier mee doet. Hij belt elk jaar op om jullie te laten weten dat het goed met hem gaat. Je hebt me zelf verteld dat hij zelfverzekerd klinkt, zelfs alsof hij gelukkig is. Hij heeft onmiddellijk gereageerd op je belofte, of je dreigement, dat je hem zult vinden. Op de beste manier die hij kon bedenken, heeft hij je bevolen hem met rust te laten. Waarom doe je dat dan niet en wat nog belangrijker is, waarom hou je er niet mee op Mack nog steeds het belangrijkste van je leven te laten zijn?'

Het was geen vraag die ik van Elliott zou hebben verwacht en ik zag dat het hem moeite had gekost hem te stellen. Met een bezorgde blik in zijn ogen en een frons op zijn voorhoofd keek hij van mij naar mijn moeder, die een ondoorgrondelijke uitdrukking op haar gezicht had. Ik was blij dat we aan een hoektafel zaten waar niemand anders haar kon zien, want ik was bang dat ze tegen Elliott net zo zou uitvallen als ze na het telefoontje van Mack op Moederdag tegen mij had gedaan of nog erger, dat ze in snikken zou uitbarsten.

Toen ze geen commentaar gaf, zei Elliott op dringende toon: 'Olivia, je moet Mack de ruimte geven die hij wil hebben. Wees blij dat hij nog leeft, en je kunt je zelfs troosten met het feit dat hij blijkbaar in de buurt woont. Ik kan je verzekeren dat als Charley er nog was, hij precies hetzelfde zou zeggen.'

Mijn moeder kan me altijd weer verbazen. Ze pakte haar vork en trok er verstrooid streepjes mee op het tafelkleed. Ik had er alles onder willen verwedden dat het Macks naam was.

Maar toen ze begon te praten, besefte ik dat ik me volkomen in haar reactie op Macks briefje had vergist.

'Sinds Dev ons gisteren die boodschap van Mack heeft

laten zien, ben ik er eigenlijk net zo over gaan denken, Elliott,' zei ze. Ik hoorde het verdriet in haar stem, maar geen tranen. 'Ik werd boos op Carolyn omdat zij boos was geworden op Mack en dat was niet eerlijk van me. Ik weet dat Carolyn zich voortdurend zorgen om me maakt. En nu heeft Mack ons een antwoord gestuurd. Niet het antwoord dat ik wilde hebben, maar zo is het nu eenmaal.'

Mama probeerde te glimlachen. 'Ik ga proberen hem als een soort deserteur te beschouwen, mijn zoon die zonder toestemming is vertrokken. Misschien woont hij inderdaad in de buurt. Hij heeft heel snel gereageerd en als hij ons niet meer wil zien, zullen Carolyn en ik ons daarbij neerleggen.' Ze zweeg even en voegde er ferm aan toe: 'Dat is mijn beslissing.'

'Ik hoop dat je je eraan zult houden, Olivia,' zei Elliott nadrukkelijk.

'Ik zal het in elk geval proberen. Om te beginnen hebben vrienden van me, de Clarences, die aanstaande vrijdag met hun jacht een tocht langs de Griekse eilanden gaan maken, erop aangedrongen dat ik met hen meega en dat doe ik.' Ze legde met een beslist gebaar haar vork neer.

Ik leunde achterover, verbaasd over haar onverwachte besluit. Ik was van plan geweest met Elliott over mijn afspraak op woensdag met de huisbewaarders van Macks vroegere appartement te praten, maar dat kon ik nu natuurlijk niet meer doen. Ironisch genoeg had mama de situatie met Mack eindelijk geaccepteerd en stelde me dat, terwijl ik daar jarenlang om had gesmeekt, opeens teleur. Ik raakte er steeds meer van overtuigd dat Mack diep in de problemen zat en die helemaal alleen moest zien op te lossen. Ik wilde die mogelijkheid nog te berde brengen, maar ik deed het niet. Als mama weg was, kon ik Mack gaan zoeken zonder het te hoeven verbergen of nog erger, tegen haar te moeten liegen.

'Hoelang duurt die vaartocht, mam?' vroeg ik.

'Minstens drie weken.'

'Ik vind het een fantastisch idee,' zei ik oprecht.

'Ik ook,' beaamde Elliott. 'En hoe zit het met jou, Carolyn? Wil je nog steeds assistent-officier van justitie worden?'

'Ja,' antwoordde ik. 'Maar ik wacht nog een maand of zo voordat ik ga solliciteren. Want als ik bof en ze nemen me aan, zal ik voorlopig niet veel vrije tijd hebben.'

Het werd een genoeglijke avond. Mama, die er beeldig uitzag in een lichtblauwe zijden blouse met een bijpassende lange broek, was levendiger en lachte vaker dan ik de laatste jaren had meegemaakt. Blijkbaar had haar besluit om de situatie met Mack te accepteren haar rust gegeven.

Elliott werd een stuk vrolijker toen hij zag wat er met haar gebeurde. Vroeger had ik me wel eens afgevraagd of hij zelfs in bed nog een pak met een das droeg. Hij was altijd heel formeel, maar wanneer mama al haar charmes in de strijd gooide, smolt hij. Hij was een paar jaar ouder dan zij, waardoor ik me afvroeg of zijn dikke donkerbruine haar een natuurlijke kleur had, maar dat zou best kunnen. Hij liep zo rechtop als een legerofficier. Hij keek altijd nogal gereserveerd, zelfs een beetje afstandelijk, tot hij begon te lachen. Dan leek het net alsof er ergens een lampje ging branden en kon je een glimp opvangen van een veel spontaner mens achter zijn stijve voorkomen.

Soms maakte hij grapjes over zichzelf. 'Mijn vader, Franklin Delano Wallace, was vernoemd naar een verre neef, president Franklin Delano Roosevelt, voor wie mijn vader altijd veel respect had. Waarom denken jullie dat ik Elliott heet? Dat was de naam die de president aan een van zijn zoons had gegeven. En ondanks alles wat Roosevelt voor het gewone volk heeft gedaan, mag je niet vergeten dat hijzelf een aristocraat was. Helaas was mijn vader niet alleen een aristocraat, maar ook een snob. Dus als ik te pompeus overkom, mag je daar de pompeuze kerel die me heeft opgevoed de schuld van geven.'

Tegen de tijd dat we de koffie op hadden, had ik besloten dat ik Elliott op geen enkele manier zou laten merken dat ik Mack daadwerkelijk zou gaan zoeken. Ik bood mama aan om tijdens haar afwezigheid in haar appartement te gaan wonen, wat ze een prettig idee vond. Ze was niet onder de indruk van de zit- slaapkamer die ik sinds september het jaar daarvoor, toen ik griffier bij de rechtbank was geworden, huurde in Greenwich Village. Ze wist natuurlijk niet dat ik graag in Sutton Place wilde blijven omdat Mack me daar, als hij zou merken dat ik nog steeds probeerde hem te vinden, zou kunnen bereiken.

Voor het restaurant hield ik een taxi aan. Elliott en mama wilden naar Sutton Place terug gaan lopen. Toen de taxi wegreed, zag ik met gemengde gevoelens dat Elliott mama een arm gaf en dat ze dicht tegen elkaar aan de straat in liepen.

8

Dokter David Andrews, een gepensioneerde chirurg van zevenenzestig, wist niet waarom hij zo'n onrustig gevoel had nadat hij zijn dochter op de trein naar Manhattan had gezet, waar ze derdejaars student was aan de Universiteit van New York.

Leesey en haar oudere broer, Gregg, waren naar Greenwich gekomen om Moederdag bij hem door te brengen, een moeilijke dag voor hen alledrie en de tweede zonder Helen. Ze waren naar haar graf op St. Mary's begraafplaats gegaan en hadden daarna vrij vroeg gedineerd in zijn sociëteit.

Leesey was van plan geweest om met Gregg mee terug naar de stad te rijden, maar op het laatste moment had ze besloten te blijven slapen en de volgende morgen de trein te nemen. 'Mijn eerste college is om elf uur,' had ze gezegd, 'en ik heb zin om nog een poosje bij jou te blijven, pap.'

Op zondagavond hadden ze een paar fotoalbums doorgebladerd en over Helen gepraat. 'Ik mis haar verschrikkelijk,' had Leesey zacht gezegd.

'Ik ook, lieverd,' had hij bekend.

Maar toen hij haar op maandagmorgen naar het station bracht, was ze weer even vrolijk als altijd. Daarom begreep David Andrews niet waarom hij het knagende gevoel van bezorgdheid, dat zijn spelletje golf op maandag en dinsdag ondermijnde, niet van zich af kon zetten.

Toen hij op dinsdagavond het nieuws van halfzeven had aangezet en voor de tv zat te dommelen, ging de telefoon. Het was Kate Carlisle, Leeseys beste vriendin, met wie ze een appartement deelde in Greenwich Village. Door haar vraag en de bezorgde toon waarop ze die stelde, vloog hij rechtop in zijn stoel.

'Dokter Andrews, is Leesey daar?'

'Nee, Kate. Waarom zou ze hier zijn?' vroeg hij.

Hij keek zoekend de kamer rond. Hoewel hij na de dood van Helen het grote huis had verkocht en zij nooit in dit appartement was geweest, keek hij, wanneer de telefoon rinkelde, automatisch om zich heen in de verwachting dat ze met uitgestrekte hand de hoorn van hem over zou nemen.

Toen Kate geen antwoord gaf, vroeg hij op scherpe toon: 'Waarom zoek je haar, Kate?'

'Dat weet ik niet. Ik hoopte gewoon...' Haar stem brak.

'Wat is er gebeurd, Kate?'

'Gisteravond is ze met een paar vrienden naar de Woodshed gegaan, een nieuwe club die we eens wilden proberen.'

'Waar?'

'Op de grens tussen de Village en SoHo. Toen de anderen weggingen, is Leesey gebleven. Er speelde een heel goeie band en u weet dat ze dol is op dansen.'

'Hoe laat zijn de anderen weggegaan?'

'Om een uur of twee, dokter Andrews.'

'Had Leesey veel gedronken?'

'Niet te veel. Ze deed heel normaal toen de anderen vertrokken, maar toen ik vanmorgen wakker werd, was ze niet thuis en niemand heeft haar vandaag gezien. Ik bel steeds haar mobieltje, maar ze neemt niet op. Ik heb iedereen gebeld die zou kunnen weten waar ze is, maar niemand weet het.'

'Heb je ook dat adres gebeld waar ze gisteravond is geweest?'

'Ja, en ik heb de barman gesproken. Hij zei dat Leesey tot sluitingstijd, om drie uur, was gebleven en toen alleen weg was gegaan. Hij bezwoer me dat ze niet dronken was of zelfs maar een druppel te veel op had. Ze was gewoon tot op het laatst gebleven.'

Andrews sloot zijn ogen en probeerde wanhopig te bedenken wat hij nu moest doen. Laat er alstublieft niets met haar zijn gebeurd, God, bad hij. Leesey, het onverwachte kind dat was geboren toen Helen vijfenveertig was en ze de hoop op een tweede kind allang hadden opgegeven.

Ongeduldig zwaaide hij zijn benen van het voetenbankje, schoof het opzij, stond op en streek zijn dikke witte haardos naar achteren. Hij slikte om de speekselklieren in zijn opeens droge mond weer in werking te stellen.

Het spitsuur is afgelopen, dacht hij. De reis naar Greenwich Village duurt hooguit een uur.

'Van Greenwich, Connecticut, naar Greenwich Village,' had Leesey drie jaar geleden vrolijk gezegd, toen ze had besloten naar de Universiteit van New York te gaan.

'Kate, ik kom eraan,' zei hij. 'En ik zal Leeseys broer bellen. We komen naar het appartement. Hoe ver is het van jullie naar die bar van gisteravond?'

'Ongeveer anderhalve kilometer.'
'Zou ze een taxi hebben genomen?'
'Het was een mooie avond. Waarschijnlijk is ze gaan lopen.'
Alleen midden in de nacht over straat, dacht Andrews. Terwijl hij zijn best deed om normaal te klinken, zei hij: 'Ik ben over een uur bij je. Blijf iedereen bellen die je maar kunt bedenken en die misschien een idee kan hebben waar ze is.'

Dokter Gregg Andrews stond onder de douche toen de telefoon rinkelde, en hij besloot het antwoordapparaat te laten aannemen. Zijn dienst zat erop en hij had een afspraakje met iemand die hij de avond daarvoor, op een feestje van een vriend ter ere van de publicatie van zijn roman, had ontmoet. Hij was hartchirurg in het New York Presbyterian Hospital, zoals zijn vader dat tot aan zijn pensioen ook was geweest. Hij droogde zich af, liep naar de slaapkamer en merkte dat het voor een avond in mei vrij koel was geworden. Uit zijn kleerkast haalde hij een lichtblauw overhemd met lange mouwen, een lichtbruine broek en een donkerblauw jasje.
Leesey vindt dat ik er altijd zo saai uitzie, flitste het door zijn hoofd, en hij glimlachte bij de gedachte aan zijn twaalf jaar jongere zus. Ze vindt dat ik een paar kledingstukken in een sprekende kleur moet kopen om mee te combineren. Ze vindt ook dat ik lenzen moet gaan dragen en mijn borstelhaar moet laten groeien.
'Gregg, je bent een heel leuke man. Niet knap, maar wel heel leuk,' had ze een keer kalm gezegd. 'Vrouwen houden van mannen die eruitzien alsof ze hersens hebben, bedoel ik. En ze vallen altijd voor een dokter. Volgens mij is dat een soort vadercomplex. Maar het kan geen kwaad er iets hipper bij te lopen.'
Het lichtje van het antwoordapparaat knipperde om te

melden dat er een boodschap was ingesproken. Hij overwoog of hij de moeite zou nemen die te beluisteren en drukte toch maar op de knop.

'Gregg, met papa. Leeseys huisgenote belde net om te zeggen dat Leesey is verdwenen. Ze is gisteravond in haar eentje van een bar naar huis gelopen en niemand heeft haar sindsdien gezien. Ik ben op weg naar haar appartement. Kom daar naar me toe.'

Geschrokken zette Gregg Andrews het apparaat stil en toetste het nummer in van de telefoon in de auto van zijn vader. 'Pap, ik heb net je bericht gehoord,' zei hij toen zijn vader zich had gemeld. 'Ik zie je in Leeseys appartement en ik zal onderweg Larry Ahearn bellen. Rij voorzichtig.'

Hij griste zijn mobiel mee en rende het appartement uit. Hij stapte in de lift, die toevallig net naar beneden ging, rende door de hal en langs de portier naar de straat om een taxi aan te houden. Zoals gewoonlijk op dat tijdstip was er geen lege taxi te bekennen. In paniek tuurde hij de straat in, in de hoop dat hij een van de onofficiële taxi's zou zien die ook vaak door Park Avenue reden.

Een eindje verderop stond er een en hij rende ernaartoe en stapte in. Hij gaf kortaf het adres op van Leeseys appartement en klapte zijn mobiel open om zijn vroegere kamergenoot van de Georgetown Universiteit te bellen, die commandant was van het rechercheteam van de officier van justitie in Manhattan.

Nadat de telefoon twee keer had gerinkeld, hoorde hij de stem van Larry Ahearn zeggen dat de beller een boodschap moest achterlaten.

Gregg schudde gefrustreerd zijn hoofd en zei: 'Larry, met Gregg. Bel me op mijn mobiel. Leesey is verdwenen.'

Hij controleert voortdurend wie hem heeft gebeld, hield Gregg zichzelf voor toen de auto zich tergend langzaam een weg baande door het stadsverkeer. Toen ze Fifty-second Street passeerden, schoot hem te binnen dat de jonge vrouw die hij de vorige avond had ontmoet over een kwartier in de bar van het Four Seasons op hem zou wachten.

Hij wilde net een boodschap voor haar achterlaten toen Larry terugbelde. 'Wat is er aan de hand met Leesey?' vroeg hij.

'Ze was gisteravond in een bar of club of hoe je dat soort gelegenheden in de Village en SoHo ook noemt, is daar tegen sluitingstijd weggegaan en niet thuisgekomen.'

'Hoe heet die bar?'

'Dat weet ik nog niet. Ik ben vergeten het mijn vader te vragen. Hij komt ook hierheen.'

'Wie zou het wel weten?'

'Leeseys kamergenote, Kate. Zij heeft papa gewaarschuwd. Ik ga naar hem toe in het appartement dat zij met Leesey deelt.'

'Geef me het nummer van Kate, dan bel ik je straks terug.'

Het kantoor van Larry Ahearn grensde aan het grote kantoor van de rechercheurs. Hij was blij dat niemand op dat moment zijn gezicht kon zien. Leesey was zes toen hij in de herfst van zijn eerste jaar aan Georgetown voor het eerst bij de familie Andrews in Greenwich op bezoek kwam. Hij had haar zien opgroeien van schattig meisje tot beeldschone jonge vrouw – het soort vrouw dat de aandacht trok van elke man, niet alleen van charmeurs.

Ze was tegen sluitingstijd helemaal alleen uit die bar vertrokken. Lieve god, hoe had ze het in haar hoofd gehaald! Ze leren het nooit, dacht hij.

Larry wist dat hij Gregg en Leeseys vader zou moeten vertellen dat er in de afgelopen tien jaar drie jonge vrouwen waren verdwenen nadat ze in diezelfde buurt tussen de Village en SoHo de avond hadden doorgebracht in een van die bars.

9

Toen het op woensdagmorgen tegen elven liep, werd Lil Kramer steeds zenuwachtiger. Sinds het telefoontje van Carolyn MacKenzie op maandag had Gus haar voortdurend op het hart gedrukt dat ze alleen maar mocht zeggen wat ze over de verdwijning van Mack tien jaar geleden zelf wist. 'En dat is niets,' had hij steeds weer herhaald. 'Helemaal niets! Zeg alleen maar dat je hem een heel aardige jongen vond en zo, meer niet. En kijk niets steeds nerveus naar mij om je te helpen.'

Hun appartement was altijd smetteloos schoon en opgeruimd, maar die dag scheen de zon fel naar binnen en vestigde als een soort vergrootglas de aandacht op de slijtplekken op de leuning van de bank en de beschadigde hoek van de glazen salontafel, waar een stukje was afgebroken.

Ik wilde die glazen tafel niet eens hebben, dacht Lil, blij dat ze iets had gevonden waarop ze haar onvrede kon afreageren. Hij is te groot en past helemaal niet bij onze eigen, ouderwetse meubels. Toen Winifred haar appartement opnieuw ging inrichten, wilde ze per se dat ik die tafel nam en die mooie tafel met dat leren blad, die ik voor mijn trouwen van tante Jessie had gekregen, wegdeed. Deze glazen tafel is te groot, ik stoot er altijd mijn knie tegen en hij past niet bij de kleinere tafeltjes, zoals die andere.

Toen schoot haar iets anders te binnen om zich zorgen om te maken. Ik hoop dat Altman hier niet is wanneer dat meisje MacKenzie binnenkomt, dacht ze.

Howard Altman, makelaar en manager van de negen kleine appartementengebouwen van meneer Olsen, was een uur geleden onverwachts langsgekomen, zoals hij wel vaker deed. Gus noemde hem 'Olsens Gestapo'. Altman moest erop toezien dat de huisbewaarders hun werk goed deden. Hij heeft nooit ook maar iets op ons aan te merken gehad, dacht Lil, maar elke keer jaagt hij me de stuipen op het lijf door te zeggen dat het geldverspilling is om twee mensen in dit grote hoekappartement met vijf kamers te laten wonen.

Maar als hij denkt dat ik ooit zal verhuizen naar zo'n flatje met maar één slaapkamer vergist hij zich, hield ze zich verontwaardigd voor, terwijl ze de bladeren van de kunststof plant op de vensterbank anders schikte. Ze verstijfde toen ze stemmen hoorde in de gang en besefte dat Gus binnenkwam met Altman.

Hoewel het buiten warm was, droeg Howard Altman zoals gewoonlijk een overhemd met een das en een jasje. Steeds wanneer Lil hem zag, moest ze aan de minachtende opmerking denken die Winifred een keer over hem had gemaakt: 'Het is een opschepper, mam. Hij denkt dat, als hij netjes opgedoft de appartementen inspecteert, iedereen hem aanziet voor een belangrijke pief. Maar hij was net als papa en jij gewoon huismeester voordat hij de voeten van die ouwe Olsen kuste. Je moet je niets van hem aantrekken.'

Maar ik trek me wél iets van hem aan, dacht Lil. Ik erger me aan de manier waarop hij om zich heen kijkt zodra hij hier een voet over de drempel heeft gezet. Ik weet dat hij ons op een dag zal dwingen naar een ander appartement te verhuizen, zodat hij tegen meneer Olsen kan zeggen dat hij heeft bedacht hoe zijn baas nog meer kan verdienen. En daar maak ik me zorgen om, omdat meneer Olsen, naarmate hij ouder wordt, het beheer van deze appartementen steeds meer aan Altman overlaat.

De deur ging open en Gus en Altman kwamen de kamer binnen. 'Hallo Lil,' zei Howard Altman joviaal. Hij liep met grote passen en een uitgestrekte hand naar haar toe om haar te begroeten.

Die dag droeg hij een trendy zonnebril, een lichtbruin jasje, een bruine broek, een wit overhemd en een groen met lichtbruin gestreepte das. Zijn rossige haar was te kort geknipt, vond Lil, en het was nog te vroeg in het seizoen om al zo bruin te zijn. Winifred was ervan overtuigd dat hij de helft van zijn vrije tijd op de zonnebank lag. Maar ondanks alles, moest ze met tegenzin toegeven, was hij een aantrekkelijke man met regelmatige gelaatstrekken, donkerbruine ogen, een gespierd lichaam en een warme glimlach. Als je niet wist hoe kinderachtig hij zich kon gedragen, kon je je aardig in hem vergissen, besefte ze. Hij schudde haar stevig de hand. Hij beweert dat hij nog geen veertig is, maar volgens mij is hij minstens vijfenveertig, dacht Lil toen ze hem met een strak glimlachje begroette.

'Ik weet eigenlijk niet waarom ik de moeite neem hier langs te gaan,' zei Howard hartelijk. 'Als ik jullie voor al onze gebouwen kon gebruiken, zouden we een fortuin verdienen.'

'Ja, we proberen ervoor te zorgen dat alles er altijd piekfijn uitziet,' zei Gus op de kruiperige toon die Lil haatte.

'Jullie proberen het niet alleen, jullie doen het.'

'Het is aardig van je dat je even langskomt,' zei Lil en ze wierp een blik op de klok op de schoorsteenmantel. Het was vijf voor elf.

'Ik kon niet deze kant op komen zonder jullie even te groeten, maar nu moet ik verder.'

De bel van de intercom rinkelde en Lil wist dat Carolyn MacKenzie in de hal stond. Zij en Gus keken elkaar aan en hij liep naar de telefoon aan de muur. 'Ja, natuurlijk, kom binnen. We verwachten u...'

Noem alsjeblieft haar naam niet, smeekte Lil in gedachten. Noem haar naam niet. Als Howard haar op weg naar buiten tegenkomt, denkt hij waarschijnlijk dat ze komt vragen naar een appartement.

'... mevrouw MacKenzie,' zei Gus. 'Appartement 1B. Rechts in de hal.'

Lil zag dat de glimlach die Howard Altman bij het gedag zeggen had geproduceerd, wegtrok. 'MacKenzie. Is dat niet de naam van die jongen die vlak voordat ik voor meneer Olsen kwam werken, was verdwenen?'

'Ja, Howard,' antwoordde Gus kortaf.

'Meneer Olsen heeft me toen verteld hoe vervelend hij al die publiciteit vond. Hij was bang dat het imago van zijn appartementen erdoor zou worden aangetast. Waarom komt ze nu nog bij jullie langs?'

Terwijl Gus naar de deur liep, zei hij op neutrale toon: 'Ze wil over haar broer praten.'

'Dan wil ik haar graag ontmoeten,' zei Howard Altman kalm. 'Als jullie er geen bezwaar tegen hebben, blijf ik nog even.'

10

Ik weet niet wat ik verwachtte toen ik dat gebouw in West End Avenue binnenstapte. Ik herinnerde me dat Mack me dat appartement had lieten zien nadat hij de campus van Columbia had verlaten. Hij begon toen aan zijn derde jaar, dus moet ik net vijftien zijn geweest.

Omdat hij in dezelfde stad woonde als wij, hoefden we niet bij hem op bezoek te gaan. In plaats daarvan kwam hij regelmatig thuis of gingen we samen uit eten. Ik weet dat mijn ouders na zijn verdwijning naar zijn appartement zijn gegaan om met zijn huisgenoten en andere mensen in het gebouw te praten, maar ik mocht nooit mee. Die eerste zomer dwongen ze me om weer naar een zomerkamp te gaan, ook al wilde ik niets liever dan meehelpen bij het zoeken naar mijn broer.

Ik was blij dat de Kramers me pas woensdag konden ontvangen. De dag daarvoor moest ik de hele dag met mijn moeder mee om nog wat spullen te kopen voor haar zeiltocht. En het nieuws van elf uur 's avonds meldde de verdwijning van een studente van de Universiteit van New York nadat ze laat in de nacht een bar in SoHo had verlaten. Ze lieten een opname zien van haar vader en haar broer toen ze uit haar appartement in de Village kwamen, en ik zag tot mijn schrik dat ze vlak naast mij had gewoond. Mijn hart bloedde voor hen.

Ik kon mijn moeder er niet van overtuigen dat je in de Village net zo veilig kon wonen als in Sutton Place. Voor haar was het appartement in Sutton Place een toevluchtsoord, het huis dat zij en mijn vader tot hun vreugde hadden kunnen kopen toen ze zwanger was van mij. Eerst bestond het uit één verdieping met zes kamers, maar toen mijn vader steeds meer ging verdienen, kocht hij er het appartement boven ons bij en maakte er een maisonnette van.

Voor mij was het een soort gevangenis geworden, waar mijn moeder steeds luisterde of ze iemand een sleutel in het slot hoorde steken en Mack zou horen roepen: 'Ik ben thuis!' Wat mij betreft, was het wachten op zijn eventuele terugkeer een frustratie geworden, een verdriet dat bleef hangen. Ik voelde me vreselijk egoïstisch. Ik hield van Mack, mijn grote broer, mijn kameraad, maar ik wilde mijn leven niet langer in de wachtstand laten staan. Mijn besluit om mijn sollicitatie naar een baan bij de officier van justitie nog een poosje uit te stellen, had niets met vrije tijd te maken. Ik wilde nog één keer proberen om Mack te vinden en als dat niet zou lukken, wilde ik eindelijk doorgaan met mijn leven. Tijdens mama's drie weken durende afwezigheid wilde ik zo veel mogelijk tijd in Sutton Place doorbrengen en dat was niet omdat ik me daar veiliger voelde, maar alleen omdat Mack, voor het geval dat hij erachter zou komen dat ik met iedereen ging praten die hem had gekend, me daar kon bellen.

Het appartementengebouw waar Mack heeft gewoond is oud en heeft een grijze natuurstenen voorgevel, een bouwwijze die in het begin van de twintigste eeuw in New York populair was. Maar toen ik er aankwam, zag ik dat de stoep en de trap schoon waren en dat de knop van de voordeur glimmend was gepoetst. De deur zat niet op slot en erachter lag een smalle gang, waar je op de bel van een appartement kon drukken om te worden binnengelaten, of met behulp van je eigen sleutel kon doorlopen naar een grote hal.

Ik had mevrouw Kramer aan de telefoon gehad en ik weet niet waarom, maar ik had verwacht haar stem door de intercom te horen. Maar een mannenstem antwoordde en wees me de weg naar hun appartement.

De deur van nummer 1B stond al open en de man die daar op me stond te wachten, stelde zich voor als Gus Kramer, de huismeester. Toen ik die morgen het dossier nog eens had doorgelezen, herinnerde ik me wat mijn vader over hem had gezegd: 'De angst van die man dat hij de schuld van Macks verdwijning zal krijgen, is groter dan zijn bezorgdheid om Mack. En zijn vrouw is nog erger. Zij durfde zelfs te opperen dat meneer Olsen het niet leuk zou vinden. Alsof wij ons zorgen moeten maken over de eigenaar van een opgeknapte huurflat.'

Het is gek dat ik, toen ik me voor de afspraak aankleedde, niet kon besluiten wat ik zou aantrekken. Ik had een dun broekpak klaargelegd, van het soort dat ik naar mijn werk bij de rechtbank droeg, maar dat leek me opeens te zakelijk. Ik wilde dat de Kramers zich met mij op hun gemak zouden voelen. En ik wilde vooral dat ze me zouden beschouwen als Macks jongere zus, dat ze me aardig zouden vinden en wilden helpen. Daarom koos ik ten slotte voor een katoenen T-shirt met lange mouwen, jeans en sandalen. Om me geluk te brengen, deed ik de ketting om die Mack me voor mijn zestiende verjaardag had gegeven. Er hingen twee gouden bedeltjes aan: kunstschaatsen en een voetbal, ter ere van mijn lievelingssporten.

Toen Gus Kramer zich had voorgesteld en me binnen had gelaten, kreeg ik het gevoel dat ik in de tijd terug was gegaan. Ondanks zijn succes had papa mijn grootmoeder nooit kunnen overhalen om haar appartement in Jackson Heights, Queens, te verlaten, en in het appartement van de Kramers stonden dezelfde pluche stoelen en tafeltjes met een leren blad, en lagen dezelfde machinaal gemaakte Perzische kleden als bij haar. Het enige wat er niet bij paste, was de glazen salontafel.

Mijn eerste indruk van Gus en Lil Kramer was die van een stel dat na zo veel jaar samen op elkaar was gaan lijken. Haar staalgrijze haar had dezelfde kleur als het zijne. Ze waren allebei vrij klein van stuk en stevig gebouwd. Ze hadden dezelfde lichtblauwe ogen, en op beide gezichten lag een argwanende uitdrukking toen ze bij de begroeting stug tegen me glimlachten.

Maar er was nog een derde persoon in de kamer en hij deed alsof hij de gastheer was. 'Mevrouw MacKenzie, wat een genoegen met u kennis te maken. Ik ben Howard Altman, de districtmanager van Olsen Onroerend Goed. Toen uw broer verdween, had ik deze functie nog niet, maar ik weet wel dat meneer Olsen het verschrikkelijk vond, en nog vindt. Ik stel voor dat we allemaal gaan zitten en dat u ons vertelt waarmee we u van dienst kunnen zijn.'

Ik merkte dat het de Kramers ergerde dat Altman het van hen overnam, maar daardoor was het voor mij gemakkelijker om te zeggen wat ik thuis had bedacht. 'U weet dus al dat mijn broer Mack tien jaar geleden is verdwenen. Sindsdien heeft niemand nog een spoor van hem kunnen ontdekken. Maar hij belt ons elk jaar op Moederdag op, dat heeft hij ook een paar dagen geleden gedaan. Ik heb toen het gesprek dat hij had met mijn moeder onderbroken en hem bezworen dat ik hem zou vinden. Later die dag is hij naar de Sint-Francis gegaan, een kerk in de buurt waar mijn oom priester is, en daar heeft hij een briefje voor me achtergelaten om me te waarschuwen dat ik hem niet moest zoeken. En nu ben ik vreselijk bang dat hij in moeilijkheden verkeert, en ik durf niemand om hulp te vragen.'

'Een briefje!' De uitroep van Lil Kramer legde me het zwijgen op. Tot mijn verbazing werd ze rood en stak ze spontaan haar hand uit om die van haar man vast te pakken. 'U wilt echt zeggen dat hij naar de Sint-Francis is gegaan en daar een briefje voor u heeft achtergelaten?' vroeg ze.

'Ja, naar de mis van elf uur. Waarom bent u daar zo verbaasd over, mevrouw Kramer? Ik weet dat er in de afgelopen jaren wel eens een artikel over de verdwijning van mijn broer en zijn jaarlijkse telefoontje in de krant heeft gestaan.'

Gus Kramer nam het van zijn vrouw over. 'Mevrouw MacKenzie, mijn vrouw heeft het altijd vreselijk gevonden wat er met uw broer is gebeurd. Hij was een van de aardigste, beleefdste jongens die hier ooit heeft gewoond.'

'Dat zei meneer Olsen ook,' zei Howard Altman glimlachend. 'Mag ik u iets uitleggen, mevrouw MacKenzie? Meneer Olsen is zich zeer bewust van de gevaren die jonge mensen tegenwoordig bedreigen, zelfs intellectueel begaafde jonge mensen. Hij ging nieuwe studenten altijd persoonlijk begroeten. Hij is nu een oude man, maar hij heeft me verteld dat uw ouders en uw broer destijds diepe indruk op hem hebben gemaakt. En ik kan u verzekeren dat de Kramers er altijd goed op hebben gelet dat de studenten niet te veel dronken en vooral geen drugs gebruikten. Als uw broer een probleem had, moet dat zich buitenshuis hebben afgespeeld, niet binnen deze muren.'

Dat zei een man die Mack niet eens had gekend, die alleen van hem had gehoord. De boodschap kwam luid en duidelijk over. Val ons niet lastig met de problemen van je broer, dame.

'Ik suggereer ook helemaal niet dat Macks verdwijning iets met dit appartement te maken had, maar u begrijpt misschien wel dat het logisch is dat ik mijn zoektocht naar hem begin op de plek waar hij voor het laatst is gezien. De broer die ik kende, zou nooit met opzet mijn ouders en mij het verdriet aandoen waarmee we al tien jaar moeten leven, of ons zo lang in spanning laten zitten.' Ik voelde dat mijn ogen zich vulden met de tranen die bij het minste of geringste opwelden toen ik mezelf verbeterde. 'Ik bedoel het verdriet en de bezorgdheid van mijn moeder en mij. Ik denk dat u wel weet dat mijn vader een van de slachtoffers was van 11 september 2001.'

'Uw broer leek inderdaad niet het soort jongen dat zomaar zou verdwijnen, zonder dat hij er een heel belangrijke reden voor had, bedoel ik,' beaamde Gus Kramer.

Hij klonk oprecht, maar ik zag dat hij een blik op zijn vrouw wierp en dat zij nerveus op haar lip beet.

'Is het ooit bij u opgekomen dat uw broer misschien een hersenbloeding heeft gehad of dat hij als gevolg van een ander soort lichamelijk letsel misschien zijn geheugen gedeeltelijk of zelfs helemaal kwijt is?' vroeg Howard Altman.

'Er is van alles bij me opgekomen,' antwoordde ik. Ik pakte mijn schoudertas en haalde er een blocnote en een pen uit. 'Meneer en mevrouw Kramer, ik weet dat het al tien jaar geleden is gebeurd, maar mag ik u vragen of u zich ook maar iets kunt herinneren wat Mack heeft gedaan of gezegd dat van betekenis kan zijn? Soms schiet ons later iets te binnen waar we eerder niet aan hadden gedacht, bedoel ik. Misschien is het waar dat Mack, zoals meneer Altman suggereert, een soort aanval van geheugenverlies heeft gehad. Had u de indruk dat hij zich ergens zorgen om maakte of dat hij lichamelijk niet in orde was?'

Terwijl ik mijn vragen stelde, dacht ik eraan dat mijn vader, nadat de politie de zaak had opgegeven, een privédetective, Lucas Reeves, had ingehuurd om de zoektocht voort te zetten. Ik had de laatste paar dagen zijn dossier zorgvuldig doorgelezen en alles wat de Kramers hem hadden verteld, stond erin.

Ik luisterde toen mevrouw Kramer eerst aarzelend, maar steeds enthousiaster vertelde dat Mack een van die jongens was geweest die altijd de deur voor haar hadden opengehouden, hun vuile was in de wasmand hadden gedaan en hun rommel hadden opgeruimd. 'Ik heb hem nooit bezorgd zien kijken,' zei ze. Ze had hem voor het laatst gezien toen ze het appartement dat hij met twee andere oudstejaars deelde, had schoongemaakt. 'De twee andere jongens waren er niet. Mack zat aan zijn computer in zijn slaapkamer en zei dat hij geen last van de stofzuiger zou hebben. Zo was hij altijd. Makkelijk in de omgang. Vriendelijk. Beleefd.'

'Hoe laat was dat?' vroeg ik.

Ze tuitte haar lippen. 'Ik denk 's morgens om een uur of tien.'

'Dat denk ik ook,' zei Gus Kramer vlug.

'En daarna hebt u hem nooit meer gezien?'

'Ik heb hem om een uur of drie het gebouw zien verlaten. Ik kwam net van de tandarts en stak mijn sleutel in het slot van ons eigen appartement. Gus hoorde me en deed open. We zagen Mack de trap af komen. Hij zwaaide naar ons toen hij door de hal liep.'

Ik zag dat ze naar haar man keek alsof ze zijn goedkeuring zocht.

'Wat had Mack toen aan, mevrouw Kramer?'

'Hetzelfde als die morgen. Een T-shirt, jeans, sportschoenen en...'

'Lil, je bent weer in de war. Toen hij wegging, droeg Mack een jasje, een lange broek en een overhemd zonder das,' viel Gus Kramer haar op scherpe toon in de rede.

'Dat bedoelde ik ook,' zei ze vlug. 'Het komt doordat ik hem voor me zie in het T-shirt en de jeans die hij die morgen droeg toen ik een praatje met hem maakte.' Haar gezicht vertrok. 'Gus en ik hebben niets met zijn verdwijning te maken gehad!' riep ze opeens. 'Waarom komt u ons hiermee lastigvallen?'

Ik staarde haar aan en dacht aan wat Lucas Reeves, de privédetective, in zijn verslag had geschreven: dat de Kramers bang waren dat ze door Macks verdwijning hun baan zouden verliezen. Maar op dat moment, bijna tien jaar later, kon die reden niet meer van kracht zijn.

Ze waren nerveus omdat ze iets te verbergen hadden en ze probeerden krampachtig zich aan hun oorspronkelijke getuigenverklaring te houden. Tien jaar geleden had mevrouw Kramer tegen Reeves gezegd dat Mack net naar buiten kwam toen ze hem zag en dat haar man in de hal stond.

Opeens wist ik absoluut zeker dat geen van beiden Mack het gebouw had zien verlaten. Hád hij het gebouw eigenlijk wel verlaten? Maar meteen nadat deze vraag bij me op was gekomen, verwierp ik hem.

'Ik weet dat het al erg lang geleden is gebeurd,' zei ik, 'maar mag ik het appartement zien waar mijn broer heeft gewoond?'

Ik zag dat ze schrokken van mijn verzoek, en ze keken allebei naar Howard Altman om hulp.

'Het is natuurlijk verhuurd,' zei hij, 'maar het semester is afgelopen en veel studenten zijn al vertrokken. Wat is de stand van zaken in 4D, Lil?'

'De twee die de grote slaapkamer delen, zijn al weg. Walter Cannon heeft de kamer die Mack vroeger had, en hij vertrekt vandaag.'

'Misschien kun je hem even bellen en vragen of mevrouw MacKenzie een kijkje mag nemen?' stelde hij voor.

Even later liepen we de trap op naar de vierde verdieping. 'Studenten vinden traplopen niet erg,' zei Altman. 'Maar ik ben blij dat ik niet de hele dag trap op, trap af hoef.'

Walter Cannon was tweeëntwintig en bijna twee meter

lang, en hij wuifde mijn verontschuldigingen omdat ik hem stoorde weg. 'Ik ben alleen maar blij dat u niet een uur geleden wilde komen,' zei hij. 'Toen was het hier een bende.' Hij zei dat hij de zomervakantie in New Hampshire zou doorbrengen en in het najaar rechten zou gaan studeren.

Hij is even ver als Mack toen hij verdween, dacht ik verdrietig.

Ik kon me het appartement nog vaag herinneren. Een kleine hal, die vol stond met Cannons bagage. De keuken recht tegenover de voordeur. Rechts een gang met een woonkamer, een slaapkamer en aan het eind een badkamer. Links van de hal nog een badkamer en daarachter de slaapkamer die van Mack was geweest. Ik luisterde niet naar Altmans opmerking over het uitstekende onderhoud van de appartementen en liep rechtstreeks door naar Macks vroegere kamer.

De muren en het plafond waren roomwit. Op het bed lag een dunne, gebloemde katoenen sprei en voor de twee ramen hingen gordijnen van dezelfde stof. Behalve het bed stonden er een ladekast, een bureau en een leunstoel. Op de grond lag grijsblauwe vaste vloerbedekking.

'Wanneer een appartement leeg komt te staan, wordt het onmiddellijk opnieuw geschilderd,' zei Altman. 'Het vloerkleed wordt schoongemaakt, de bedsprei en de gordijnen worden gewassen. Gus Kramer zorgt ervoor dat de keuken en de badkamers weer als nieuw zijn. We zijn erg trots op onze appartementen.'

Hier heeft Mack twee jaar gewoond, dacht ik. Ik stelde me voor dat hij even blij was geweest met zijn eigen plek als ik met de mijne. Een plek voor jezelf. Hij mocht opstaan wanneer hij wilde, lezen wanneer hij wilde, al of niet de telefoon aannemen. De deuren van de kleerkast stonden open en er hing niets meer in.

Het schoot me te binnen dat de Kramers hadden gezegd dat Mack die middag toen hij wegging een jasje, een lange broek en een overhemd zonder das had gedragen.

Wat voor weer was het toen? vroeg ik me af. Was het net zo'n kille middag in mei als afgelopen zondag? Of zou Mack, als het warm was geweest en hij inderdaad om drie uur was vertrokken, een jasje hebben gedragen om een bepaalde reden? Omdat hij een afspraak had? Omdat hij naar een meisje zou gaan dat in Connecticut of Long Island woonde?

Het is gek, maar in die kamer, tien jaar na zijn verdwijning, voelde ik zijn aanwezigheid. Hij was altijd heel kalm. Mijn vader wilde altijd winnen, hij had vlug door hoe een situatie in elkaar zat en kon dan meteen een oordeel vellen, en zo ben ik ook. Mack leek meer op mama. Hij gaf iedereen een kans. Net als zij zou hij, als hij doorkreeg dat er misbruik van hem werd gemaakt of dat iemand hem slecht behandelde, nooit van zich afbijten, maar zich gewoon terugtrekken.

Het kwam bij me op dat mijn moeder dat op dat moment ook deed, dat ze dat briefje van Mack in de collectemand had opgevat als een klap in haar gezicht.

Ik liep naar het raam en probeerde me voor te stellen waar hij naar had staan kijken. Omdat ik wist hoe graag Mack in het appartement in Sutton Place voor het raam had gestaan om naar het uitzicht te kijken, naar de East River met schepen en vrachtboten, de lichten van de bruggen en de vliegtuigen van en naar het vliegveld La Guardia, wist ik zeker dat hij ook vaak voor dat raam had gestaan, dat uitzicht bood op West End Avenue, massa's mensen op de trottoirs en eindeloze rijen auto's op straat.

Ik zag de droom weer voor me die ik had gehad nadat hij op Moederdag had gebeld. Opnieuw liep ik door die donkere straat, wanhopig op zoek naar Mack.

En opnieuw waarschuwde hij me dat ik hem met rust moest laten.

11

Dokter David Andrews zei met vermoeide stem: 'Rechercheur Barrott, Leesey is gisteren om drie uur in de nacht uit die bar vertrokken. Nu is het woensdagmiddag één uur. Ze wordt al vierendertig uur vermist. Is het geen goed idee om nog eens navraag te laten doen in de ziekenhuizen? Als iemand weet hoe druk het op de afdeling spoedopnames is, ben ik het wel.'

De vader van Leesey zat aan de kleine keukentafel in het appartement van zijn dochter, met gevouwen handen en gebogen hoofd. Hij voelde zich ellendig, doodmoe en wanhopig, maar hij had de smeekbeden van zijn zoon om mee naar diens appartement te gaan en daar op nieuws te wachten, genegeerd. Gregg was de hele nacht gebleven, maar nu was hij naar huis om te douchen en zich te verkleden voordat hij naar het ziekenhuis moest om de ronde te doen langs patiënten die hij onlangs had geopereerd.

Roy Barrott zat tegenover Leeseys vader. In de nacht dat mijn dochter naar een bal ging, is zijn dochter naar die bar gegaan en daarna verdwenen, dacht hij, en plotseling voelde hij zich schuldig omdat hij zo veel geluk had. 'Dokter Andrews,' zei hij, 'u moet zich vastklampen aan de mogelijkheid dat er niets met Leesey aan de hand is. Ze is een volwassen vrouw en heeft recht op privacy.'

De uitdrukking van woede en minachting op het gezicht van de dokter ontging Barrott niet. Dat klonk alsof ik wilde suggereren dat ze met elke vent mee naar huis gaat, dacht hij, en vlug ging hij verder: 'Denk alstublieft niet dat ik ervan uitga dat dat de verklaring zal zijn. We vatten haar verdwijning serieus op.' De baas van Barrott, Larry Ahearn, had al gezegd dat de zaak voorrang had.

'Wat doet u dan om haar te vinden?' De woede trok uit David Andrews' gezicht weg en hij sprak met een zachte, haperende stem.

Hij verkeert bijna in een shocktoestand, dacht Barrott. 'We hebben de video's van de bewakingscamera's van de Woodshed bekeken en ze is daar inderdaad alleen weggegaan. De enigen die achterbleven, waren de musici, de barman en de bewaker, en zij hebben gezworen dat ze pas minstens twintig minuten na Leesey naar huis zijn gegaan, dus kunnen we aannemen dat geen van hen haar is gevolgd. Tot nu toe hebben we niets kunnen vinden wat zou bewijzen dat ze liegen. Op dit moment wordt de video van de bewakingscamera in de bar zelf nauwkeurig bekeken om te zien of er onder de bezoekers mogelijke verdachten waren.'

'Misschien heeft een van hen buiten op haar gewacht.' David Andrews hoorde de monotone klank van zijn stem. Probeert deze rechercheur me gerust te stellen? vroeg hij zich af. En toen flitste er voor de zoveelste keer door zijn hoofd: ik weet zeker dat er iets met Leesey is gebeurd...

Hij schoof zijn stoel naar achteren en stond op. 'Ik loof een beloning van vijfentwintigduizend dollar uit voor iedereen die ons kan helpen haar te vinden,' zei hij. 'Ik laat een poster maken met haar foto erop en een beschrijving van wat ze aanhad. U hebt haar kamergenote ontmoet, Kate. Zij en andere vrienden en vriendinnen van Leesey zullen de poster in alle straten tussen die bar en dit gebouw ophangen. Er moet iemand zijn die iets heeft gezien.'

Als vader zou ik dat ook doen, als ik in zijn schoenen stond, dacht Roy Barrott toen hij eveneens opstond. 'Dat is een heel goed idee, dokter Andrews. Als u mij de foto geeft die u in uw portefeuille hebt en me haar lengte, gewicht en haarkleur doorgeeft, zullen wij voor de posters zorgen. Het zal helpen als ze zijn opgehangen voordat iedereen vanavond uitgaat. Ik beloof u dat we agenten in burger naar de Woodshed en alle andere kroegen in de buurt zullen sturen om mensen te ondervragen. Als we geluk hebben, vinden we iemand die heeft gezien dat er gisteravond iemand veel aandacht aan haar besteedde. Maar ik raad u aan nu naar het appartement van uw zoon te gaan om een poosje uit te rusten. Ik zal u door een agent laten brengen.'

Ik zit alleen maar in de weg, dacht David Andrews moedeloos. Maar hij heeft gelijk, ik moet een poosje slapen. Hij knikte zwijgend.

De deur naar de slaapkamer stond open. Kate Carlisle had een slapeloze nacht achter de rug en ze had even een dutje gedaan toen ze hen zag weggaan. Barrott hield de dokter stevig bij zijn arm. 'Dokter Andrews, gaat het wel?' vroeg Kate bezorgd.

'Dokter Andrews gaat naar het appartement van zijn zoon,' legde Barrott uit. 'Ik zal hier zo nu en dan terugkomen. Heb jij toevallig een recente foto van Leesey, Kate? De foto die dokter Andrews in zijn portefeuille heeft, is van ruim een jaar geleden.'

'Ja, ik heb een heel mooie foto van haar, die ik vorige week heb genomen. Angelina Jolie en Brad Pitt wandelden met hun kinderen door SoHo, omringd door paparazzi. Ik zei tegen Leesey dat ze moest doen alsof zij ook een filmster was en heb toen met mijn mobieltje een paar foto's van haar genomen. Een daarvan is heel goed gelukt. Ze wilde hem voor u laten inlijsten, dokter Andrews.' Haar stem brak. Geagiteerd liep ze weer de slaapkamer in, trok een la van een nachtkastje open, haalde er een foto uit en kwam ermee terug.

Leesey had voor de foto geposeerd als een model. Ze glimlachte tegen de camera met haar lange haar wapperend in de wind, haar slanke lichaam in een nonchalante houding en haar handen diep in de zakken van haar spijkerjasje.

Barrott liet zijn blik van het lieftallige meisje in het midden naar de voorbijgangers op de achtergrond glijden. Het waren allemaal vage gezichten. Zou iemand van hen toen met meer dan normale aandacht naar Leesey hebben gekeken? vroeg hij zich af. Een roofdier op zoek naar een prooi?

Ik zal hem laten vergroten, dacht hij, en hij nam de foto aan. 'Dit is een heel duidelijke foto,' zei hij. 'Maar mag ik ook een afdruk hebben van de andere foto die je van haar hebt genomen? Ik heb begrepen dat ze die avond in de bar een spijkerjasje droeg, en op deze foto draagt ze dat ook.'

'Dat is hetzelfde jasje,' zei Kate.

'Ze heeft het twee jaar geleden gekocht, vlak voor de dood van haar moeder,' zei David Andrews. 'Er hoort een rok bij. Haar moeder zei lachend dat er rafels aan de rok hingen, maar Leesey zei dat dat mode was. Toen zei haar moeder dat het, als dat mode was, weer hoog tijd werd voor hoepelrokken.'

Ik klink als een sentimentele idioot, dacht David Andrews. En ik verspil tijd die de rechercheur beter kan gebruiken om Leesey te zoeken. Ik moet maken dat ik hier weg kom. 'Dat is een mooie foto van Leesey, Kate. Iedereen kan duidelijk zien dat zij het is. Heel erg bedankt.'

Zonder op antwoord te wachten, liep hij naar de deur, blij dat een sterke arm hem steunde. Zwijgend liepen ze de drie trappen af. Hij was zich vaag bewust van een flitsende camera en vragen die naar hem werden geroepen toen hij over het trottoir naar de politieauto liep en instapte. Het kwam nog wel bij hem op Barrott te vragen wat hij nog meer wilde doen om Leesey te vinden. Barrott sloot het portier en bukte zich naar het raampje.

'Dokter Andrews, we hebben al met de andere mensen in dit appartement gepraat. Op de video van de bewakingscamera hebben we gezien dat Leesey niet haar eigen voordeur binnen is gegaan, maar deze huizen zien er allemaal hetzelfde uit. Misschien heeft ze de verkeerde ingang genomen. We zullen in elk gebouw navraag doen, in de hele straat. Het helpt dat we een foto van haar hebben.'

'Maar waarom zou ze in vredesnaam de verkeerde ingang hebben genomen? Ze had niet te veel gedronken, dat hebt u me zelf verteld. En de barman en die andere mensen in de Woodshed hebben ook gezegd dat haar niets mankeerde toen ze daar wegging,' zei David Andrews op scherpe toon.

Het lag op het puntje van Barrotts tong om te antwoorden dat, tenzij het tegendeel kon worden bewezen, negenennegentig procent van de barmannen zou beweren dat een vermiste klant nuchter was toen hij de kroeg uit liep. Maar hij zei: 'Dokter, we zullen geen middel onbeproefd laten. Dat beloof ik u.'

De ene verslaggever die op de stoep stond te wachten hield Barrott zijn microfoon voor toen die zich oprichtte en zich omdraaide. 'Hoor eens,' zei Barrott ongeduldig, 'hoofdcommissaris Ahearn geeft om vijf uur een persconferentie. Hij is bevoegd om een verklaring af te leggen, ik ben dat niet.'

Hij liep het gebouw weer in, wachtte tot hij de verslaggever en zijn cameraman in hun bestelbusje had zien stappen en wegrijden, ging weer naar buiten en liep naar het gebouw ernaast. Net als van de meeste gebouwen in deze straat zat de voordeur niet op slot, maar kon iemand alleen met een sleutel of als een bewoner binnen de volgende deur opende, doorlopen naar de appartementen.

Barrott liet zijn ogen over de naambordjes glijden en keek stomverbaasd toen hij op een ervan 'Carolyn MacKenzie' zag staan. Zes schakels van elkaar verwijderd? flitste er door hem heen. Misschien wel.

Hij bleef even doodstil staan en streek toen met zijn wijsvinger over Carolyn MacKenzies naam.

Het onfeilbare instinct dat hem in staat stelde een uitstekende rechercheur te zijn, vertelde hem dat de twee vermissingen op de een of andere manier met elkaar verband hielden.

12

Na mijn bezoek aan het appartement waar Mack had gewoond, ging ik terug naar Sutton Place. In de anderhalve dag sinds mama had besloten die zeereis te gaan maken, was ze ongewoon energiek geweest, alsof ze, nadat ze zo lang pas op de plaats had gemaakt, opeens tijd wilde inhalen. Ze had gezegd dat ze van plan was de kasten uit te mesten en alle overbodige kleren weg te geven, en dat ze die avond met Elliott en nog wat andere vrienden ergens zou gaan eten.

Ik vroeg me af waarom ze de moeite nam kasten uit te mesten voordat ze met vakantie zou gaan, maar het werd me algauw duidelijk. Terwijl we in de ontbijtkamer lunchten met een broodje en een kopje thee vertelde ze me dat ze het appartement wilde verkopen en dat ze meteen na haar thuiskomst een kleiner appartement zou zoeken. 'Jij wilt hier niet meer wonen,' zei ze. 'Dat weet ik. Ik zal telefoongesprekken laten doorverbinden voor het geval dat Mack volgend jaar op Moederdag weer belt, maar als ik zijn telefoontje zou missen, dan moet dat maar zo zijn. Ik ga er niet meer op zitten wachten.'

Ik keek haar stomverbaasd aan. Toen ze zei dat ze de kasten zou uitmesten, dacht ik dat ze die van haarzelf bedoelde, maar nu wist ik zeker dat ze van plan was Macks kleren weg te doen.

'Wat doe je met zijn spullen?' vroeg ik zo nonchalant mogelijk.

'Ik zal Dev vragen of hij ze door iemand wil laten ophalen en ergens naartoe brengen waar mensen ze goed kunnen gebruiken.' Ze keek me aan alsof ze mijn goedkeuring verwachtte en toen ik niet reageerde, voegde ze er snel aan toe: 'Jij hebt steeds tegen me gezegd dat ik met mijn leven door moest gaan, Carolyn. Bovendien weten we allebei dat, zelfs als Mack vandaag thuis zou komen en als zijn kleren hem nog zouden passen, ze allang niet meer in de mode zouden zijn.'

'Je moet me niet verkeerd begrijpen,' zei ik, 'en ik vind het een prima idee, maar ik vind ook dat dat twee dagen voordat je in het vliegtuig naar Griekenland stapt zo ongeveer het laatste is waar je je druk om moet maken. Wees dus verstandig en laat mij Macks spullen sorteren.' Terwijl ik dat zei, kwam het bij me op dat tien jaar geleden misschien niemand de moeite had genomen om alle jas- en broekzakken van de kleren die Mack thuis had gelaten, te inspecteren. Lucas Reeves had alleen in zijn rapport geschreven dat er in de kleren die Mack in zijn appartement had achtergelaten niets bijzonders was gevonden.

Mama hoefde er niet lang over na te denken en ze leek zelfs opgelucht toen ze zei dat dat goed was. 'Ik weet niet wat ik zonder jou zou moeten beginnen, Carolyn,' zei ze. 'Je bent al die tijd mijn steun en toeverlaat geweest. Maar ik ken je. Je bent pas twee weken zonder werk en je bent nu al rusteloos. Wat ga je tijdens mijn afwezigheid doen?'

Ze had me ongewild een antwoord verschaft dat in elk geval voor een deel eerlijk was. 'We weten dat dit appartement binnen een mum van tijd zal zijn verkocht,' zei ik. 'Ik ben nooit van plan geweest om in dat appartement in de Village te blijven wonen en ik ga op zoek naar iets groters. Vind je het goed dat ik een keus maak uit de meubels die jij niet meer wilt hebben?'

'Natuurlijk. Laat het Elliott maar alvast weten. Een behoorlijk appartement met een aparte slaapkamer is iets waar hij je graag geld voor zal geven.' Elliott beheerde het geld dat mijn grootvader me had nagelaten.

Mama dronk de laatste slokken van haar thee en stond op. 'Ik moet opschieten. Helene vindt het niet leuk als ik te laat kom voor mijn kappersafspraak. Hoewel ik vind dat ze, voor de bedragen die zij vraagt, best wat nederiger zou kunnen zijn.' Ze kuste me vlug op mijn wang en voegde eraan toe: 'Als je een geschikt appartement vindt, let dan wel op of er een portier is. Ik heb het nooit een rustig idee gevonden dat je ergens woont waar je jezelf moet binnenlaten. Ik heb het nieuws gevolgd en ze hebben dat meisje dat naast jou woont nog niet gevonden. Moge God haar familie bijstaan.'

Ik was blij dat mama naar de kapper moest. Nu ik me vast had voorgenomen Mack op te sporen, had ik het gevoel dat ik geen seconde meer mocht verliezen. Geografisch gezien, was hij vlakbij geweest toen hij zondag dat briefje had achtergelaten. Het gesprek met de Kramers zat me absoluut niet lekker. Ik weet dat herinneringen vervagen, maar ze hadden elkaar tegengesproken toen ik had gevraagd wat Mack de laatste keer dat ze hem zagen had gedragen, en ook toen ze zeiden waar ze hem voor het laatst hadden gezien. En Lil Kramer was volkomen ontdaan geweest toen ik had gezegd dat hij die mis had bijgewoond. Waarom? Vormde Mack een bedreiging voor hen? Wat wisten ze en waarom waren ze daar zo bang voor?

Ik had het rapport van detective Reeves uit de la van mijn vaders bureau gehaald. Ik wilde ook de adressen hebben van Macks vroegere huisgenoten, Bruce Galbraith en Nicholas DeMarco. Nick had papa in het begin regelmatig gebeld, maar naarmate de tijd was verstreken, had hij steeds minder van zich laten horen en dat was goed te begrijpen. Ik had Nick voor het laatst gezien bij de mis ter nagedachtenis van mijn vader, maar de gebeurtenissen van die dag waren nauwelijks tot me doorgedrongen.

Papa's studeerkamer was niet groot, maar groot genoeg voor hem, had hij altijd gezegd. De muren waren met hout betimmerd en er stond een enorm bureau. Tot ergernis van mijn moeder had hij een groot, verbleekt vloerkleed dat van zijn moeder was geweest op de grond gelegd. 'Om me eraan te herinneren waar ik vandaan kom, Liv,' zei hij altijd wanneer ze probeerde het weg te gooien. 's Morgens zat hij het liefst in de versleten leren stoel met het voetenbankje. Hij stond altijd heel vroeg op, zette koffie voor zichzelf en ging in die stoel zitten om de ochtendkranten te lezen, voordat hij een douche nam, zich aankleedde en naar kantoor ging.

De muur tegenover het raam stond vol boekenkasten, met hier en daar op de planken ingelijste foto's van ons vieren uit de heerlijke tijd dat we er nog allemaal waren. Papa's persoonlijkheid straalde zelfs op foto's van hem af: hij had een vastberaden kin, die door een brede glimlach werd verzacht, en scherpe, intelligente ogen. Hij had al het mogelijke gedaan om Mack te vinden en zou dat nooit hebben opgegeven, dat weet ik zeker.

Ik trok de bovenste la van zijn bureau open en haalde er zijn boekje met telefoonnummers uit. Ik zocht het nummer van Bruce Galbraith en herinnerde me dat hij voor de makelaardij van zijn vader in Manhattan was gaan werken, en ik noteerde zowel zijn zakelijke als zijn privénummer op een stukje papier.

Nick DeMarco, de zoon van immigranten die een restaurantje in Queens waren begonnen, was met een beurs naar Columbia gegaan. Ik wist nog dat hij, nadat hij aan Harvard zijn MBA had gehaald, ook restaurants had geopend en daar veel succes mee had. Aan zijn telefoonnummers zag ik dat hij in Manhattan woonde en werkte.

Ik ging aan papa's bureau zitten en pakte de telefoon. Ik besloot eerst Bruce te bellen. Dat had een reden. Toen ik zestien was, was ik dolverliefd geweest op Nick. Hij en Mack waren boezemvrienden en Mack bracht hem vaak mee naar huis om bij ons te eten. Maar op een avond hadden ze een meisje meegebracht. Ze heette Barbara Hanover, was laatstejaars aan Columbia en woonde in hetzelfde appartementengebouw als de jongens, en ik zag meteen dat Nick helemaal weg van haar was.

Hoewel ik diep teleurgesteld was, had ik daar die avond

volgens mij niets van laten merken, maar voor Mack was ik een open boek. Voordat hij, Nick en Barbara weggingen, trok hij me mee en zei: 'Carolyn, ik weet dat je verliefd bent op Nick, maar dat moet je vergeten. Hij heeft elke week een ander meisje. Kijk liever naar jongens van je eigen leeftijd.'

Ik had het heftig ontkend en Mack had erom gelachen. 'Je komt er wel overheen,' zei hij toen hij de deur uitliep. Dat was een maand of zes voordat hij verdween, en het was de laatste keer dat ik thuis was wanneer Nick met hem mee kwam. Ik geneerde me en wilde er niet meer bij zijn. Omdat Mack duidelijk had gemerkt dat ik verliefd was op Nick wist ik zeker dat anderen dat ook konden zien, en ik was er mijn ouders dankbaar voor dat ze er nooit iets van zeiden.

De telefoon werd aangenomen door de secretaresse van Bruce bij Galbraith Makelaardij en ze zei dat hij tot de maandag daarop op zakenreis was. Wilde ik een boodschap achterlaten? Ik gaf haar mijn naam en telefoonnummer, aarzelde even en voegde eraan toe: 'Het gaat over Mack. We hebben onlangs weer iets van hem gehoord.'

Toen belde ik Nick. Zijn kantooradres was Park Avenue 400, een kwartiertje lopen vanaf Sutton Place, bedacht ik toen ik het nummer intoetste. Toen ik naar hem vroeg, zei zijn secretaresse op zakelijke toon dat ik, als ik een journalist was, voor een verklaring bij de advocaat van meneer DeMarco moest zijn.

'Ik ben geen journalist,' zei ik. 'Nick was op Columbia een vriend van mijn broer. Neem me niet kwalijk, ik wist niet dat hij juridische problemen had.'

Misschien kwam het doordat ik meelevend klonk en zijn voornaam gebruikte dat zijn secretaresse eerlijk uitlegde: 'Meneer DeMarco is de eigenaar van de Woodshed, de bar waar een jonge vrouw voordat ze onlangs verdween voor het laatst is gezien. Als u me uw telefoonnummer geeft, zal ik ervoor zorgen dat hij u terugbelt.'

13

Aaron Klein werkte al veertien jaar bij Wallace & Madison. Hij was er meteen nadat hij zijn MBA had gehaald in dienst getreden. In die tijd was Joshua Madison nog algemeen directeur van de particuliere vermogensbeheermaatschappij, maar toen hij onverwachts twee jaar later overleed, had zijn partner, Elliott Wallace, die functie van hem overgenomen.

Aaron was bijzonder gesteld geweest op de ietwat norse Josh Madison, en in het begin had Wallace met zijn formele houding, zo heel anders dan zijn eigen losse manier van doen, hem geïntimideerd. Toen Aaron een steeds hogere functie kreeg en steeds belangrijker klanten onder zijn hoede mocht nemen, was Elliott begonnen met hem af en toe uit te nodigen voor een lunch in het directierestaurant van hun kantoor in Wall Street, een teken dat hij werd klaargestoomd voor een positie aan de top.

Tien jaar geleden was hun relatie met een reuzensprong hechter geworden toen Elliott zijn afstandelijke houding had laten varen en Aaron had verteld hoeveel verdriet hij had om de verdwijning van Charles MacKenzie jr. Elliott beheerde al jaren het geld van de MacKenzies, en na de dood van Charles senior op 11 september 2001 had hij laten blijken dat hij het zijn taak vond Olivia MacKenzie en haar kinderen te beschermen. De manier waarop hij over de vermiste jongen praatte, verried dat hij hem als een soort zoon beschouwde. Dat Mack bij de moeder van Aaron, Esther, toneeldocente aan Columbia, colleges had gevolgd, had de band tussen hen versterkt.

En toen Aarons moeder bij wat een willekeurige overval leek te zijn, was vermoord, had dat hun vriendschap verzegeld. Inmiddels wist iedereen in de firma dat Aaron Klein Elliott Wallace zou opvolgen.

Aaron had op maandag en dinsdag cliënten in Chicago bezocht, en op woensdag laat in de ochtend belde zijn baas: 'Heb je een lunchafspraak, Aaron?'

'Die kan worden verzet,' antwoordde Aaron meteen.

'Dan zie ik je graag om halfeen in het restaurant.'

Ik ben benieuwd wat er aan de hand is, dacht Aaron toen hij de hoorn neerlegde. Het is niets voor Elliott om op het laatste nippertje een lunchafspraak te maken. Om kwart over twaalf stond hij op van zijn bureau, liep naar het aangrenzende toilet, haalde een kam door zijn dunne haar en trok zijn das recht. Spiegeltje, spiegeltje aan de wand, wie is de kaalste man van het land? dacht hij met wrange spot. Zevenendertig, fit, redelijk aantrekkelijk, maar als het zo doorgaat, bof ik als ik op mijn vijftigste nog een stuk of tien haren op mijn hoofd heb. Met een zucht legde hij de kam neer.

Volgens Jenny is dat een van de redenen dat ik zo veel succes heb, hield hij zichzelf voor. Ze zegt dat ik er tien jaar ouder uitzie dan ik ben. Dank je, schat.

Hoe goed ze inmiddels ook met elkaar omgingen, Aaron besefte dat het voor de aristocratische Elliott Wallace een teleurstelling moest zijn dat zijn opvolger de kleinzoon van immigranten was. Dat kwam bij hem op toen hij naar het restaurant liep. De jongen van Staten Island gaat lunchen met de bevoorrechte afstammeling van een van de eerste kolonisten van Nieuw Amsterdam, dacht hij. Ook al behoorde die kleinzoon van immigranten tot de tien procent van de afgestudeerden van zijn jaar aan Yale met de hoogste cijfers, en al had hij zijn mastergraad gehaald aan Wharton, het woog niet op tegen aristocratische voorouders. Ik vraag me af of ik het 'neef Franklin-verhaal' weer moet aanhoren, dacht hij.

Aaron besefte dat Elliotts vaak herhaalde anekdote over Roosevelt toen hij bij afwezigheid van zijn vrouw Eleanor een republikeinse vrouw had gevraagd bij een ontvangst in Hyde Park als gastvrouw op te treden, hem zowel tegenstond als verveelde. Toen Roosevelt daar van de voorzitter van de Democraten voor op de vingers was getikt, had hij stomverbaasd geantwoord: 'Maar het spreekt toch vanzelf dat ik het haar heb gevraagd? Ze is de enige vrouw in Hyde Park die op maatschappelijk niveau mijn gelijke is.'

'Dat vond mijn vader het mooiste verhaal over zijn neef Franklin,' voegde Elliott er altijd grinnikend aan toe.

Maar toen hij bij het tafeltje stond en de kelner een stoel voor hem naar achteren trok, zag Aaron meteen dat verhalen over aanbeden familieleden die dag niet aan de orde zouden komen. Elliott had een peinzende, bezorgde uitdrukking op zijn gezicht, hij keek zelfs heel zorgelijk.

'Aaron, fijn dat je er bent. Laten we vlug iets bestellen, want ik heb nog een paar vergaderingen. Jij wilt zeker wat je altijd neemt?'

'Een Cobbsalade zonder dressing en ijsthee, meneer Klein?' vroeg de kelner glimlachend.

'Graag.' Aaron had er geen bezwaar tegen dat zijn baas zou denken dat het feit dat hij als lunch altijd een salade at een teken van zelfdiscipline was. Maar zijn vrouw Jenny hield erg van koken en zelfs de eenvoudigste maaltijden die zij klaarmaakte waren veel lekkerder dan het saaie menu van het directierestaurant.

Elliott gaf ook zijn bestelling op en toen de kelner buiten gehoorsafstand was, viel hij met de deur in huis: 'We hebben de afgelopen zondag iets van Mack gehoord.'

'Je bedoelt zijn vaste telefoontje op Moederdag?' zei Aaron. 'Ik vroeg me al af of hij zich ook dit jaar aan die gewoonte had gehouden.'

'Dat ook, maar er is nog iets.'

Aaron hield zijn blik strak op Elliotts gezicht gericht

toen die hem vertelde over het briefje van Mack.

'Ik heb tegen Olivia gezegd dat ze Macks wens moest respecteren,' zei hij, 'maar gek genoeg was ze zelf ook al tot die conclusie gekomen. Ze noemde Mack een deserteur. En ze gaat met gemeenschappelijke vrienden een bootreis langs de Griekse eilanden maken. Ik ben ook uitgenodigd, en misschien ga ik de laatste tien dagen met hen mee.'

'Dat moet je zeker doen,' zei Aaron meteen. 'Je gaat bijna nooit op vakantie.'

'Op mijn volgende verjaardag word ik vijfenzestig. Een heleboel firma's zouden me er dan uitgooien. Gelukkig ben ik hier de baas en kan ik hier net zolang blijven als ik wil.' Hij zweeg even, alsof hij overwoog hoe hij het volgende zou zeggen, en voegde eraan toe: 'Maar ik heb je niet gevraagd om met me te lunchen om over vakantieplannen te praten.'

Aaron Klein zag tot zijn verbazing Elliotts gezicht weer versomberen.

'Aaron, jij hebt meegemaakt dat je moeder door een misdaad om het leven is gekomen. Als het anders was gegaan, als je moeder zou zijn verdwenen en op dezelfde manier als Mack met je in contact was gebleven, zou je haar wens dan respecteren of zou je je uiterste best doen om haar te vinden? Ik weet echt niet wat ik wat deze zaak betreft moet doen. Heb ik Olivia het juiste advies gegeven of had ik haar moeten aanraden nog meer haar best te doen om Mack te vinden?'

Stel dat mama tien jaar geleden was verdwenen, dacht Aaron. Stel dat zij me één keer per jaar belde en dat ze me, nadat ik tegen haar had gezegd dat ik haar per se wilde vinden en haar zou gaan zoeken, een briefje stuurde met de waarschuwing dat ik haar met rust moest laten, wat zou ik dan doen?

Het antwoord sprak vanzelf. 'Als mijn moeder mij had

aangedaan wat Mack zijn familie en jou heeft aangedaan, zou ik zeggen: "Als je dat wilt, mam, dan moet het maar zo zijn. Ik heb wel wat belangrijkers te doen."'

Elliott Wallace glimlachte. 'Wel wat belangrijkers te doen? Wat een laconieke reactie. Maar bedankt, Aaron. Ik wilde zeker weten dat ik wat zowel Mack als Olivia betreft niet tekortschiet.' Hij dacht even na en verbeterde zichzelf: 'Ik bedoel natuurlijk zijn moeder en zus.'

'Je schiet niet tekort,' zei Aaron nadrukkelijk.

Toen Aaron die avond met zijn vrouw voor het eten een glas wijn zat te drinken, zei hij: 'Vandaag besefte ik dat zelfs houten klazen zich, als ze verliefd zijn, als schooljongens gedragen, Jenny. Elke keer als Elliott het over Olivia MacKenzie heeft, beginnen zijn ogen te stralen.'

14

Nicholas DeMarco, de eigenaar van de trendy club de Woodshed en van een chic restaurant in Palm Beach, werd dinsdagavond laat, toen hij was gaan golfen in South Carolina, op de hoogte gesteld van de vermissing van Leesey Andrews, studente aan de Universiteit van New York.

Op woensdagmorgen vloog hij terug naar huis, en om drie uur die middag liep hij door een lange gang van Hogan Place 1 achter een secretaresse aan naar de afdeling van het rechercheteam van de officier van justitie in Manhattan. Hij had een afspraak met hoofdcommissaris Larry Ahearn, de korpscommandant.

Nick was een lange man met een slank, atletisch figuur. Hij nam grote passen en had een frons van bezorgdheid tussen zijn wenkbrauwen. Verstrooid streek hij met zijn hand door zijn korte haar, dat tegen zijn zin altijd ging krullen als het nat werd.

Ik had eerst naar huis moeten gaan om me te verkleden, dacht hij geërgerd. Hij droeg een blauw-wit geruit overhemd met open kraag en dat was te sportief voor de gelegenheid, vond hij, zelfs met een lichtblauw jasje erover en een donkerblauwe broek.

'Dit is het kantoor van de rechercheurs,' zei de secretaresse toen ze een groot vertrek binnengingen waarin een aantal bureaus lukraak door elkaar stond. Slechts zes ervan waren bemand, hoewel stapels papieren en rinkelende telefoons bewezen dat er aan de andere ook druk werd gewerkt.

De vijf mannen en een vrouw keken op toen hij achter de secretaresse aan tussen de bureaus door liep. Hij was er zich van bewust dat hij scherp werd opgenomen. Ik wil wedden dat ze allemaal weten wie ik ben en wat ik hier kom doen, en dat ze me afkeurend bekijken, dacht hij. Ze zien me aan voor de eigenaar van zo'n dubieuze kroeg waar minderjarigen zich mogen bedrinken.

De secretaresse klopte op een deur aan de linkerkant en deed die zonder op antwoord te wachten open.

Hoofdcommissaris Larry Ahearn zat alleen in zijn kantoor. Hij stond op vanachter zijn bureau en gaf DeMarco een hand. 'Dank u dat u zo snel bent gekomen,' zei hij. 'Ga zitten, alstublieft.' Hij keek de secretaresse aan. 'Vraag rechercheur Gaylor of hij ook wil komen.'

DeMarco koos de stoel die het dichtst bij het bureau stond. 'Het spijt me dat ik gisteravond niet bereikbaar was. Ik ben gistermorgen vroeg naar South Carolina gevlogen om vrienden op te zoeken.'

'Uw secretaresse vertelde me dat u daar met uw eigen vliegtuig van Teterboro Airport naartoe bent gevlogen,' zei Ahearn.

'Dat klopt. En ik ben vanmorgen teruggevlogen. Ik kon vanwege het slechte weer niet eerder vertrekken, het stormde in Charleston.'

'Wanneer hoorde u van uw personeel dat Leesey Andrews, een jonge vrouw die uw bar dinsdagnacht tegen sluitingstijd verliet, was verdwenen?'

'Ze belden me gisteravond om een uur of negen op mijn mobiel. Ik was met vrienden ergens gaan eten en had mijn telefoon niet meegenomen. Eerlijk gezegd vind ik als restauranteigenaar mensen die in een restaurant opbellen of een gesprek aannemen behoorlijk ongemanierd. Toen ik om een uur of elf terugkwam in mijn hotel, heb ik mijn boodschappen beluisterd. Is er inmiddels al nieuws over dat meisje Andrews? Heeft ze al contact opgenomen met haar familie?'

'Nee,' antwoordde Ahearn kortaf. Hij keek langs DeMarco heen en zei: 'Kom binnen, Bob.'

Nicholas DeMarco had de deur niet open horen gaan. Hij stond op en draaide zich om naar een slanke man van achter in de vijftig met grijzend haar, die haastig binnenkwam. De man stak glimlachend zijn hand uit.

'Rechercheur Gaylor,' zei hij. Hij pakte een stoel en plaatste die haaks op het bureau van de hoofdcommissaris, zodat hij Nick kon aankijken.

'Meneer DeMarco,' begon Ahearn, 'we zijn bang dat Leesey Andrews het slachtoffer van een misdaad is geworden. We hebben van uw werknemers gehoord dat u maandagavond om een uur of tien in de Woodshed was en een praatje met haar hebt gemaakt.'

'Dat klopt,' zei Nick meteen. 'Omdat ik naar South Carolina zou gaan, was ik tot laat op mijn kantoor in Park Avenue 400 gebleven. Daarna ben ik naar mijn appartement gegaan om iets gemakkelijks aan te trekken voordat ik naar de Woodshed ging.'

'Komt u vaak in uw bar?'

'Ik wip er regelmatig even binnen, ja. Ik bemoei me niet met de dagelijkse gang van zaken, dat wil ik ook niet meer. Tom Ferrazzano is gastheer en manager van de

Woodshed en dat doet hij uitstekend, moet ik zeggen. In de tien maanden dat we open zijn, is er nooit iets gebeurd doordat er aan een minderjarige alcohol was verkocht of een volwassene te veel had gedronken. Voordat we iemand aannemen, wordt zijn of haar achtergrond zorgvuldig gecontroleerd en dat geldt ook voor de musici die er optreden.'

'De Woodshed staat inderdaad goed bekend,' beaamde rechercheur Gaylor. 'Maar we hebben van het personeel gehoord dat u lange tijd met Leesey Andrews hebt zitten praten.'

'Ik zag haar op de dansvloer,' zei Nick. 'Ze is beeldschoon en kan heel goed dansen. Zo goed dat je zou denken dat het haar beroep was. Maar ze ziet er jonger uit dan ze is. Ik wist dat ze zich had moeten legitimeren, maar ik zou zweren dat ze minderjarig was. Daarom had ik een van de kelners gevraagd haar naar mijn tafeltje te brengen, want ik wilde ook zelf haar legitimatiebewijs checken. Ze was onlangs eenentwintig geworden.'

'Dus ze kwam naar uw tafeltje en u trakteerde haar op een drankje,' zei Gaylor op neutrale toon.

'Ze dronk een glas pinot grigio met me en ging toen terug naar haar vrienden.'

'Waar praatten jullie over terwijl ze die wijn dronk, meneer DeMarco?' vroeg hoofdcommissaris Ahearn.

'We maakten gewoon een oppervlakkig praatje. Ze vertelde me dat ze volgend jaar het eerste deel van haar studie zou afronden en nog niet wist wat ze daarna zou gaan doen. Ze zei dat haar vader en haar broer allebei arts waren, maar dat geneeskunde niets voor haar was. Ze zei dat ze er steeds meer van overtuigd raakte dat zij haar masters in maatschappelijk werk wilde halen, maar dat ze nog geen beslissing had genomen. Ze wilde na haar vierde studiejaar een jaar vrij nemen om na te denken over de volgende stap.'

'Vond u niet dat ze een onbekende, zoals u, wel erg veel

persoonlijke dingen vertelde, meneer DeMarco?'

Nicholas DeMarco haalde zijn schouders op. 'Nee, eigenlijk niet. Ze bedankte me voor de wijn en ging terug naar haar vrienden. Ik denk dat ze nog geen kwartier aan mijn tafeltje heeft gezeten.'

'Wat bent u toen gaan doen?' vroeg Ahearn.

'Ik heb mijn eten opgegeten en ben naar huis gegaan.'

'Waar woont u?'

'In een appartement op de hoek van Park Avenue en Seventy-eighth Street. Maar ik heb onlangs een gebouw in TriBeCa gekocht en daar heb ik een zolderappartement. Ik heb er maandagnacht geslapen.'

Nick had overwogen of hij dat wel aan de politie zou vertellen, maar hij had besloten dat het verstandiger zou zijn er onmiddellijk mee voor de dag te komen.

'U hebt een zolderappartement in TriBeCa? Dat heeft uw personeel ons niet verteld.'

'Ik vertel mijn werknemers niet hoe ik mijn eigen geld investeer.'

'Heeft dat gebouw in TriBeCa een portier?'

Nick schudde zijn hoofd. 'Ik heb al gezegd dat het een zolderappartement is, en het gebouw is vijf verdiepingen hoog. Het is helemaal van mij en ik heb de huurders uitgekocht. Dus staat het verder leeg.'

'Hoe ver ligt het bij uw bar vandaan?'

'Ongeveer zeven straten verderop.' Nick aarzelde en voegde eraan toe: 'Ik weet zeker dat u dit allemaal allang weet. Ik ben even voor elven uit de Woodshed vertrokken. Ik ben naar mijn appartement in TriBeCa gelopen en direct naar bed gegaan. Mijn wekker is om vijf uur afgelopen. Ik ben opgestaan, heb een douche genomen, me aangekleed en ben naar Teterboro Airport gereden. Daar ben ik om kwart voor zeven opgestegen en wat later op het vliegveld van Charleston geland. Onze starttijd op de golfbaan was die middag om twaalf uur.'

'U hebt Leesey Andrews niet uitgenodigd om bij u nog iets te komen drinken?'

'Nee.' Nicholas DeMarco keek de rechercheurs een voor een aan. 'Toen ik van het vliegveld naar huis reed, hoorde ik op het nieuws dat de vader van Leesey een beloning van vijfentwintigduizend dollar heeft uitgeloofd voor iedereen die een tip over haar verblijfplaats kan geven. Ik verdubbel dat bedrag. Ik wil niets liever dan dat ze levend en wel wordt gevonden. Ten eerste omdat het verschrikkelijk zou zijn als haar iets is overkomen...'

'Ten eerste?' herhaalde Ahearn verbaasd. 'Wat is de andere reden dat u wilt dat ze wordt gevonden?'

'Mijn tweede, egoïstische reden is dat het me heel veel geld heeft gekost het stuk grond met de Woodshed erop te kopen, het gebouw te renoveren en in te richten, en er personeel in te zetten. Ik wilde een gezellige, veilige plek creëren waar jonge en niet meer zo jonge mensen zich konden vermaken. Als de verdwijning van Leesey het gevolg blijkt te zijn van een ontmoeting in mijn bar, zullen de media ons massaal belagen en zal ik de tent binnen een halfjaar moeten sluiten. Ik vind het vanzelfsprekend dat u mijn werknemers, onze klanten en mijzelf bij uw onderzoek betrekt, maar ik kan u verzekeren dat u uw tijd verspilt als u denkt dat ik iets met de verdwijning van dat meisje te maken heb.'

'Meneer DeMarco, u bent een van de vele mensen die we aan de tand voelen,' zei Ahearn kalm. 'Hebt u op Teterboro een vluchtschema ingediend?'

'Natuurlijk. Als u dat wilt natrekken, zult u zien dat de heenreis gistermorgen heel snel is gegaan. Vandaag duurde de vlucht vanwege de dreigende storm een stuk langer.'

'Nog één vraag, meneer DeMarco. Hoe bent u naar het vliegveld gegaan en hoe bent u thuisgekomen?'

'Met mijn eigen auto.'

'Wat voor auto hebt u?'

'Meestal rijd ik in een Mercedes cabrio, behalve als ik veel bagage heb. Omdat mijn golfspullen in mijn SUV lagen, ben ik daarmee naar het vliegveld gereden.'

Ook als Nicholas DeMarco de blik die de twee rechercheurs met elkaar wisselden niet had gezien, had hij geweten dat hij met betrekking tot de verdwijning van Leesey Andrews een belangrijke getuige was. Dat kan ik me ook wel voorstellen, dacht hij. Ik heb een paar uur voordat ze verdween nog met haar gepraat en niemand kan bevestigen of ontkennen dat ze later die avond naar mijn appartement is gekomen. En de volgende morgen ben ik met een privévliegtuig vertrokken. Ik kan het hun niet kwalijk nemen dat ze me wantrouwen, want dat is hun werk.

Glimlachend gaf hij beide mannen een hand en zei dat hij zijn aanbod van nog eens vijfentwintigduizend dollar beloning voor degene met informatie over de verblijfplaats van Leesey Andrews onmiddellijk bekend zou maken.

'En ik kan u verzekeren dat we dag en nacht ons best zullen doen om haar te vinden en dat we, als blijkt dat haar iets is overkomen, de dader zullen vinden,' zei Ahearn. De klank van zijn stem maakte Nicholas DeMarco duidelijk dat het een waarschuwing was.

15

Toen ik het appartement in Sutton Place verliet, rinkelde mijn mobiel. De beller bleek rechercheur Barrott te zijn en hoewel mijn hart sneller begon te kloppen, stond ik hem koeltjes te woord. Hij had me die maandag met een kluitje in het riet gestuurd, dus wat kon nu nog de reden zijn dat hij me belde?

'Mevrouw MacKenzie, u weet misschien wel dat de jonge vrouw die de afgelopen nacht is verdwenen, Leesey

Andrews, in Thompson Street in het gebouw naast het uwe woont. Daar ben ik op dit moment om de buren te ondervragen en ik heb uw naam bij de ingang zien staan. Ik zou het erg op prijs stellen als ik nog een keer met u mocht praten. Kunnen we zo gauw mogelijk een afspraak maken?'

Met het telefoontoestel tegen mijn oor gedrukt gebaarde ik naar de portier dat hij een taxi voor me moest aanhouden. Ik zag dat er vlakbij een was gestopt om iemand te laten uitstappen, een oudere dame. Ik zei tegen Barrott dat ik op weg was naar huis en dat ik daar, afhankelijk van het verkeer, over een minuut of twintig zou zijn.

'Dan wacht ik op u,' zei hij vlug, en hij gaf me niet meer de kans om te zeggen of het me schikte of niet.

Soms duurt een rit van Sutton Place naar Thompson Street niet langer dan een kwartier, maar soms kruipt het verkeer door de straten. Dit was een dag waarop het kroop. Niet dat ik haast had om rechercheur Barrott weer te zien, maar als ik op weg ben ergens naartoe, wil ik daar zo snel mogelijk aankomen. Dat is ook weer een trekje dat ik van mijn vader heb geërfd.

De gedachte aan mijn vader deed me denken aan zijn bezorgdheid nadat Mack was verdwenen en aan de bezorgdheid die de vader van Leesey Andrews nu moest voelen. Gisteravond op het nieuws van elf uur had dokter Andrews met betraande ogen een foto van zijn dochter laten zien en iedereen gesmeekt hem te helpen om haar te vinden. Ik kon me voorstellen hoe hij zich voelde en vroeg me meteen af of dat waar was. Voor ons was het ook heel erg geweest, maar Mack was er op klaarlichte dag vandoor gegaan, terwijl Leesey Andrews in haar eentje in het donker veel kwetsbaarder was geweest, een gemakkelijke prooi voor iemand die sterker was dan zij.

Dat ging er door mijn hoofd toen de taxi langzaam naar Thompson Street reed.

Barrott zat op de trap voor het bakstenen gebouw. Een ongewoon gezicht, dacht ik toen ik de chauffeur betaalde. Het was een warme middag, hij had zijn jasje losgeknoopt en zijn das omlaag getrokken. Toen hij me zag uitstappen, stond hij soepel op, schoof zijn das weer omhoog en knoopte zijn jasje dicht.

We begroetten elkaar beleefd, maar een beetje afstandelijk, en ik nodigde hem uit mee naar binnen te gaan. Toen ik mijn sleutel in het slot stak, zag ik dat er voor het naburige gebouw, dat waar Leesey Andrews woonde – of had gewoond – een paar busjes stonden met de namen van verschillende tv-zenders erop.

Mijn eenkamerappartement lag aan de achterkant en was het enige appartement op de begane grond. Ik had het in september van het vorige jaar, toen ik voor rechter Huot ging werken, gehuurd. De afgelopen negen maanden was het een vredig toevluchtsoord voor me geworden, omdat ik in Sutton Place het verdriet om mijn vader en mijn bezorgdheid om Mack nooit van me af kon zetten.

Mama was geschrokken toen ze dit appartement zag. 'Nog geen dertig vierkante meter, Carolyn, je kunt hier je kont niet keren!' had ze geroepen. Maar voor mij was het een soort nestje geworden, een gezellige cocon, en het had me heel erg geholpen om mijn niet-aflatende verdriet en zorgen om te zetten in een verlangen, ja, zelfs een noodzaak, om al die dingen achter me te laten, om door te gaan met mijn leven. Omdat mama zo'n goede smaak heeft, ben ik opgegroeid in een prachtig ingericht huis, maar ikzelf had het leuk gevonden om in de uitverkoop van allerlei warenhuizen nieuwe spullen voor mijn appartement te kopen.

Mijn grote slaapkamer in Sutton Place had een aparte zithoek. In Thompson Street had ik een slaapbank met zowaar een heel comfortabel matras. Ik zag dat rechercheur Barrott, toen hij met me mee naar binnen liep, de kamer rondkeek, die ik had ingericht met zwartgelakte tafeltjes, moderne rode lampen, een zwartgelakte salontafel, een spierwitte bank en twee even spierwitte stoelen zonder leuningen. Vervolgens liet hij zijn blik over de witte muren en het zwart-wit-rood geblokte vloerkleed glijden.

Naast de woonkamer lag een smal keukentje. De eethoek bestond uit een ijssalontafeltje en twee smeedijzeren stoelen met kussens erop voor het raam. Maar het was een breed raam, dat veel licht binnenliet, met geraniums en andere planten op de vensterbank om een buitensfeer te creëren.

Toen Barrott alles goed had bekeken en mijn aanbod van een glas water of een kop koffie had afgeslagen, ging hij tegenover me op een van de keukenstoelen zitten. Tot mijn verbazing bood hij me eerst zijn verontschuldigingen aan. 'Mevrouw MacKenzie,' zei hij, 'ik weet zeker dat u zich afgepoeierd voelde toen ik u afgelopen maandag zo onnadenkend wegstuurde.'

Ik zei niets om hem te laten merken dat hij gelijk had.

'Maar gisteren ben ik het dossier van uw broer toch gaan doorlezen, hoewel ik moet toegeven dat ik niet erg ben opgeschoten, omdat de verdwijning van Leesey Andrews werd gemeld en die natuurlijk voorrang kreeg. Toen kwam het bij me op dat ik daardoor opnieuw een kans zou krijgen om met u te praten. Ik heb u al verteld dat we navraag doen in deze buurt. Kent u Leesey Andrews?'

De vraag verbaasde me. Misschien is dat vreemd, maar als ik haar zelfs maar vaag had gekend, zou ik dat, toen hij belde om een afspraak te maken, meteen hebben gezegd. 'Nee, ik ken haar niet,' antwoordde ik.

'Hebt u op de televisie haar foto gezien?'

'Ja, gisteravond.'

'Kreeg u toen niet het idee dat u haar wel eens had zien lopen?' vroeg hij dringend, alsof hij er niet van overtuigd was dat ik de waarheid sprak.

'Nee. Maar omdat ze naast me woonde, kan het natuurlijk best zijn dat we elkaar een keer voorbij zijn gelopen. In dat gebouw wonen wel meer studentes.' Ik hoorde hoe kribbig ik antwoord gaf, maar Barrott dacht toch niet dat ik, omdat mijn broer ook werd vermist, iets met de verdwijning van dat meisje te maken had?

Ik zag dat zijn mond even verstrakte voordat hij vervolgde: 'Mevrouw MacKenzie, ik hoop dat u beseft dat ik u dezelfde vragen stel als die ik en andere rechercheurs alle andere bewoners van deze buurt stellen. Omdat wij elkaar al eens hebben ontmoet en omdat juist u zult begrijpen hoe bezorgd haar vader en broer zijn, hoop ik dat u ons op de een of andere manier kunt helpen. U bent een bijzonder aantrekkelijke jonge vrouw en omdat u jurist bent, hebt u geleerd om oplettend te zijn.' Met ineengevouwen handen leunde hij iets naar voren. 'Loopt u hier ooit 's avonds alleen op straat, bijvoorbeeld nadat u uit eten of naar een film bent geweest, of gaat u ooit 's morgens heel vroeg weg?'

'Ja,' antwoordde ik iets vriendelijker. 'Meestal ga ik 's morgens om zes uur joggen en als ik 's met vrienden uitga, loop ik vaak alleen naar huis.'

'Hebt u ooit het gevoel gehad dat iemand u in de gaten hield of volgde?'

'Nee. Maar ik kom zelden na middernacht thuis en dan is het hier in de Village nog vrij druk op straat.'

'Ja, dat zal wel. Maar ik zou het op prijs stellen als u voortaan extra oplet. Net als brandstichters vinden overvallers het soms leuk om de opwinding te zien die ze hebben veroorzaakt. En dan is er nog iets, nog een manier waarop u ons kunt helpen. Uw bovenbuurvrouw, mevrouw Carter, is erg op u gesteld, nietwaar?'

'Ik ben erg op haar gesteld. Ze heeft artritis en vindt het vreselijk om naar buiten te moeten als het slecht weer is,' legde ik uit. 'Ze is een paar keer lelijk gevallen. Ik ga zo nu en dan bij haar kijken en neem wel eens boodschappen voor haar mee.' Ik leunde naar achteren op mijn stoel en vroeg me af waar hij naartoe wilde.

Barrott knikte. 'Dat heeft ze me verteld. Ze prees u hemelhoog. Maar u weet hoe oude mensen kunnen zijn. Ze zijn bang dat ze zelf in de problemen raken als ze tegen een politieagent praten. Ik had een tante die zo was. Ze wilde het nooit zeggen als ze had gezien dat een van de buren een deuk in de auto van een andere buur had gemaakt. "Dat gaat me niets aan," zei ze altijd.' Hij zweeg en dacht even na. 'Ik zag dat mevrouw Carter het vervelend vond met me te praten,' vervolgde hij. 'Maar ze zei wel dat ze graag voor het raam zit. Ze zei ook dat ze Leeseys foto niet herkende, maar ik denk dat ze dat wél deed. Misschien heeft ze Leesey toch wel eens voorbij zien lopen, maar wil ze niets met het onderzoek te maken hebben. Als u een keer een kopje thee bij haar gaat drinken, wil ze tegen u misschien meer loslaten dan tegen mij.'

'Dat zal ik doen,' zei ik en ik meende het. Mevrouw Carter is weliswaar oud, maar ze is lang niet gek en ze zit altijd voor het raam, dacht ik. Ze wist bijvoorbeeld van alles en nog wat over de mensen van de drie verdiepingen boven haar. Ik vond het ironisch dat ik Barrott met zijn speurwerk zou gaan helpen, terwijl ik hém had gevraagd mij met mijn speurwerk te helpen.

Barrott stond op. 'Dank u dat u met me wilde praten, mevrouw MacKenzie. U zult wel begrijpen dat we dag en nacht met deze zaak bezig zijn, maar zodra die is opgelost, zal ik me weer aan het dossier van uw broer wijden om te zien of we een nieuwe manier kunnen vinden om naar hem op zoek te gaan.'

Hij had me maandag al zijn kaartje gegeven, maar hij dacht waarschijnlijk dat ik het had verscheurd, wat ik ook had gedaan. Toen ik nog een kaartje van hem aannam, zei hij dat hij weer contact met me zou opnemen. Ik liet hem uit, deed de deur achter hem op slot en merkte dat mijn knieën knikten. Opeens vermoedde ik dat rechercheur Roy Barrott niet helemaal eerlijk was geweest. Dat ik voor hem niet alleen maar iemand was die toevallig naast een vermiste jonge vrouw woonde. Hij had een reden willen hebben om contact met me te houden.

Maar waarom?

Ik had geen flauw idee.

16

Lil Kramer was zenuwachtig geworden toen Carolyn MacKenzie maandag had opgebeld om te vragen of ze langs mocht komen, maar toen Carolyn woensdag was vertrokken, liep ze naar de slaapkamer en ging op het bed liggen. Ze sloot haar ogen en begon zachtjes te huilen, waarbij de tranen over haar wangen gleden.

Ze hoorde dat Gus Howard gedag zei voordat hij de slaapkamer binnenkwam en naast het bed ging staan. Toen hij ongeduldig vroeg wat er met haar aan de hand was, opende ze haar ogen. 'Wat er aan de hand is? Dat zal ik je vertellen! Ik heb afgelopen zondag ook de Latijnse mis in de Sint-Francis de Saleskerk bijgewoond, Gus! Daar had ik al over nagedacht sinds die vorig jaar werd aangekondigd. Mijn vader was rooms-katholiek, dat weet je, en hij nam me af en toe mee naar de kerk, en toen waren alle missen nog in het Latijn.'

'Je hebt niet gezegd dat je naar de kerk ging,' zei Gus nors.

'Waarom zou ik? Jij hebt niets met godsdienst en ik had geen behoefte aan een tirade over geestelijken die allemaal bedriegers zijn.'

Gus keek iets vriendelijker. 'Nou ja, laat maar. Je bent naar de mis geweest. Ik hoop dat je ook voor mij hebt gebeden. Maar wat wil je eigenlijk zeggen?'

'Het was stampvol in de kerk, ongelooflijk. De mensen stonden zelfs in de gangpaden. En je hebt gehoord wat Carolyn MacKenzie ons vertelde, dat Mack er ook was! Ik weet dat je me niet zult geloven, maar ik had toen het gevoel dat ik een bekende zag, in een flits. Maar je weet dat ik stekeblind ben als ik mijn bril niet op heb en die was ik vergeten in mijn tas te stoppen.'

'En?'

'Begrijp je dan niet wat ik bedoel, Gus? Mack was er ook! Stel dat hij toch terug wil komen? Je weet best wat ik bedoel,' eindigde ze fluisterend. 'Dat weet je best.'

Zoals ze verwachtte, werd Gus meteen boos. 'Verdomme, Lil, die jongen moet een gegronde reden hebben gehad om te verdwijnen en ik heb er schoon genoeg van dat jij je daar nog steeds zo druk om maakt. Hou ermee op. Laat die zaak rusten. Je hebt zijn zus precies genoeg verteld om haar tevreden te stellen. Hou verder je mond. Kijk me aan.' Hij boog zich over haar heen en legde een vinger onder haar kin, zodat ze zijn blik niet kon ontwijken. 'Zonder bril ben je halfblind en vanwege dat briefje dat Mack in dat mandje zou hebben gestopt, haal je je van alles in je hoofd. Je hebt hem niet gezien, dus denk er niet langer over na.'

Lil wist niet waar ze de moed vandaan haalde om haar man te vragen hoe hij daar zo zeker van was. 'Hoe kun jij nou zeker weten dat Mack niet bij die mis was?' vroeg ze zacht en gespannen.

'Geloof me nou maar,' zei Gus en hij werd rood van woede.

Hij was weer net zo kwaad als toen ze hem tien jaar geleden had verteld wat ze tijdens het schoonmaken in Macks slaapkamer had gevonden. Vanwege die woede had ze zich al die jaren wanhopig afgevraagd of Gus iets met de verdwijning van Mack te maken had.

Met een stuntelig gebaar van genegenheid streek Gus

met zijn eeltige hand over Lils voorhoofd en hij zei met een zucht: 'Lil, ik begin te denken dat het misschien toch een goed idee is als we met pensioen gaan en in Pennsylvania gaan wonen. Als die zus van Mack hier vaker komt rondneuzen, zul jij daar vroeg of laat zo paniekerig van worden dat je je mond voorbijpraat.'

Lil, die dol was op New York en die als een berg tegen hun pensionering opzag, zei klaaglijk: 'Ik wil hier weg, Gus. Ik ben doodsbang dat er hier iets met ons zal gebeuren.'

17

Bruce Galbraith nam aan het eind van de dag altijd nog even contact op met zijn secretaresse. In tegenstelling tot de meeste mensen die hij kende, had hij geen BlackBerry en stond zijn gsm vaak uit. 'Te veel afleiding,' zei hij. 'Dan voel ik me net een jongleur met te veel ballen in de lucht.'

Hij was tweeëndertig, van gemiddelde lengte, had rossig haar en droeg een bril zonder montuur, en hij grapte vaak dat hij zo gewoon was dat hij onopgemerkt langs een bewakingscamera kon lopen. Maar hij was niet zo bescheiden dat hij niet wist wat hij waard was. Hij blonk uit in het afsluiten van overeenkomsten en zijn collega's zeiden dat hij wat de onroerendgoedmarkt betrof bijna als een waarzegger in de toekomst kon kijken.

Dit had tot gevolg dat Bruce het kapitaal van het vastgoedbedrijf van de familie zodanig had verveelvoudigd dat zijn zestigjarige vader de leiding aan hem had overgedragen. Bij het diner ter gelegenheid van zijn pensionering had zijn vader tegen hem gezegd: 'Bruce, petje af, jongen. Je bent een prima zoon en een veel betere zakenman dan ik, en ik ben een goede. Ga jij maar fijn door met geld voor ons verdienen, dan ga ik mijn best doen om een fatsoenlijk spelletje golf te leren spelen.'

Bruce was op woensdag in Arizona toen hij in de namiddag zoals gewoonlijk zijn secretaresse belde. Ze vertelde hem dat Carolyn MacKenzie had gebeld en de boodschap had achtergelaten dat Mack weer contact had opgenomen en of hij haar wilde bellen.

Carolyn MacKenzie? Het jongere zusje van Mack? Die namen had hij liever nooit meer willen horen.

Hij was net terug in de suite van het hotel in Scottsdale waarvan hij de eigenaar was. Hoofdschuddend liep hij naar de minibar en haalde er een koud biertje uit. Het was pas vier uur, maar hij had bijna de hele dag buiten in de hitte gestaan en vond dat hij het had verdiend.

Hij ging zitten in de grote leunstoel voor het panoramische venster dat uitzicht bood op de woestijn. Daar zat hij altijd het liefst, maar op dat moment zag hij niet de woestijn voor zich, maar de studentenflat die hij had gedeeld met Mack MacKenzie en Nick DeMarco, en dacht hij terug aan wat zich daar had afgespeeld.

Ik wil Macks zus niet zien, zei hij bij zichzelf. Het is allemaal al tien jaar geleden, en zelfs de ouders van Mack wisten dat hij en ik geen boezemvrienden waren. Hij heeft me nooit gevraagd bij hem thuis in Sutton Place te komen eten en Nick mocht altijd mee. Voor hem was ik alleen die saaie jongen met wie hij toevallig een flat deelde.

Nick de vrouwenverleider. Mack de sympathiekste kerel die iedereen kende. Zo sympathiek dat hij me zijn verontschuldigingen aanbood omdat hij mij op het nippertje had verdrongen van de lijst van de tien beste studenten van ons jaar. Ik zal pa's gezicht nooit vergeten toen ik hem vertelde dat ik daar niet op voorkwam. Vier generaties die aan Columbia hadden gestudeerd en ik was de eerste die niet bij de beste tien hoorde. En Barbara, mijn god, wat was ik verliefd op haar. Ik aanbad haar. Maar ze keurde me geen blik waardig...

Met zijn hoofd achterover dronk hij zijn laatste slok bier. Ik moet Carolyn bellen, besloot hij. Maar ik vertel haar hetzelfde als wat ik haar ouders destijds heb verteld. Mack en ik woonden weliswaar in hetzelfde appartement, maar we gingen nooit samen stappen. Op de dag dat hij verdween, had ik hem niet eens gezien. Ik was al weg voordat hij en Nick wakker werden. Dus laat me met rust, zusje van Mack.

Hij stond op. Vergeet het toch, zei hij ongeduldig bij zichzelf. Vergeet die hele toestand. Het citaat dat steeds wanneer hij aan Mack dacht bij hem opkwam, schoot hem weer te binnen. Hij wist dat het niet letterlijk klopte, maar het hielp hem altijd: 'Maar dát gebeurde in een ander land en bovendien, de koning is dood.'

Hij liep terug naar de telefoon, pakte de hoorn en toetste een nummer in. Zijn gezicht klaarde op toen zijn vrouw aannam. 'Hallo Barb,' zei hij. 'Hoe gaat het, schat? En hoe gaat het met de kinderen?'

18

Na zijn lunch met Aaron Klein ging Elliott Wallace terug naar zijn kantoor. Hij dacht aan Charles MacKenzie senior en de vriendschap die ze hadden gesloten in Vietnam. Charley was reserveofficier geweest en toen ze elkaar ontmoetten, was hij tweede luitenant. Elliott had Charley verteld dat hij Amerikaanse ouders had, maar dat hij in Engeland was geboren en het grootste deel van zijn jeugd had doorgebracht in Londen. Op zijn negentiende was hij met zijn moeder mee teruggegaan naar New York. Hij was in dienst gegaan, vier jaar later was hij officier geworden en samen met Charley had hij deelgenomen aan enkele van de zwaarste gevechten van die oorlog.

We vonden elkaar meteen sympathiek, dacht Elliott. Charley was een haantje de voorste en heel ambitieus. Na zijn diensttijd wilde hij rechten gaan studeren. Hij zei dat hij een heel succesvolle advocaat én miljonair zou worden. Hij vond het zelfs fijn dat hij was opgegroeid in een gezin dat geen cent te makken had en plaagde me met mijn afkomst. 'Hoe heette die butler ook alweer, Ell?' vroeg hij dan. 'Bertie? Of was het Chauncey, of Jeeves?'

Elliott leunde achterover in zijn leren stoel en glimlachte bij de herinnering. Ik heb Charley verteld dat de butler William heette en dat hij wegging toen ik dertien was. Ik heb hem verteld dat mijn vader, God hebbe zijn ziel, de beschaafdste man en de slechtste zakenman in de geschiedenis van de beschaving was. Dat dat de reden was dat mijn moeder er ten slotte de brui aan gaf en mij mee terug nam naar Amerika.

Charley geloofde me niet toen ik zei dat ik op mijn manier even ambitieus was als hij. Hij wilde rijk worden omdat hij nooit rijkdom had gekend. Ik was eerst rijk en toen arm en ik wilde weer rijk worden. Terwijl Charley rechten studeerde, haalde ik mijn MBA.

Op financieel gebied hadden we allebei succes, maar het verschil tussen ons privéleven kon nauwelijks groter zijn. Charley leerde Olivia kennen en ze hadden een fantastisch goed huwelijk. God, wat voelde ik me een buitenstaander wanneer ik zag hoe ze naar elkaar keken. Ze hadden drieëntwintig heerlijke jaren samen, tot Mack verdween. Daarna vroegen ze zich elke dag vertwijfeld af wat er met hem kon zijn gebeurd. En toen kwam 11 september 2001 en was Charley dood. In mijn huwelijk met Norma ben ik nooit eerlijk tegen haar geweest. Heeft prinses Diana niet een keer tegen de een of andere journalist gezegd dat haar huwelijk met de prins van Wales bestond uit drie personen? Zo was het ook met Norma en mij, alleen waren wij geen bekende figuren.

Elliott trok een gepijnigd gezicht toen hij eraan terugdacht. Hij pakte een pen en begon op een blocnote te krabbelen. Norma wist het natuurlijk niet, maar wat ik voor Olivia voelde, stond altijd tussen ons in. En nu mijn huwelijk ver in het verleden ligt, kunnen Olivia en ik na al die jaren misschien samen een toekomst opbouwen. Eindelijk beseft ze dat ze haar leven niet langer alleen om Mack kan laten draaien en ik kan zien dat haar gevoelens voor mij zijn veranderd. Ik ben meer geworden dan Charleys beste vriend en de vertrouwde raadsman van de familie. Dat merkte ik toen ik haar kuste om haar welterusten te wensen. Dat merkte ik toen ze me toevertrouwde dat Carolyn vrij moet zijn en zich geen zorgen meer om haar moeder hoort te maken, en dat merkte ik vooral toen ze me vertelde dat ze van plan is haar huis in Sutton Place te verkopen.

Elliott stond op, liep naar het deel van de mahoniehouten boekenkast waar de ijskast stond en trok die open. Toen hij een flesje water pakte, vroeg hij zich af of het nog te vroeg was om Olivia voor te stellen dat een penthouse in Fifth Avenue, dicht bij het Metropolitan Museum, een fantastische plek zou zijn om te gaan wonen.

Mijn penthouse, dacht hij glimlachend. Vijfentwintig jaar geleden, toen ik het na mijn scheiding van Norma kocht, droomde ik zelfs al dat ik het kocht voor Olivia.

De telefoon rinkelde en de heldere, Engelse stem van zijn privésecretaresse zei door de intercom: ‘Mevrouw MacKenzie voor u, meneer.’

Elliott liep vlug naar zijn bureau en pakte de hoorn op.

‘Elliott, met Liv. June Crabtree zou vanavond komen eten, maar ze heeft op het laatste moment afgezegd. Ik weet dat Carolyn een afspraak heeft met haar vriendin Jackie. Zou jij zin hebben een vrouw mee uit eten te nemen?’

‘Heel veel zin zelfs. Wat vind je ervan om eerst om zeven uur bij mij te borrelen en dan naar Le Cirque te gaan?'

'Perfect. Tot vanavond.'

Toen Elliott de hoorn had neergelegd, voelde hij dat zijn voorhoofd een beetje klam was geworden. Nog nooit in mijn leven heb ik zo graag iets gewild, dacht hij. Niets mag dit voor ons bederven, en ik ben bang dat dat toch zal gebeuren. Maar toen ontspande hij zich en lachte hardop bij de gedachte aan wat zijn vader van zo'n somber voorgevoel zou hebben gezegd: 'Zoals mijn beste neef Franklin altijd zei, het enige waar we bang voor moeten zijn, is de angst zelf.'

19

Vanaf woensdag in de namiddag tot 's avonds laat verspreidden studenten van de Universiteit van New York zich met grimmige gezichten door Greenwich Village en SoHo om posters te plakken op winkelruiten, telefoonpalen en bomen, in de hoop dat iemand Lisa – Leesey – Andrews zou herkennen en informatie zou kunnen geven die ertoe zou leiden dat ze werd gevonden.

Op de poster stonden de foto van de glimlachende Leesey die haar huisgenote een paar dagen daarvoor had genomen, haar lengte en gewicht, het adres van de Woodshed, het tijdstip waarop ze daar was weggegaan, haar huisadres en de beloning van vijftigduizend dollar die was uitgeloofd door haar vader en Nicholas DeMarco.

'Het is meer informatie dan we meestal vrijgeven, maar we doen wat we kunnen,' zei hoofdcommissaris Larry Ahearn die avond om negen uur tegen de broer van Leesey. 'Maar ik zal eerlijk zijn, Gregg. Als Leesey is ontvoerd, wordt de kans dat ze nog leeft elk uur kleiner.'

'Dat weet ik.' Nadat Gregg Andrews zijn vader een sterk

slaapmiddel had gegeven en hem had gedwongen in de logeerkamer van zijn appartement naar bed te gaan, was hij naar het gerechtsgebouw gereden. 'Ik voel me zo verdomd hulpeloos, Larry. Wat kan ik nog meer doen?' Hij liet zijn schouders hangen.

Larry leunde met een somber gezicht over zijn bureau heen naar Gregg toe. 'Je kunt je vader tot steun zijn en voor je patiënten in het ziekenhuis zorgen. Laat de rest aan ons over, Gregg.'

Gregg deed zijn best om zich te vermannen. 'Ik zal het proberen.' Hij stond langzaam op, alsof het hem moeite kostte. Bij de deur van Ahearns kantoor draaide hij zich om. 'Larry, je zei: áls Leesey is ontvoerd. Verspil alsjeblieft geen tijd met denken dat ze ons dit verdriet met opzet zou aandoen.'

Toen hij de deur opende, stond hij tegenover Roy Barrott, die net had willen aankloppen. Barrott had gehoord wat Gregg zei en het kwam bij hem op dat Carolyn MacKenzie twee dagen geleden in Larry's kantoor precies hetzelfde had gezegd over haar broer. Hij onderdrukte de gedachte, groette Andrews en stapte het kantoor binnen.

'De tapes zijn klaar,' zei hij kortweg. 'Wil je ze nu zien, Larry?'

'Ja, dat is goed,' zei Ahearn en hij keek Gregg na, die wegliep. 'Denk je dat het goed is als haar broer meekijkt?'

Barrott draaide zijn hoofd om in de richting van Ahearns blik. 'Misschien wel. Ik zal hem inhalen voordat hij in de lift stapt.'

Barrott bereikte Gregg net toen hij de knop van de lift indrukte en vroeg of hij wilde meelopen naar de technische afdeling. 'De tapes die maandagnacht in de bewakingscamera's van de Woodshed zaten zijn frame voor frame vergroot, om te zien wie er op de dansvloer dicht bij Leesey in de buurt is gebleven en wie er nog meer zo laat is vertrokken,' legde Barrott uit.

Gregg knikte zwijgend en liep met Barrott en Ahearn mee naar de technische afdeling, waar ze gingen zitten. Toen de band liep, gaf Barrott, die hem al twee keer eerder had bekeken, commentaar.

'Behalve de vrienden met wie ze de hele avond heeft doorgebracht, is er niets bijzonders te zien. Al die vrienden zeggen dat Leesey steeds bij hen is gebleven, behalve dat kwartier dat ze aan het tafeltje van DeMarco zat en toen ze op de dansvloer stond. Nadat de anderen om twee uur waren vertrokken, ging ze pas weer aan een tafeltje zitten toen de band ermee ophield en zijn spullen ging inpakken. Inmiddels waren er nog maar een paar mensen over, dus hebben we duidelijke beelden van haar tot ook zij de deur uitging.'

'Kunnen we even teruggaan naar waar ze aan het tafeltje zit?' vroeg Gregg. Het bekijken van de beelden van zijn zus had hem intens verdrietig gemaakt.

'Moment.' Barrott spoelde de band terug. 'Ziet u iets wat wij over het hoofd hebben gezien, dokter Andrews?' vroeg hij op neutrale toon.

'De uitdrukking op haar gezicht. Op de dansvloer lachte ze, maar kijk nu eens. Nu kijkt ze droefgeestig, verdrietig.' Hij zweeg even. 'Onze moeder is twee jaar geleden gestorven en Leesey heeft het daar nog steeds erg moeilijk mee.'

'Gregg, denk jij dat ze daardoor aan tijdelijk geheugenverlies zou kunnen lijden of dat ze zo in de stress zou kunnen raken dat ze zou weglopen?' vroeg Ahearn op dringende toon. 'Denk je dat dat een mogelijkheid zou kunnen zijn?'

Gregg Andrews hief zijn handen en drukte ze tegen zijn slapen, alsof hij dan beter kon nadenken. 'Ik weet het niet,' zei hij ten slotte. 'Ik weet het echt niet.' Hij dacht even na en vervolgde: 'Maar als ik er mijn leven en dat van Leesey onder moest verwedden, zou ik dat niet voor mogelijk houden.'

Barrott spoelde de band weer vooruit. 'Dan gaan we verder. In het laatste uur heeft ze, steeds wanneer de camera op haar is gericht, nooit een glas drank in haar hand. Dat stemt overeen met de verklaringen van de kelner en de barman dat ze die avond maar een paar glazen wijn heeft gedronken en beslist niet dronken was toen ze vertrok.' Hij zette het videoapparaat uit. 'Helemaal niets,' zei hij ontmoedigd.

Gregg Andrews stond op en zei met gespannen stem: 'Ik ga nu naar huis. Ik moet morgenvroeg opereren en heb slaap nodig.'

Barrott wachtte tot hij buiten gehoorsafstand was en rekte zich uit. 'Ik zou zelf ook wel een poosje willen slapen, maar ik ga naar de Woodshed.'

'Denk je dat DeMarco daar vanavond zijn gezicht zal laten zien?' vroeg Ahearn.

'Ik vermoed van wel. Hij weet dat wij daar onze jongens naartoe sturen. En hij is slim genoeg om te beseffen dat het er erg druk zal zijn. Hij zal een heleboel nieuwsgierige klanten erbij krijgen, en natuurlijk zullen er allerlei mindere beroemdheden komen opdagen omdat ze weten dat de media er zullen zijn. De maden zullen toestromen, geloof dat maar.'

'Dat geloof ik graag.' Ahearn stond op. 'Ik weet niet of je het al hebt gezien, maar Leeseys mobiel is in handen van iemand die de hele dag Manhattan heeft doorkruist. DeMarco is pas laat vanochtend uit South Carolina teruggekomen, dus als hij de dader is, heeft hij een handlanger in New York.'

'Het zou fijn zijn als dat meisje alleen maar een beetje in de war is en zij degene is die Manhattan doorkruist,' zei Barrott en hij pakte zijn jasje. 'Maar ik denk niet dat dat uiteindelijk de waarheid zal blijken te zijn. Ik denk dat degene die haar heeft meegenomen, haar al ergens heeft achtergelaten en slim genoeg is om te weten dat we, als haar mobiel aan staat, in die buurt zullen gaan zoeken.'

'En ook slim genoeg om te weten dat we, als haar mobiel steeds ergens anders is, zullen denken dat ze misschien nog leeft.' Ahearn trok een bedenkelijk gezicht. 'We hebben DeMarco's leven zo nauwkeurig onder de loep genomen dat we zelfs weten wanneer hij zijn melktanden heeft gewisseld en niets wijst erop dat hij zoiets als dit zou kunnen doen.'

'Hebben ze al iets opmerkelijks gevonden in de dossiers van de andere drie meisjes die worden vermist?'

'Niets wat niet al uitentreuren is onderzocht. We bekijken de creditcardafschrijvingen van maandagavond om te zien of er die avond mensen in de Woodshed waren die op de avonden van die andere verdwijningen ook in de betreffende bars waren.'

'Hm. Oké, tot straks, Larry.'

Ahearn keek Barrott onderzoekend aan. 'Jij denkt naast DeMarco ook aan iemand anders, hè?'

'Ik weet het niet zeker, ik moet er eerst nog eens over nadenken,' antwoordde Barrott verstrooid. Maar Ahearn zag dat Barrott wel degelijk een idee had.

20

Jackie Reynolds is al mijn beste vriendin sinds we, toen we zes waren, naar de eerste klas gingen van de School van het Heilige Hart. Ze is een van de slimste mensen die ik ken en bovendien een talentvolle atlete. Jackie kan een golfbal zo ver weg slaan dat Tiger Woods versteld zou staan. Nadat we onze studie aan Columbia hadden afgerond, reden we in september van dat jaar samen naar Duke University. Ik ging er rechten studeren, zij haalde er haar doctoraat in de psychologie.

Ze heeft het figuur van een geboren atlete, lang en stevig gebouwd, en ze heeft lang, kastanjebruin haar dat ze meestal met een elastiekje bijeenbindt tot een staart. Het eerste wat opvalt aan haar gezicht, zijn haar mooie bruine ogen. Ze stralen warmte en vriendelijkheid uit, en geven mensen het gevoel dat ze haar hun geheimen kunnen toevertrouwen. Ik zeg altijd dat ze haar patiënten korting moet geven. 'Je hoeft geen enkele moeite te doen om achter hun problemen te komen, Jackie. Ze zijn nog niet binnen of ze storten hun hart al uit.'

We bellen elkaar vaak en zoeken elkaar om de paar weken op. Vroeger zagen we elkaar vaker, maar Jackies relatie met de man met wie ze inmiddels een jaar omgaat is serieus geworden. Ted Sawyer is luitenant bij de brandweer en een prima kerel. Hij wil ooit hoofdcommissaris van de brandweer van New York worden en zich kandidaat stellen voor de functie van burgemeester, en ik wil er alles onder verwedden dat hij dat uiteindelijk ook zal worden.

Jackie maakt zich altijd zorgen omdat ik nauwelijks in mannen ben geïnteresseerd, maar dat wijt ze terecht aan mijn emotionele burn-out.

Ik was van plan om haar, als het onderwerp die avond ter sprake zou komen, te verzekeren dat ik mijn best zou doen om mijn leven weer op de rails te krijgen.

We hadden afgesproken in Il Mulino, ons favoriete Italiaanse restaurant in de Village. Bij een bord linguine alle vongole en een glas pinot grigio vertelde ik haar over Macks telefoontje en het briefje dat hij in het collectemandje had gestopt.

'Oom Devon, zeg tegen Carolyn dat ze me niet moet zoeken,' herhaalde ze. 'Het spijt me, Carolyn, maar als Mack dat briefje echt zelf heeft geschreven, vermoed ik dat hij in de problemen zit,' zei ze zacht. 'Als hij niet gestrest was en alleen maar met rust gelaten wilde worden, zou hij volgens mij hebben geschreven: "Ga me alsjeblieft niet zoeken" of alleen "Carolyn, laat me met rust".'

'Dat is precies wat ik ook dacht. Hoe vaker ik naar dat briefje kijk en hoe meer ik erover nadenk, des te sterker krijg ik het gevoel dat hij wanhopig is.'

Ik vertelde Jackie dat ik bij rechercheur Barrott was geweest. 'Hij wees me bijna de deur,' zei ik. 'Dat briefje interesseerde hem geen bal. Hij maakte me duidelijk dat als Mack met rust gelaten wil worden, ik me daarbij moet neerleggen. Dus ben ik aan mijn eigen onderzoek begonnen, en inmiddels heb ik een gesprek gehad met de huismeesters van dat appartement waar Mack heeft gewoond.'

Ze luisterde naar mijn verslag van dat gesprek en onderbrak me met een vraag over mevrouw Kramer: 'Je vond dat ze een nerveuze indruk maakte?'

'Ze wás nerveus, en ze keek steeds naar haar man alsof ze zijn goedkeuring zocht, alsof ze wilde weten of ze het juiste antwoord had gegeven. En ze waren het niet met elkaar eens over de laatste keer dat ze Mack hadden gezien en wat hij toen aanhad.'

'Het geheugen is onbetrouwbaar, vooral na tien jaar,' zei Jackie langzaam. 'Als ik jou was, zou ik proberen met mevrouw Kramer te praten wanneer haar man niet in de buurt is.'

Dat prentte ik in mijn geheugen, en toen vertelde ik haar over mijn tweede gesprek met rechercheur Barrott. Jackie wist niet dat dat vermiste meisje, Leesey Andrews, in een appartement naast het mijne woont. Ik vertelde Jackie dat ik daar met rechercheur Barrott had gepraat en dat ik het gevoel had dat hij een reden had verzonnen om met me in contact te kunnen blijven.

De uitdrukking in Jackies ogen veranderde en ik zag dat haar bezorgdheid toenam. 'Ik wil wedden dat rechercheur Barrott nu zou willen dat hij dat briefje van Mack had gehouden,' zei ze nadrukkelijk. 'En ik wil wedden dat hij je er binnenkort om zal vragen.'

'Wat wil je daarmee zeggen?' vroeg ik.

'Carolyn, ben je die vermiste personen vergeten die vlak voor Macks verdwijning in het nieuws waren? En dat een groepje jongens van Columbia, ook Mack, zich in die bar in SoHo bevond waar dat eerste verdwenen meisje de avond had doorgebracht? Dat was een paar weken voordat Mack zelf verdween.'

'Dat was nog niet bij me opgekomen,' bekende ik. 'Maar wat heeft dat ermee te maken?'

'Je hebt de officier van justitie de naam van een mogelijke verdachte gegeven. Mack wil niet dat je hem gaat zoeken, wat kan betekenen dat hij in moeilijkheden verkeert, zoals ik net al zei. Of het kan betekenen dat hijzelf het probleem is. Hij heeft je moeder zondag gebeld en later die morgen dat briefje in het collectemandje gestopt. Stel dat Mack wilde weten waar jij nu woont, misschien om je nogmaals te waarschuwen ermee op te houden. Je staat in het telefoonboek. Stel dat hij dinsdagmorgen in alle vroegte daar in de buurt was en Leesey Andrews naar huis zag gaan. Ik wil wedden dat rechercheur Barrott op precies hetzelfde idee is gekomen.'

'Jackie, ben je gek geworden?' begon ik, maar de woorden stokten in mijn keel. De angst sloeg me om het hart toen ik besefte dat ze Barrotts gedachtegang waarschijnlijk precies had geraden. Doordat ik naar hem toe was gegaan, was mijn broer in zijn ogen wellicht een belangrijke verdachte in de zaak Leesey Andrews geworden en misschien ook in die van de jonge vrouw die tien jaar geleden was verdwenen, een paar weken voordat Mack zelf verdween.

En tot mijn grote ontsteltenis schoot het me toen te binnen dat er voordat Leesey Andrews niet meer thuis was gekomen niet één, maar drie jonge vrouwen waren verdwenen.

Zou Barrott ergens diep vanbinnen beginnen te geloven

dat als Mack nog leefde, hij misschien een seriemoordenaar was geworden?

21

Soms genoot hij op het moment dat hij iemand van het leven beroofde het meest wanneer hij de geur van angst rook. Ze wisten dat ze gingen sterven en stamelden nog hun laatste woorden.

Een van hen vroeg: 'Waarom?'

Een ander bad: 'Heer, ontvang... me...'

Weer een ander probeerde zich los te rukken en snauwde hem een scheldwoord toe.

De jongste smeekte: 'Doe het niet! Doe het alsjeblieft niet!'

Hij wilde niets liever dan die avond teruggaan naar de Woodshed om te horen wat er allemaal werd gezegd. Hij vond het amusant die agenten in burger aan het werk te zien, hij kon ze op kilometers afstand herkennen. Ze hadden altijd een soort slaperige blik, om te verbergen dat hun scherpe ogen voortdurend speurend heen en weer flitsten.

Een uur geleden had hij in Brooklyn het telefoonnummer op de poster gebeld, met een van zijn mobieltjes met een prepaidkaart erin. Met een opgewonden klank in zijn stem had hij gezegd: 'Ik kom net uit Peter Luger's Restaurant en daar heb ik Leesey Andrews gezien, ze zat er met een man te eten!' Daarna had hij zowel zijn eigen telefoon als die van Leesey uitgeschakeld en was hij gauw in de metro gestapt.

Hij zag voor zich hoe de politie daar meteen naar binnen was gestormd, tot ergernis van de gasten de hele boel op zijn kop had gezet en de kelners had ondervraagd. Inmiddels waren ze waarschijnlijk tot de slotsom gekomen dat de een of andere gek hen op het verkeerde been had gezet. Ik vraag me af hoeveel gekken al eerder hebben gemeld dat ze Leesey hebben gezien, dacht hij. Maar er is er maar één die haar werkelijk heeft gezien en dat ben ik!

Haar familie zou niet willen geloven dat het een neptelefoontje was geweest. Familie was pas overtuigd wanneer ze het lichaam hadden gezien. Reken er maar niet op, familie. En als jullie me niet geloven, ga dan maar eens met de familie van die andere meisjes praten.

Hij zette de tv aan om naar het nieuws van elf uur te kijken. Zoals hij al had verwacht, was het belangrijkste item afkomstig van een verslaggever die aan de overkant van de Woodshed stond. Een lange rij mensen stond te wachten tot ze werden binnengelaten. De verslaggever zei: 'De tip die de politie had ontvangen dat Leesey Andrews in een restaurant in Brooklyn zat, bleek vals te zijn.'

Het stelde hem teleur dat de politie niet bekend had gemaakt dat ze het spoor van haar mobiel tot Brooklyn waren gevolgd. Straks ga ik even met haar mobiel naar Thompson Street, dacht hij. Dan raken ze in alle staten omdat ze denken dat ze misschien vlak bij haar huis wordt vastgehouden.

Hij moest er bijna hardop om lachen.

22

Op vrijdagmiddag belde Nick DeMarco me terug. Helaas stond ik, toen mijn mobieltje rinkelde, in de deuropening van Sutton Place om mijn moeder uit te zwaaien.

Elliott was net aangekomen om haar naar Teterboro Airport te brengen, waar ze met de Clarences in hun privévliegtuig naar Corfu zou vliegen, het Griekse eiland waar hun jacht voor anker lag.

De chauffeur van Elliott had haar bagage al meegenomen en stond voor de lift. Een halve minuut later zouden ze weg zijn geweest, maar ik klapte onnadenkend mijn mobieltje open en had mijn tong wel kunnen afbijten nadat ik 'Hallo, Nick,' had gezegd. Zowel mijn moeder als Elliott keken me aan en beseften meteen dat het Nick DeMarco was. De verklaring die hij woensdagmiddag op een persconferentie had afgelegd, waarbij hij had gezegd hoe erg hij het vond dat Leesey Andrews haar overvaller misschien in zijn club had ontmoet, was in de twee dagen die er sindsdien voorbij waren gegaan oneindig vaak herhaald.

'Carolyn, het spijt me dat ik niet eerder terug heb gebeld,' zei Nick. 'Je begrijpt vast wel dat het hier de afgelopen dagen een gekkenhuis is geweest. Hoe gaat het met jou? Heb je tijd om voor vanavond of morgen iets af te spreken?'

Ik draaide me half om en ging een paar stappen achteruit, in de richting van de zitkamer. 'Vanavond is prima,' zei ik vlug, want ik was me ervan bewust dat mama en Elliott nog steeds naar me stonden te kijken. Ze deden me denken aan dat spelletje dat we speelden toen ik tien was: standbeelden trekken. De leider moest de anderen een voor een aan een arm in de rondte draaien en loslaten, en dan moest je net zo blijven staan als je tot stilstand was gekomen. Degene die deze houding het langst roerloos kon volhouden, was de winnaar.

Mama stond stokstijf stil, met haar hand op de deurknop. Elliott stond met haar reistas in de hand als verstijfd in de gang. Ik wilde Nick eigenlijk liever terugbellen, maar ik was bang dat de afspraak dan niet door zou gaan.

'Waar zal ik je ontmoeten?'

'Het appartement in Sutton Place,' zei ik.

'Dan haal ik je daar af. Zeven uur, goed?'

'Dat is goed.' We verbraken de verbinding.

Mama keek me bezorgd aan. 'Was dat Nick DeMarco? Waarom heeft híj je gebeld, Carolyn?'

'Omdat ik hem woensdag had gebeld.'

'Waarom heb je dat gedaan?' vroeg Elliott verbaasd. 'Je hebt sinds de begrafenis van je vader toch geen contact meer met hem gehad?'

Ik vlocht een paar waarheden ineen tot een onwaarheid. 'Ik ben jaren geleden vreselijk verliefd op hem geweest. Misschien is daar nog iets van over. Toen ik hem op de tv zag, dacht ik dat het geen kwaad kon hem te bellen om te zeggen dat ik het akelig voor hem vond dat Leesey Andrews was verdwenen nadat ze zijn bar had verlaten. En nu heeft hij mij gebeld.'

Het gezicht van mijn moeder klaarde op. 'Ik vond Nick een heel leuke jongen toen hij vroeger regelmatig met Mack bij ons kwam eten. En ik weet dat hij een succesvolle zakenman is geworden.'

'Hij heeft het in de afgelopen tien jaar inderdaad goed gedaan,' beaamde Elliott. 'Ik meen me te herinneren dat zijn ouders ergens een restaurantje hadden. Maar het soort publiciteit dat hij nu krijgt, benijd ik hem niet.' Hij raakte de arm van mijn moeder aan. 'Kom, Olivia, we moeten gaan. We zitten toch al in het spitsuur en de Lincoln Tunnel is dan een nachtmerrie.'

Mijn moeder staat erom bekend dat ze altijd op het laatste nippertje vertrekt en erop rekent dat alle stoplichten op groen springen wanneer zij eraan komt. De vriendelijke manier waarop Elliott haar aanspoorde om op te schieten, deed me denken aan de manier waarop mijn vader dat zou hebben gedaan: 'Liv, in godsnaam, we mogen gratis mee naar Griekenland vliegen, laten we alsjeblieft op tijd zijn!' zou hij hebben geroepen.

Na nog een afscheidskus en allerlei vermaningen stapte ze eindelijk met Elliott in de lift en kon nog net: 'Bel me als je iets nodig hebt, Carolyn!' roepen voordat de deur dichtging.

Ik moet toegeven dat het afspraakje met Nick me een

beetje zenuwachtig had gemaakt, als je het een afspraakje zou kunnen noemen. Ik maakte mijn gezicht opnieuw op, borstelde mijn haar en besloot het los te laten hangen, en pas op het laatste moment trok ik het nieuwe broekpak van Escada aan dat mijn moeder voor me had gekocht. De broek en het jasje waren lichtgroen en ik wist dat die kleur de rode glans van mijn bruine haar benadrukte.

Waarom deed ik al die moeite? Omdat ik me na tien jaar nog steeds geneerde voor Macks eerlijke opmerking dat iedereen kon zien dat ik verliefd was op Nick. Ik heb me niet opgedoft voor hem, hield ik mezelf voor. Ik wil alleen zeker weten dat ik er niet meer uitzie als een stuntelige tiener die bijna flauwvalt als ze haar idool ziet. Maar ik moet bekennen dat ik, toen de conciërge belde dat meneer DeMarco er was, toch heel even het gevoel had dat ik nog steeds dat zestienjarige meisje was dat haar hart op de tong droeg.

Maar toen ik de deur voor hem opendeed, zag ik meteen dat de jongensachtige, zorgeloze Nick die ik me herinnerde, was verdwenen.

Toen ik hem op tv had gezien, was het me opgevallen dat zijn mond strak stond en dat hij op zijn tweeëndertigste al grijs begon te worden. Nu hij voor me stond, zag ik dat dat niet alles was. Hij had altijd een plagende, flirtende blik in zijn donkerbruine ogen gehad, maar nu keek hij heel ernstig. Maar toen hij me een hand gaf, glimlachte hij nog net zo als vroeger en hij leek het echt leuk te vinden me weer te zien. Hij gaf me een beleefde kus op mijn wang en bespaarde me gelukkig de opmerking dat kleine Carolyn groot was geworden.

In plaats daarvan zei hij: 'Carolyn MacKenzie, juris doctoris! Iemand vertelde me dat je advocaat bent geworden en griffier op een rechtbank bent. Ik was van plan je te bellen om je te feliciteren, maar dat is er niet van gekomen. Het spijt me.'

'De weg naar de hel is geplaveid met goede voornemens,' zei ik kalm. 'Dat zei zuster Patricia van de vijfde klas altijd tegen ons.'

'En broeder Murphy zei in de zevende klas tegen ons: "Stel niet uit tot morgen wat je vandaag kunt doen." '

Ik lachte en zei: 'Ze hadden allebei gelijk. Maar je hebt blijkbaar niet naar broeder Murphy geluisterd.' We grinnikten tegen elkaar, want zulke plagerijtjes waren vroeger altijd over de eettafel heen en weer gevlogen. Ik pakte mijn schoudertas. 'Ik ben klaar,' zei ik.

'Mooi zo. Mijn auto staat voor de deur.' Hij keek even rond. Vanwaar hij stond, kon hij net een stukje van de eetkamer zien. 'Ik heb heel fijne herinneringen aan de keren dat ik hier ben geweest,' vervolgde hij. 'En als ik zo nu en dan een weekend naar huis ging, wilde mijn moeder altijd precies weten wat we hadden gegeten, en dan moest ik zelfs de kleur van het tafellaken en de servetten noemen en de bloemen beschrijven die je moeder midden op tafel had gezet.'

'Ik kan je verzekeren dat we heus niet elke dag bloemen op tafel hadden staan,' zei ik terwijl ik mijn sleutel uit mijn tas haalde. 'Mama vond het leuk om zich uit te sloven als jij en Mack kwamen.'

'Mack vond het leuk zijn vrienden te laten zien waar hij woonde,' zei Nick. 'Maar dat deed ik ook, weet je dat? Ik heb hem regelmatig meegenomen naar ons restaurant in Astoria voor de beste pizza's en pasta ter wereld.'

Klonk Nick DeMarco een beetje wrang, alsof hij het verschil nog steeds betreurde? Misschien niet, ik wist het niet zeker. Toen we in de lift naar beneden stonden, viel het hem op dat Manuel, de liftbediende, een ring van een college droeg en vroeg hij naar de reden. Manuel vertelde trots dat hij onlangs was afgestudeerd aan het John Jay College en binnenkort aan zijn opleiding aan de politieacademie zou beginnen. 'Ik wil dolgraag politieagent worden,' zei hij.

Natuurlijk had ik sinds ik naar Duke was gegaan niet meer thuis gewoond, maar ik had vaak genoeg een praatje met Manuel gemaakt. Hij werkte al drie jaar in ons gebouw, maar Nick wist in een paar seconden meer van hem dan ik. Ik besefte dat Nick iemand was bij wie mensen zich meteen op hun gemak voelden en dat hij daarom zo'n succes had met zijn restaurants.

Voor ons gebouw stond een zwarte Mercedes-Benz, die van Nick bleek te zijn. Ik was verbaasd toen er een chauffeur uitstapte die het achterportier voor ons opende. Ik weet niet waarom, maar ik had niet gedacht dat Nick ooit een chauffeur zou hebben. Het was een grote, forsgebouwde man van halverwege de vijftig met het gezicht van een ex-bokser. Hij had een brede neus waaruit het bot leek te zijn verdwenen en een litteken op zijn kaak.

Nick stelde ons aan elkaar voor. 'Benny heeft twintig jaar voor mijn vader gewerkt en toen mijn vader vijf jaar geleden met pensioen ging, heb ik Benny geërfd. Daar heb ik erg mee geboft. Benny, dit is Carolyn MacKenzie.'

Hoewel Benny kort glimlachte en vriendelijk 'Aangenaam, mevrouw MacKenzie' zei, had ik het gevoel dat hij me scherp opnam. Hij wist waar we naartoe gingen, want zonder op aanwijzingen te wachten reed hij weg.

Onderweg keek Nick me aan en zei: 'Carolyn, ik ga ervan uit en ik hoop ook dat je met me wilt gaan eten.'

En ik ging ervan uit en hoopte ook dat je met mij wilde gaan eten, dacht ik. 'Ja, dat is prima,' zei ik.

'Ik weet een restaurant in Nyack, op een paar kilometer afstand van de Tappan Zee-brug. Het eten is er uitstekend en het is er rustig. Ik blijf voorlopig liever uit de buurt van de media.' Hij leunde met zijn hoofd tegen de leren rugleuning.

Toen we over de FDR Drive reden, vertelde hij dat hem de dag ervoor was gevraagd weer bij de officier van justitie langs te komen, om nog meer vragen te beantwoorden over het gesprek dat hij met Leesey Andrews had gehad voordat ze die nacht verdween. 'Het is jammer dat ik die nacht in mijn zolderappartement heb geslapen,' zei hij eerlijk. 'Ze moeten me op mijn woord geloven dat ik haar niet had gevraagd nog even bij me langs te komen en ik denk dat ze, omdat ze voorlopig geen andere verdachten hebben, hun volle aandacht op mij richten.'

Je bent beslist niet de enige, dacht ik, maar ik besloot hem niet te vertellen dat rechercheur Barrott dankzij mij ook Mack als verdachte had aangemerkt. Het viel me op dat Nick in de auto niet over Mack begon te praten, en ik vroeg me af waarom niet. Doordat ik tegen zijn secretaresse had gezegd dat ik hem wilde spreken omdat we weer iets van Mack hadden gehoord, wist hij dat we het over mijn broer zouden hebben. Het kwam bij me op dat hij misschien niet wilde dat Benny dat zou horen. Ik vermoedde dat Benny een scherp gehoor had.

Het door Nick uitgekozen restaurant, La Provence, was precies zoals hij had beloofd. Het was ooit een particulier huis geweest en had die sfeer behouden. De tafels stonden ver uit elkaar. In het midden van elke tafel stond een kaars met ontluikende bloemen eromheen, op elke tafel een andere soort. Aan de met hout betimmerde muren hingen schilderijen van – volgens mij – Franse landschappen. Door de hartelijke manier waarop de hoofdkelner Nick begroette, begreep ik dat Nick er vaak kwam. We kregen een tafeltje in de hoek bij een raam dat uitkeek op de Hudson. Het was een heldere avond en het uitzicht op de Tappan Zeebrug over de rivier was prachtig.

Ik dacht aan de droom waarin ik Mack over een brug achterna liep en duwde de herinnering vlug weg.

Bij een glas wijn vertelde ik Nick dat Mack zoals gewoonlijk op Moederdag had gebeld en dat hij daarna tijdens de mis een briefje in de collectemand had gestopt. 'Dat hij schreef dat ik hem niet mocht gaan zoeken, geeft me het idee dat hij verschrikkelijk in de puree zit,' zei ik. 'Ik ben erg bang dat Mack hulp nodig heeft.'

'Dat weet ik nog zo net niet, Carolyn,' zei Nick kalm. 'Ik heb gezien hoe hecht zijn relatie met jou en je ouders was. Als hij geld nodig had, zou hij weten dat je moeder hem dat onmiddellijk ter beschikking zou stellen. Als hij ziek was, denk ik dat hij bij jou en je moeder zou willen zijn. Ik heb nooit gezien dat Mack drugs gebruikte, maar wie weet is hij dat toch gaan doen en wist hij dat je vader dat, als hij erachter zou komen, verschrikkelijk zou vinden. Je moet niet denken dat ik al die jaren niet ook heb geprobeerd te bedenken wat hem ertoe heeft gebracht te verdwijnen.'

Eigenlijk had ik wel verwacht dat hij dat zou zeggen, maar toch had ik het gevoel dat elke deur die ik probeerde te openen, voor mijn neus werd dichtgegooid. Toen ik geen antwoord gaf, wachtte Nick nog even voordat hij zei: 'Je hebt zelf gezegd, Carolyn, dat Mack toen hij op Moederdag belde heel opgewekt klonk. Waarom beschouw je dat briefje in plaats van als een noodkreet niet als een dringend verzoek, of zelfs een bevel? Want zo kun je het ook lezen: "Zeg tegen Carolyn dat ze me niet mag zoeken!"'

Hij had gelijk, dat wist ik ook wel. Maar toch had hij ongelijk. Dat voelde ik in elke vezel van mijn lichaam.

'Laat het los, Carolyn,' vervolgde Nick op meelevende toon. 'Als en wanneer Mack ooit mocht besluiten weer boven water te komen, zal ik hem eerst een grote schop geven omdat hij jou en je moeder zo veel verdriet heeft gedaan. En vertel me nu eens hoe het met jou gaat. Ik neem aan dat je tijd als griffier er binnenkort op zit. Zo gaat dat toch?'

'Dat zal ik je straks vertellen,' zei ik, 'maar ik wil het eerst nog even over Mack hebben. Ik ben woensdagmorgen bij meneer en mevrouw Kramer geweest.'

'Meneer en mevrouw Kramer? Bedoel je de huismeesters van het gebouw waar Mack en ik hebben gewoond?'

'Juist. En misschien wil je me niet geloven, Nick, maar mevrouw Kramer was bloednerveus. Ze keek steeds naar haar man om zich ervan te verzekeren dat ze zich niet had versproken. Ik zweer je dat ze doodsbang was dat ze een fout zou maken. Wat vond je van hen toen jullie daar woonden?'

'Eerlijk gezegd, vond ik helemaal niets van hen, ik dacht er nooit over na. Dankzij de gulle bijdrage van je moeder maakte mevrouw Kramer ons appartement schoon en deed ze eens per week de was voor ons. Anders zou het waarschijnlijk een zwijnenstal zijn geweest. Ze was een uitstekende werkster, maar heel nieuwsgierig. Ik weet nog dat Bruce Galbraith een keer woedend op haar was omdat ze, toen hij een keer thuiskwam, de post las die op zijn bureau lag. Als ze zijn post las, zou ze de mijne natuurlijk ook lezen, dacht ik toen.'

'Hebben jullie er iets van gezegd?'

Hij glimlachte. 'Nee, ik heb er een geintje van gemaakt. Ik heb een brief getypt met haar naam eronder en die tussen mijn post gelegd om er zeker van te zijn dat ze hem zou lezen. Ik had zoiets geschreven als: schat, ik vind het heerlijk je kleren te wassen en je bed op te maken. Als ik naar je kijk, voel ik me weer een jong meisje. Wil je me een keer mee uit nemen om ergens te gaan dansen? Veel liefs, Lilly Kramer.'

'Dat meen je niet,' zei ik.

Heel even zag ik weer die jongensachtige twinkeling in zijn ogen. 'Toen ik erover na had gedacht, heb ik die brief toch maar verscheurd. Soms spijt me dat.'

'Denk je dat Mack ook heeft gemerkt dat ze zijn post doornam?'

'Dat zei hij niet, maar ik geloof wel dat hij ook boos op haar was. Maar voordat hij had gezegd waarom, was hij verdwenen.'

'Bedoel je dat dit gebeurde vlak voordat hij verdween?'

Nick keek haar verbaasd aan. 'Carolyn, je denkt toch niet dat de Kramers iets met de verdwijning van Mack te maken hebben gehad?'

'Nick, nu ik er alleen nog maar met jou over praat, is er al iets nieuws naar boven gekomen, iets waar tijdens het onderzoek niemand het over heeft gehad, namelijk dat Bruce mevrouw Kramer had betrapt op het lezen van zijn post en dat Mack misschien ook boos op haar was. Vertel me nu eens wat je van Gus Kramer vond.'

'Een goede huismeester. Kon gauw kwaad worden. Ik heb hem wel eens tegen zijn vrouw horen schreeuwen.'

'Kon gauw kwaad worden?' herhaalde ik met opgetrokken wenkbrauwen. 'Je hoeft hier niet op te antwoorden, maar denk er wel even over na. Stel dat hij en Mack ergens verschil van mening over hebben gehad.'

Toen kwam de kelner onze bestelling opnemen, wat tot gevolg had dat Nick die vraag niet beantwoordde. Daarna hadden we het alleen nog maar over wat we de afgelopen tien jaar hadden gedaan. Ik vertelde hem dat ik wilde solliciteren naar een baan bij de officier van justitie.

'Dat wil je?' Nu trok Nick zijn wenkbrauwen op. 'Stel niet uit tot morgen wat je vandaag kunt doen, zei broeder Murphy altijd. Waarom dóé je het niet?'

Ik antwoordde vaag iets over het zoeken naar een ander appartement. Toen we klaar waren met eten, pakte Nick discreet zijn BlackBerry om te zien of er berichten voor hem waren. Ik vroeg of hij wilde kijken of er nog nieuws was over Leesey Andrews.

'Goed idee.' Hij drukte op een toets, bekeek het nieuws en zette het apparaatje uit. 'Er is steeds minder hoop dat ze levend zal worden gevonden,' zei hij somber. 'Het zou me niet verbazen als ze me morgen weer vragen bij de officier van justitie langs te komen.'

En misschien zal Barrott mij bellen, dacht ik. We dronken onze koffie op en Nick wenkte de kelner om af te rekenen.

Aan het eind van de avond, toen Nick me voor Sutton Place afzette, begon hij weer over Mack. 'Ik ken je, Carolyn. Je geeft je speurtocht naar Mack niet op, hè?'

'Nee.'

'Met wie wil je nog meer praten?'

'Ik heb een boodschap voor Bruce Galbraith achtergelaten.'

'Ik denk niet dat hij je zal willen helpen of zelfs maar met je zal meeleven,' zei Nick wrang.

'Waarom niet?'

'Herinner je je Barbara Hanover nog, dat meisje dat een keer met Mack en mij bij jullie kwam eten?'

Nou en of, dacht ik. 'Ja, haar herinner ik me nog wel,' zei ik en ik kon het mezelf niet beletten eraan toe te voegen: 'Ik herinner me ook nog dat jij verliefd op haar was.'

Nick haalde zijn schouders op. 'Tien jaar geleden was ik elke week verliefd op een ander. En als dat zo was, dan zou dat me niet veel hebben opgeleverd, want volgens mij was zij verliefd op Mack.'

'Op Mack?' Was ik zo in de ban van Nick geweest dat me dat was ontgaan?

'Wist je dat dan niet? Maar Barbara wilde dolgraag medicijnen studeren, en haar moeder had een slopende ziekte, die al het geld had gekost dat opzij was gelegd voor Barbara's studie. Daarom is ze toen met Bruce Galbraith getrouwd. Ze zijn die zomer in het geheim getrouwd. Weet je dat niet meer?'

'Dat is dan ook weer iets wat niet bij het onderzoek aan de orde is geweest,' zei ik langzaam. 'Was Bruce jaloers op Mack?'

Nick haalde opnieuw zijn schouders op. 'Niemand wist ooit wat er in Bruce omging. Maar wat maakt dat nu nog uit? Je hebt Mack nog geen week geleden gesproken. En je denkt toch niet dat Bruce ervoor heeft gezorgd dat hij moest verdwijnen?'

Ik geneerde me. 'Natuurlijk niet,' zei ik. 'Ik weet eigenlijk niets van Bruce. Hij is nooit met jou en Mack meegekomen.'

'Hij is een einzelgänger. Zelfs als hij in dat laatste jaar op Columbia met ons allemaal meeging naar allerlei tenten in de Village en SoHo, hield hij zich afzijdig. We noemden hem de *Lone Stranger.*'

Ik keek Nick verwachtingsvol aan. 'Heeft de politie vlak nadat Mack was verdwenen Bruce ooit echt ondervraagd? Zijn enige bijdrage aan het dossier is zijn verklaring over de laatste keer dat hij Mack in jullie appartement had gezien.'

'Ik geloof het niet. Waarom zouden ze? Hij en Mack gingen nauwelijks met elkaar om.'

'Een oude vriend van me vertelde me onlangs dat Mack en een paar vrienden van Columbia vlak voor Macks verdwijning op dezelfde avond in een bepaalde bar waren als het eerste meisje dat destijds werd vermist. Weet jij soms of Bruce daar ook bij was?'

Nick dacht na. 'Ja, hij was er ook bij. Dat herinner ik me omdat die bar pas sinds kort open was en we wilden zien of het iets was. Maar ik geloof dat hij al vroeg weer wegging. Hij was nooit het stralende middelpunt. Maar het is al laat, Carolyn. Ik heb een heel prettige avond gehad. Dank je voor je gezelschap.'

Hij gaf me een zoen op mijn wang en opende de voordeur van ons appartementengebouw. Hij zei niets over een eventuele volgende afspraak. Ik liep door de hal naar de lift en keek achterom.

Nick zat alweer in de auto en Benny stond op de stoep, met een mobieltje tegen zijn oor en een ondoorgrondelijk gezicht. Om de een of andere reden vond ik dat hij sinister glimlachte voordat hij het mobieltje dichtklapte, in de auto stapte en wegreed.

23

Elke zaterdagmorgen nam Howard Altman zijn baas, Derek Olsen, mee uit voor een brunch. Ze ontmoetten elkaar om klokslag tien uur in de Lamplighter Diner, vlak bij een van de appartementencomplexen die Olsen bezat in Amsterdam Avenue.

In de tien jaar dat Altman inmiddels voor Olsen werkte, was zijn relatie met de knorrige oude weduwnaar veel hechter geworden. Daar had hij dan ook flink zijn best voor gedaan. De laatste tijd maakte de drieëntachtigjarige Olsen er geen geheim van dat hij steeds ontevredener werd over zijn neef, zijn enige familielid. 'Denk je dat het Steve ook maar iets kan schelen of ik nog leef of dood ben, Howie?' vroeg hij retorisch, terwijl hij met een stukje toast het eigeel van zijn bord opveegde. 'Hij zou me vaker moeten bellen.'

'Ik weet zeker dat het Steve wel degelijk iets kan schelen, Derek,' zei Howard luchtig. 'Het kan mij ook iets schelen, maar ik kan je er nog steeds niet van weerhouden elke zaterdag twee gebakken eieren met spek en worstjes te bestellen.'

Olsen keek iets vriendelijker. 'Je bent een goede vriend, Howie. De dag waarop je voor me kwam werken, was mijn geluksdag. Je bent een knappe kerel. Je kleedt je met smaak. Je gedraagt je netjes. Ik kan met vrienden gaan bridgen en golfen terwijl ik weet dat jij je werk uitstekend doet. Hoe gaat het overal? Is alles tiptop in orde?'

'Volgens mij wel. Enkele jongelui op nummer 825 zijn achter met de huur, maar ik ben bij ze langsgegaan en heb gezegd dat ze niet op je lijst van favoriete liefdadigheidsprojecten staan.'

Olsen grinnikte. 'Ik zou minder tactvol zijn geweest. Hou ze in de gaten.' Hij tikte met zijn kopje op het schoteltje om de serveerster te laten weten dat hij nog koffie wilde. 'Is er nog meer?'

'Ja, en daar was ik erg verbaasd over. Gus Kramer belde gisteren om te zeggen dat hij over twee weken vertrekt.'

'Wat zeg je me nou?' Het gezicht van Derek Olsen betrok. 'Ik wil niet dat hij weggaat,' zei hij ferm. 'Hij is de beste huismeester die ik ooit heb gehad en Lil is een moederkloek voor al haar studenten. De ouders mogen haar ook graag. Ze vertrouwen haar. Waarom willen ze weg?'

'Gus zei dat ze van hun pensioen willen gaan genieten.'

'Toen ik vorige maand even bij hen binnenwipte, wilden ze dat nog absoluut niet. Ik zal je eens wat zeggen, Howie. Soms wil jij geld besparen als het geen goed idee is. Jij denkt dat je mij een gunst bewijst als je de Kramers uit hun grote appartement zet, zodat je het kunt verhuren. Dat weet ik heus wel. Maar ik betaal hun zo weinig dat ze met dat gratis appartement erbij nog een koopje zijn. Soms ga je te ver. Wat dit betreft ook. Wees aardig voor ze. Geef ze opslag, maar zorg ervoor dat ze blijven. En nu we het er toch over hebben, als je met hen of met de andere huismeesters praat, moet je eraan denken dat je mij wel vertegenwoordigt, maar dat je mij niet bént. Begrepen? Goed begrepen?'

'Natuurlijk...' Howard wilde er 'Derek' aan toevoegen, maar hij maakte er nederig: 'Ik heb het begrepen, meneer Olsen,' van.

'Mooi zo. Nog iets?'

Howard was ook nog van plan geweest zijn baas te vertellen dat Carolyn MacKenzie woensdagmorgen naar het appartement van de Kramers was gekomen om over haar verdwenen broer te praten, maar hij besefte dat hij dat beter voor zich kon houden. Olsen was zo ontoeschietelijk geworden dat hij waarschijnlijk zou zeggen dat Howard hem dat meteen daarna had moeten melden, dat Howard niet besefte wat belangrijk was. Bovendien was Olsen in de afgelopen tien jaar steeds wanneer hij het over de verdwijning van die jongen had, razend geworden. Dan was zijn gezicht rood aangelopen en had zijn stem een harde, felle klank gekregen.

'Die jongen is er in mei vandoor gegaan!' had hij geschreeuwd. 'Per september waren alle appartementen weer verhuurd en toen heeft de helft afgezegd! MacKenzie is in mijn gebouw voor het laatst gezien, dus denken zijn ouders dat er in dat trappenhuis ergens een gek heeft rondgehangen...'

Opeens zag Howard dat zijn baas hem scherp aankeek.

'Howie, je kijkt alsof je nog iets op je lever hebt.'

'Nee, meneer Olsen, dat was alles,' zei Howard ferm.

'Mooi zo. Heb je gelezen dat er weer een meisje wordt vermist? Leesey Andrews, zo heet ze.'

'Ja, dat heb ik gelezen. Het is vreselijk. Ik heb vanmorgen nog even naar het nieuws gekeken, maar ik denk niet dat ze haar nog levend terug zullen vinden.'

'Jonge vrouwen horen ook niet naar een bar te gaan. In mijn tijd bleven ze bij hun moeder thuis.'

Howard stak zijn hand uit naar de rekening, die de serveerster naast het bord van Olsen had gelegd. Het was een wekelijks ritueel. Negentig procent van de tijd liet Olsen Howard betalen, maar als hij slechtgehumeurd was, betaalde hij zelf.

Olsen pakte de rekening. 'Ik wil niet dat de Kramers vertrekken, Howie. Dat begrijp je nu toch wel, hè? Weet je nog dat je de huisbewaarder van Ninety-eighth Street op zijn teentjes had getrapt? Zijn vervanger is een waardeloze vent. Als de Kramers toch weggaan, moet jij misschien maar een andere baan zoeken. Ik heb gehoord dat mijn neef weer werkloos is. Hij is niet dom, hij is in feite vrij slim. Misschien zou hij, als hij jouw comfortabele appartement en jouw salaris had, wat meer aandacht aan me besteden.'

'Ik heb u goed begrepen, meneer Olsen.' Howard Altman was woedend op zijn werkgever, maar nog kwader op zichzelf. Hij had het helemaal verkeerd aangepakt. De Kramers waren tijdens dat gesprek met Carolyn MacKenzie zo zenuwachtig geweest als een kat op een heet zinken dak. Waarom? Hij had erachter moeten zien te komen waardoor ze zo van streek waren. Hij beloofde zichzelf dat hij dat zou doen voordat het te laat was. Ik wil deze baan houden, dacht hij. Ik móét hem houden.

De Kramers of Carolyn MacKenzie zouden er niet de oorzaak van zijn dat hij zijn baan zou verliezen.

24

'De hoop dat Leesey Andrews levend wordt gevonden, vervliegt,' las dokter David Andrews toen de laatste nieuwsberichten langs de onderkant van het televisiescherm voorbijgleden. Hij zat op de leren bank in de studeerkamer van het appartement van zijn zoon in Park Avenue. Hij had geen oog dichtgedaan en was er al voor zonsopgang gaan zitten. Hij wist dat hij daar toch was ingedut, want kort nadat hij Gregg had horen weggaan om in het ziekenhuis zijn ronde te gaan doen, had hij gemerkt dat er een deken over hem heen lag.

Drie uur later zat hij er nog, terwijl hij televisie keek en af en toe indommelde. Ik moet een douche nemen en me aankleden, dacht hij, maar hij was te moe om in beweging te komen. Op de klok op de schoorsteenmantel zag hij dat het kwart voor tien was. En ik zit hier nog steeds in mijn pyjama, dat is gewoon te gek, dacht hij. Hij keek weer naar het scherm. Wat had hij daarnet gezien? Ik moet het gelezen hebben, want het geluid staat af, dacht hij.

Hij tastte naar de afstandsbediening. Die had hij op het kussen gelegd, herinnerde hij zich, zodat hij het geluid meteen harder kon zetten als er iets over Leesey werd gezegd.

Het is zondag, dacht hij. Het duurt al ruim vijf dagen. Wat voel ik nu precies? Niets. Geen angst, geen verdriet, geen verblindende woede jegens degene die haar heeft meegenomen. Op dit moment ben ik gevoelloos.

Maar dat zal niet lang duren.

De hoop vervliegt, dacht hij. Heb ik dat zojuist op het scherm gelezen? Of heb ik het zelf verzonnen? Waarom klinkt het zo bekend?

Opeens kwam hem het beeld voor ogen van zijn moeder wanneer ze op familiefeestjes pianospeelde en iedereen meezong. Iedereen was dol geweest op oude liedjes uit het variété. Een ervan begon met de woorden: '*Darling, I am growing old*'.

Leesey zal nooit oud worden. Hij sloot zijn ogen toen hij een golf van verdriet door zich heen voelde gaan. Het verdoofde gevoel trok weg.

Darling, I am growing old, silver threads among the gold... Shine upon my brow today... Life is fading fast away...

Het leven vliegt snel voorbij. De hoop vervliegt... Die woorden deden me aan dat liedje denken.

'Gaat het wel, pap?'

David Andrews keek op naar het bezorgde gezicht van zijn zoon. 'Ik hoorde je niet thuiskomen, Gregg.' Hij wreef in zijn ogen. 'Wist je dat het leven snel vervliegt? Leeseys leven.' Hij zweeg en probeerde het opnieuw. 'Nee, ik vergis me. De hoop vervliegt dat ze levend zal worden gevonden.'

Gregg Andrews liep naar zijn vader toe, ging naast hem zitten en sloeg een arm om hem heen. 'Mijn hoop vervliegt niet, pap.'

'O nee? Dan geloof jij in wonderen. Maar waarom ook niet? Ik geloofde vroeger ook in wonderen.'

'Dat moet je blijven doen, pap.'

'Weet je nog dat het heel goed met je moeder leek te gaan en dat ze toen plotseling achteruitging en we haar uiteindelijk verloren? Toen heb ik ook mijn geloof in wonderen verloren.'

David schudde zijn hoofd alsof hij alle sombere gedachten eruit wilde schudden en gaf zijn zoon een paar klapjes op zijn knie. 'Denk eraan dat jij goed voor jezelf zorgt. Je bent de enige die ik nog heb.' Hij stond op. 'Ik heb het gevoel dat ik praat in mijn slaap. Het gaat wel, Gregg. Ik ga een douche nemen en me aankleden, en dan ga ik naar huis. Ik kan hier niets doen en jij hebt het in het ziekenhuis zo druk dat je je thuis moet kunnen ontspannen. Ik hoop dat ik mezelf thuis beter in de hand heb. Ik zal proberen weer een soort dagelijkse routine aan te houden terwijl we wachten op wat er gebeurt.'

Gregg Andrews keek naar zijn vader met de onderzoekende blik van een arts en zag de donkere kringen onder Davids ogen, zijn moedeloze uitdrukking en de manier waarop zijn fitte lichaam opeens sterk vermagerd leek te zijn. Hij had sinds de verdwijning van Leesey niet meer gegeten, besefte Gregg. Eigenlijk wilde hij liever dat zijn vader bij hem bleef, maar hij had het gevoel dat David toch beter terug kon keren naar Greenwich, waar hij drie dagen per week als vrijwilliger in het centrum voor noodzorg werkte en goede vrienden had.

'Dat is goed, pap, ik begrijp het wel,' zei hij. 'En misschien denk je dat je de hoop hebt opgegeven, maar dat geloof ik niet.'

'Geloof het maar wel,' zei zijn vader kalm.

Veertig minuten later had David gedoucht en zich aangekleed en stond hij klaar om te gaan. Bij de voordeur omhelsden ze elkaar. 'Pap, je weet dat een heleboel mensen niets liever willen dan met je gaan eten. Ga vanavond met een aantal van hen naar de club,' drong Gregg aan.

'Misschien niet vanavond, maar ik zal het gauw doen.'

Toen zijn vader weg was, vond Gregg het opeens erg leeg in zijn appartement. We hebben allebei ons best gedaan om ons flink te houden, dacht hij. Ik moet mijn eigen raad opvolgen en bezig blijven. Ik ga een eind joggen in Central Park en dan proberen of ik kan slapen. Hij was van plan om die nacht om een uur of drie van de Woodshed naar het appartement van Leesey te lopen, op hetzelfde tijdstip als zij dat had gedaan. Misschien kom ik dan iemand tegen die me nog iets kan vertellen, dacht hij. Iemand die de politie over het hoofd heeft gezien. Rechercheur Barrott had hem verteld dat agenten elke nacht hetzelfde deden, maar Gregg voelde sterke aandrang om zelf zo goed mogelijk mee te helpen.

Als pap was gebleven, had ik dat niet kunnen doen, dacht hij. Want dan had hij met me mee willen gaan.

De dag was bewolkt begonnen, maar toen hij om elf uur naar buiten ging, was de zon doorgebroken en meteen voelde hij zich iets beter. Het kon toch niet waar zijn dat op zo'n prachtige lentemorgen als deze zijn jongere zusje, zo'n leuk, mooi meisje, zomaar was verdwenen? Maar als ze niet dood was, waar was ze dan? Laat het alsjeblieft een zenuwinzinking of geheugenverlies of zoiets zijn, dacht Gregg, toen hij naar het park drie straten verderop draafde. In het park ging hij in noordelijke richting om via het botenhuis terug te gaan.

Rechts, links, rechts, links... Laat ons haar vinden, laat ons haar vinden... bad hij op het ritme van zijn stappen.

Toen hij een uur later, moe maar iets minder gespannen, op de terugweg was naar huis, rinkelde zijn mobiel. Vervuld van zowel hoop als angst haalde hij hem uit de zak van zijn jasje, klapte hem open en zag dat het zijn vader was.

De woorden 'hallo, pap' bestierven op zijn lippen toen hij zijn vader alleen maar onbeheerst hoorde huilen. O god, ze hebben haar lichaam gevonden, dacht hij.

'Leesey,' bracht David Andrews ten slotte uit. 'Gregg, Leesey heeft gebéld!'

'Wát zeg je?'

'Ze heeft nog geen tien minuten geleden een boodschap achtergelaten op het antwoordapparaat. Ik heb hem zojuist afgeluisterd. Ik kan het nauwelijks geloven. Ik heb haar net gemist.'

Hij begon weer te huilen.

'Wat zei ze, pap? Waar is ze?'

Het huilen hield op. 'Ze zei... dat... ze van me houdt, maar dat ze alleen wil zijn. Ze vroeg me het haar te vergeven. Ze zei... ze zei... dat ze op Moederdag weer zal bellen.'

25

Ik heb de zaterdagmorgen doorgebracht in Macks kamer in het appartement in Sutton Place. Ik zal niet zeggen dat het me deed denken aan Sunset Boulevard, maar ik had er niet meer het gevoel dat hij elk moment binnen kon komen. Een paar dagen na Macks verdwijning had papa zijn bureau doorzocht in de hoop dat hij er een aanwijzing zou vinden naar Macks verblijfplaats, maar het enige dat hij er had gevonden, waren de normale spullen van een student: aantekeningen voor examens, ansichtkaarten, briefpapier... Er lag een map met Macks verzoek om te worden toegelaten tot de faculteit rechten aan Duke en de brief dat hij was toegelaten. Hij had er met grote letters JA! onder geschreven.

Maar papa vond er niet wat hij zocht: Macks agenda, waarin hij misschien afspraken van voor zijn verdwijning had genoteerd. Jaren geleden had mama de huishoudster opdracht gegeven de wimpels die Mack aan de muur had gehangen, weg te halen, en ook het prikbord met groepsfoto's van hem en zijn vrienden. De politie had iedereen die op die foto's stond ondervraagd, en later had de privédetective dat ook nog een keer gedaan.

Het bed was nog steeds opgemaakt met een bruin met beige sprei en bijpassende kussens, de gordijnen in een contrasterende kleur hingen nog voor de ramen en op de vloer lag een cacaobruin kleed.

Op de ladekast stond een foto van ons vieren. Ik keek ernaar en vroeg me af of Mack intussen grijzende slapen had. Ik kon het me nauwelijks voorstellen. Hij had tien jaar geleden nog zo'n jongensachtig gezicht. Nu was hij niet alleen allang geen student meer, maar zelfs verdachte in absentia in meerdere ontvoerings- of moordzaken.

Er stonden twee kleerkasten. Ik opende van allebei de deuren en rook de muffe geur van een kleine ruimte die lange tijd niet is gelucht.

Uit de ene kast haalde ik een stapel jasjes en broeken en legde die op het bed. Ze zaten in plastic zakken van de stomerij en ik herinnerde me dat mama, toen Mack ongeveer een jaar weg was, al zijn kleren had laten stomen en daarna terug had gehangen in de kast. Ik wist ook nog dat papa toen had gezegd: 'Livvy, laten we ze weggeven. Als Mack terugkomt, koop ik wel nieuwe voor hem. Iemand anders kan die spullen waarschijnlijk goed gebruiken.'

Ze had zijn voorstel verworpen.

De schone kleren leverden niets op. Ik wilde ze niet zomaar in vuilniszakken stoppen. Ik wist wel dat ik ze dan gemakkelijker naar het distributiecentrum kon brengen, maar dan zouden ze wel erg kreuken. Toen schoot het me te binnen dat er in de bergruimte achter de keuken nog een paar grote koffers stonden, die Mack tijdens onze laatste familievakantie had gebruikt.

Ik ging ze halen en terug in zijn kamer zette ik ze op het bed. Ik deed er een open en uit gewoonte voelde ik in de zijzakken of er nog iets in zat. Ze waren leeg. Ik legde er de netjes opgevouwen pakken, jasjes en broeken in, en aarzelde toen ik de smoking in mijn handen had die Mack op de laatste foto van ons vieren met Kerstmis had gedragen.

De tweede koffer was een maat kleiner. Weer voelde ik in de zijzakken en daar vond ik iets wat op een camera leek. Maar toen ik het voorwerp in mijn handen hield, bleek het een cassetterecorder te zijn. Ik kon me niet herinneren dat ik Mack ooit zo'n ding had zien gebruiken. Er zat een bandje in en ik drukte op de afspeelknop.

'Wat vindt u ervan, mevrouw Klein? Klink ik als Laurence Olivier of als Tom Hanks? Ik neem uw antwoord op, wees dus alstublieft aardig.'

Ik hoorde een vrouw lachen. 'Je klinkt als geen van beiden, maar je klinkt erg goed, Mack.'

Ik schrok zo dat ik met tranen in mijn ogen de band stopzette. Mack. Het leek wel alsof hij bij me in de kamer grapjes stond te maken, zo vrolijk en echt klonk hij.

Door de jaarlijkse telefoontjes op Moederdag en de toenemende wrok waarmee ik daarop had gereageerd, was ik zijn normale manier van praten vergeten: geestig en enthousiast.

Ik drukte weer op de afspeeltoets.

'Oké, dan ga ik door, mevrouw Klein,' zei Mack. 'U zei dat we iets van Shakespeare moesten uitkiezen, dus wat vindt u hiervan?' Hij schraapte zijn keel en begon: 'Nu ik in de ogen van Fortuna en de mensen in ongenade ben gevallen...'

Zijn toon was abrupt veranderd en hij klonk schor en somber.

'... beween ik heel alleen mijn verworpen staat en ontrief de dove hemel met mijn vergeefse kreten...'

Dat was het. Ik spoelde de band terug en speelde hem nog een keer af. Wat betekende dit? Was het een toevallige keus of had Mack dit deel gekozen omdat het bij zijn stemming paste? Wanneer had hij dit opgenomen? Hoeveel tijd zat er tussen deze opname en zijn verdwijning?

De naam Esther Klein stond op de lijst met namen van mensen die door de politie waren ondervraagd, maar blijkbaar had ze niets belangrijks te vertellen gehad. Ik herinnerde me vaag dat mama en papa verbaasd waren geweest toen ze hoorden dat Mack extra toneellessen bij haar had genomen, maar ik begrijp waarom hij hun dat niet verteld heeft. Papa was altijd bang dat Mack te veel belangstelling voor het toneel zou krijgen.

Later was Esther Klein aangevallen en gedood in de buurt van haar appartement in Amsterdam Avenue, bijna een jaar na Macks verdwijning. Het kwam bij me op dat hij tijdens zijn lessen bij haar misschien nog meer dingen op de band had opgenomen. Maar als dat waar was, waar waren die bandjes dan gebleven?

Ik stond met het apparaat in mijn handen in Macks kamer en besefte dat ik daar gemakkelijk achter kon komen.

De zoon van Esther Klein, Aaron, werkte voor oom Elliott. Ik zou hem bellen.

Ik stopte de bandrecorder in mijn schoudertas en ging door met het inpakken van Macks kleren. Toen ik klaar was, waren de kasten en laden leeg. Mama had het wel goedgevonden dat papa in een koude winter Macks winterjassen had weggegeven, toen liefdadigheidsorganisaties erom smeekten.

Toen ik de tweede koffer dicht wilde doen, aarzelde ik even en haalde er zijn zwarte vlinderdas weer uit. Ik had hem voordat die laatste kerstfoto werd gemaakt voor hem gestrikt. Toen ik hem in mijn handen hield, dacht ik eraan dat ik tegen Mack had gezegd dat hij iets voorover moest buigen, omdat ik er anders niet goed bij kon.

Toen ik de das in een stuk papier wikkelde en ook in mijn schoudertas stopte om mee naar Thompson Street te nemen, dacht ik aan zijn lachende antwoord: 'Gezegend is de knoop die bindt. Doe het alsjeblieft netjes, Carolyn.'

26

Hij vroeg zich af of haar vader de boodschap al had gehoord. Hij kon zich precies voorstellen hoe de man erop zou reageren. Zijn kleine meisje leefde nog en wilde hem niet meer zien! Ze had gezegd dat ze pas met Moederdag zou bellen! Over eenenvijftig weken!

Papa zal in alle staten zijn, dacht hij.

De politie luisterde de telefoon van dokter Andrews in Greenwich natuurlijk af. Hij zag de ontsteltenis die de boodschap had veroorzaakt al voor zich. Zouden ze hun schouders ophalen en tot de conclusie komen dat Leesey recht op privacy had en dat ze het onderzoek moesten staken? Misschien wel. Het zou een natuurlijke reactie zijn.

Het zou veiliger voor hem zijn als het zo zou gaan.

Zouden ze de media laten weten dat Leesey had gebeld?

Ik ben dol op krantenkoppen, dacht hij. En ik geniet van het nieuws over Leesey Andrews. Ze weten al sinds dinsdag dat ze wordt vermist. Dat heeft de afgelopen dagen met grote koppen in de kranten gestaan. Maar vandaag stond het nieuws over haar op pagina vier en dat was een teleurstelling.

Zo was het bij de andere drie meisjes ook gegaan: binnen twee weken was de zaak dood en begraven.

Net als die meisjes.

Ik moet er nog eens goed over nadenken wat ik zal doen om Leesey wat langer in het nieuws te houden, dacht hij. Voorlopig zal ik me vermaken met het verplaatsen van haar mobieltje. Dat zal hen wanhopig maken. 'Poesje lief, waar blijf je toch? Lig je hier te slapen nog?' fluisterde hij. 'Zoek eens gauw die stoute muis, die zit ergens in ons huis...'

Hij lachte. Overal, dacht hij.

Die zit overal.

27

'Weet u zeker dat de stem op het antwoordapparaat echt die van uw zusje is, dokter?'

'Heel zeker.' Zonder dat hij zich ervan bewust was, kneedde Gregg met zijn duim en wijsvinger de huid van zijn voorhoofd. Ik heb nooit hoofdpijn, dacht hij. Het laatste waaraan ik nu behoefte heb, is hoofdpijn. Drie uur nadat zijn vader had gebeld, zat hij op het politiebureau van de officier van justitie in Manhattan. De afgetapte boodschap die Leesey had ingesproken op het antwoordapparaat van hun vader in Greenwich, Connecticut, was versterkt afgespeeld. Rechercheur Barrott en Larry Ahearn hadden er in de technische ruimte al een paar keer naar geluisterd.

'Ik ben het met Gregg eens,' zei Ahearn tegen Barrott. 'Ik ken Leesey al sinds ze nog klein was en wil er een eed op doen dat het haar stem is. Ze klinkt nerveus en geagiteerd, maar het kan natuurlijk zijn dat ze een soort inzinking heeft of...' Hij keek naar Gregg. '... of gedwongen werd die boodschap achter te laten.'

'Je bedoelt door haar ontvoerder?'

'Dat bedoel ik, Gregg.'

'Jullie hebben gecheckt dat de boodschap afkomstig was van haar mobieltje?' vroeg Gregg. Hij probeerde zo kalm mogelijk te praten.

'Hij kwam van haar mobieltje,' beaamde Ahearn. 'Via de toren op de hoek van Madison en Fiftieth. Daarom wordt ze daar misschien ergens vastgehouden. Maar als ze zelf wilde verdwijnen, begrijp ik niet dat ze in die buurt zelfs maar naar buiten kan om boodschappen te doen zonder dat ze bang hoeft te zijn dat iemand haar herkent. Haar foto is in de kranten, op het nieuws en op internet te zien.'

'Tenzij ze zich dan vermomt, bijvoorbeeld door een boerka aan te trekken, waarbij alleen haar ogen nog zichtbaar zijn,' zei Barrott. 'Maar in Manhattan zou dat ook de aandacht trekken.' Hij spoelde de band met Leeseys telefonische boodschap terug. 'De technische jongens werken aan de achtergrondgeluiden. Laten we daar ook eens naar luisteren.'

Larry Ahearn keek naar Greggs sombere gezicht. 'Ik geloof niet dat we die op dit moment hoeven te horen, Roy.'

'Wat gebeurt er nu?' vroeg Gregg aan Larry. 'Als jullie tot de conclusie komen dat Leesey vrijwillig ondergedoken is, stoppen jullie dan met naar haar te zoeken?'

'Nee,' antwoordde Larry nadrukkelijk. 'Geen seconde. Ik ken Leesey goed genoeg om te weten dat er, zelfs als ze vrijwillig is ondergedoken, iets ergs moet zijn gebeurd. We gaan dag en nacht door tot we haar hebben gevonden.'

'Goddank.' Ik moet nog iets vragen, dacht Gregg. O ja, ik weet het al. 'Wat doen jullie met de media? Maken jullie openbaar dat ze contact met ons heeft opgenomen?'

'Nee, dat mag niemand weten,' antwoordde Larry en hij schudde zijn hoofd. 'Dat heb ik ook meteen tegen je vader gezegd.'

'Ook tegen mij, maar ik dacht dat je eerst zeker wilde weten dat het geen neptelefoontje was, van iemand die Leeseys stem nadoet.'

'Gregg, we willen niet dat hier ook maar iets van bekend wordt,' zei Larry Ahearn dringend. 'Hoe verschrikkelijk dit ook is, in elk geval weten we dat Leesey een paar uur geleden nog leefde.'

'Je hebt gelijk. Maar waar ís ze dan? Wat is er met haar gebeurd? Die andere jonge vrouwen die na een bezoek aan een bar in SoHo zijn verdwenen, zijn nooit gevonden.'

'Maar geen van hen heeft ooit haar familie gebeld, Gregg,' zei Ahearn.

'Dokter Andrews, er is nog iets...' begon Barrott.

'Noem me alsjeblieft Gregg.' Met een zweem van een glimlach legde hij uit: 'Nadat ik was afgestudeerd, heeft Leesey er maanden over gedaan voordat ze, als iemand belde en naar dokter Andrews vroeg, de telefoon niet automatisch aan mijn vader gaf.'

Barrott glimlachte. 'Zo gaat het bij mij thuis ook. Als mijn zoon hoge cijfers haalt of een prijs wint, denkt zijn zus dat er een fout is gemaakt. Goed dan, Gregg,' vervolgde hij. 'Je hebt je zus op Moederdag voor het laatst gezien. Is er toen iets ongewoons gebeurd?'

'Daarom snap ik er juist geen bal van,' zei Gregg. 'Mijn moeder is pas twee jaar geleden gestorven, dus is dat natuurlijk een verdrietige dag voor ons. We zijn met z'n drieën naar de kerk geweest, hebben een bezoek gebracht aan haar graf en hebben 's avonds op de club van mijn vader gegeten. Leesey had gezegd dat ze met mij mee terug wilde rijden naar de stad, maar op het laatste moment besloot ze bij papa te blijven slapen en de volgende morgen de trein te nemen.'

'Was Moederdag voor de dood van je moeder ook nog om een andere dan de normale reden een symbolische dag voor jullie?'

'Nee, absoluut niet. We gingen wel altijd naar huis, maar we maakten er geen drukte over. Toen mijn grootouders nog leefden, waren zij er ook bij. Maar het was gewoon een gezellige dag, meer niet.' Gregg zag dat de twee rechercheurs elkaar een blik toewierpen en dat Larry Ahearn Roy Barrott een knikje gaf. 'Er is iets wat jullie me niet hebben verteld,' zei hij. 'Wat is dat?'

'Gregg, ken jij Carolyn MacKenzie?' vroeg Ahearn.

Greggs hoofd begon te bonzen. Hij dacht diep na en schudde zijn hoofd. 'Ik geloof het niet. Wie is dat?'

'Ze is juriste,' begon Ahearn. 'Zesentwintig. Ze woont in een appartement in Thompson Street, in het gebouw naast dat van je zusje.'

'Kent ze Leesey?' vroeg Gregg. 'Heeft zij enig idee waar Leesey kan zijn?'

'Nee, ze kent haar niet. Maar misschien herinner je je nog dat tien jaar geleden een student zijn appartement verliet en spoorloos verdween? Hij heette Charles MacKenzie jr. Iedereen noemde hem Mack.'

'Ja, die zaak herinner ik me nog wel. Hij is nooit gevonden, hè?'

'Nee,' zei Ahearn. 'Maar elk jaar op Moederdag belt hij zijn moeder.'

'Op Moederdag?' Gregg sprong op. 'Hij is al tien jaar verdwenen, maar belt zijn moeder op Moederdag? Wil je daarmee zeggen dat Leesey van plan is dat krankzinnige voorbeeld te volgen?'

'Gregg, dat bedoelen we absoluut niet,' zei Ahearn sussend. 'Toen Mack MacKenzie verdween, was Leesey pas elf, dus hebben we geen enkele reden om aan te nemen dat ze hem kende. Maar we dachten dat jij of je vader die familie misschien zou kennen. Jullie verkeren zo ongeveer in dezelfde kringen.'

'Alsof dat iets zegt.' Gregg keek Ahearn verbijsterd aan. 'Heeft Mack MacKenzie zijn moeder vorige zondag dan ook weer gebeld?'

'Ja.' Ahearn besloot nog even voor zich te houden dat Mack ook een briefje had achtergelaten. 'Maar we hebben geen idee waar hij is en waarom hij is ondergedoken, en maar heel weinig mensen weten dat hij op Moederdag zijn familie belt. Toch vragen we ons af of Leesey hem misschien ergens heeft ontmoet, misschien in een bar in SoHo, en of zij toen heeft besloten ook te verdwijnen en op dezelfde manier met jullie in contact te blijven.'

'Wat weet je van die MacKenzie, Larry? Als hij vrijwillig verdween, was dat dan omdat hij in de problemen was geraakt?' Gregg keek Larry vragend aan.

'We hebben niets kunnen vinden waar we iets aan zouden hebben. Hij had in zijn leven alles mee en toch is hij verdwenen.'

'Dat zou je van Leesey ook kunnen zeggen,' zei Gregg ongeduldig. 'Begin jij te denken dat ze die vent ergens is tegengekomen en dat ze zo op het idee is gekomen om pas volgend jaar op Moederdag weer iets van zich te laten horen?' Hij keek van Ahearn naar Barrott. 'Of denken jullie soms dat die vent de een of andere griezel is die daadwerkelijk iets met Leeseys verdwijning te maken heeft?'

Larry keek naar de huisgenoot uit zijn studietijd aan de andere kant van het bureau. Niet alleen zijn vader is deze week jaren ouder geworden, dacht hij. Gregg ziet er tien jaar ouder uit dan toen we vorige maand op de golfbaan stonden. 'Gregg, we onderzoeken iedereen en elke situatie die ons op een mogelijk spoor kan zetten. De meeste sporen zullen doodlopen. Doe me nu een plezier en doe wat ik zeg. Ga naar huis, eet een fatsoenlijke maaltijd en ga vroeg naar bed. Troost je met de gedachte dat we weten dat Leesey vanmorgen nog leefde. Een heleboel patiënten vertrouwen erop dat jij hun leven kunt verbeteren of verlengen. Je mag hun vertrouwen niet beschamen, en dat zul je doen als je niet eet en niet slaapt.'

Dezelfde raad die ik papa heb gegeven, dacht Gregg. Ik zal naar huis gaan. Ik zal iets eten en een paar uur gaan slapen. Maar vannacht ga ik tussen die bar in SoHo en Thompson Street heen en weer lopen. Ook al leefde Leesey vanmorgen nog, dat wil niet zeggen dat ze, als ze in handen is gevallen van een psychopaat, zal blijven leven.

Hij schoof zijn stoel naar achteren en stond op. 'Je hebt helemaal gelijk, Larry,' zei hij.

Hij wuifde en liep weg, maar hij draaide zich snel om toen Ahearns mobiel begon te rinkelen. Ahearn haalde hem uit zijn zak en drukte hem tegen zijn oor. 'Wat is er?'

Gregg zag Ahearns boze uitdrukking voordat hij diens gemompelde vloek hoorde. Voor de tweede keer die dag flitste de vreselijke gedachte door zijn hoofd dat Leeseys lichaam was gevonden.

Ahearn keek hem aan. 'Iemand heeft een paar minuten geleden de *New York Post* gebeld en gezegd dat Leesey Andrews een boodschap voor haar vader heeft achtergelaten en dat ze op Moederdag weer zal bellen. De *Post* wil weten of dat waar is.' Hij schreeuwde in de telefoon: 'Geen commentaar!' en verbrak de verbinding.

'Was Leesey degene die de krant belde?' vroeg Gregg.

'De verslaggever die de telefoon aannam, wist het niet zeker. Hij zei dat de beller iets voor zijn mond hield en dat het klonk als gefluister. En het nummer werd niet vermeld.'

'Dan belde die persoon niet met Leeseys mobieltje, want haar nummer wordt altijd vermeld,' zei Gregg.

'Precies. Ik zal je heel eerlijk vertellen wat ik denk, Gregg. Of Leesey heeft een soort zenuwinzinking gekregen en wil publiciteit, of ze is in handen gevallen van een gevaarlijke idioot die het leuk vindt een spelletje met ons te spelen.'

'En die alleen op Moederdag naar huis belt,' zei Roy Barrott zacht.

'Of in de buurt van de Woodshed een zolderappartement heeft en een chauffeur die al jarenlang bij hem is en alles voor hem doet,' voegde Ahearn er op verbitterde toon aan toe.

28

Howard Altman pijnigde zijn hersens om te bedenken hoe hij de Kramers kon overhalen te blijven. Olsen heeft gelijk, moest hij toegeven. De man van dat appartement in Ninety-eighth Street die hij op mijn aandringen vorig jaar heeft ontslagen, bespaarde ons inderdaad een hoop geld. Maar dat had ik niet door. Olsen wilde daar geen grote reparaties laten uitvoeren. Het gebouw ernaast staat te koop en hij weet zeker dat ze hem, als dat is verkocht, veel geld zullen bieden voor zijn gebouw. De vroegere huismeester hield de boel met kauwgom en vliegertouw bij elkaar. De nieuwe huismeester heeft een lijst met noodzakelijke reparaties opgesteld en blijft zeuren dat het misdadig is die niet te laten uitvoeren.

Ik had mijn mond moeten houden, dacht hij. Maar ik snap nog steeds niet waarom de Kramers een appartement met drie slaapkamers moeten hebben terwijl ze er maar één gebruiken.

Wanneer Howard bij de Kramers langsging, vroeg hij soms of hij even naar de wc mocht en dan gluurde hij ook even in de lege slaapkamers. Nog niet één keer sinds hij voor Derek Olsen was gaan werken had hij gezien dat de teddyberen tegen de kussens van de bedden daar op een andere manier waren neergezet. Hij wist dat die kamers nooit werden gebruikt, maar opeens kwam het bij hem op dat Lil Kramer als eenvoudige vrouw er alleen maar trots op was dat ze zo'n groot appartement bewoonde.

Dat had ik moeten begrijpen, dacht hij spijtig. Toen ik klein was en papa zijn eerste spiksplinternieuwe auto had gekocht, de goedkoopste die er was, leek het wel alsof hij een hoofdprijs in de loterij had gewonnen. De hele familie moest hem bekijken, alleen maar omdat papa hoopte dat ze stikjaloers zouden zijn.

Ik zou een weblog moeten bijhouden over mijn eigen rare familie, dacht Howard. Maar ik moet voorkomen dat de Kramers met pensioen gaan. Of misschien zou Olsen zich erbij neerleggen als ik zo gauw mogelijk een perfect ander echtpaar vind. Hoewel het echt iets voor hem zou zijn mij te ontslaan en mijn baan aan die lamlendige neef van hem te geven. Een maand later zou hij me waarschijnlijk op zijn knieën smeken om terug te komen, maar dat risico mag ik niet lopen. Dus hoe pak ik de Kramers aan?

In de loop van het weekend bedacht Howard Altman verschillende oplossingen. Op maandagmorgen om kwart voor tien liep hij, tevreden over zijn idee, het gebouw in West End Avenue binnen waar de Kramers woonden.

Hij had besloten dat het absoluut niet zou helpen als hij hen zou smeken te blijven, hun salarisverhoging zou aanbieden en hun met de hand op zijn hart zou beloven dat ze in hun grote appartement mochten blijven wonen. Want als Gus Kramer zou willen dat Howard werd ontslagen, zou hij dat op een andere manier voor elkaar proberen te krijgen dan door zelf met zijn pensionering te dreigen.

Toen hij zichzelf had binnengelaten en de hal in liep, stond Gus daar de glimmende brievenbussen nog eens extra op te poetsen.

Gus keek op. 'Over een poosje hoef ik dit niet meer te doen,' zei hij. 'Ik hoop dat mijn opvolger half zo goed is als ik twintig jaar ben geweest.'

'Is Lil in de buurt, Gus?' vroeg Howard bijna fluisterend. 'Ik moet jullie allebei spreken. Ik maak me zorgen om jullie.'

Toen hij zag hoe Gus daarvan schrok, wist hij dat hij de juiste aanpak had gekozen.

'Ze is binnen van alles aan het sorteren,' zei Gus. Zonder de laag koperpoets op de laatste paar brievenbussen uit te wrijven, liep hij naar zijn eigen appartement. Hij maakte de deur met zijn sleutel open en liep meteen door naar binnen, zodat Howard vlug de deur moest tegenhouden voordat die voor zijn neus dichtviel.

'Ik zal Lil roepen,' zei Gus kortaf.

Howard begreep meteen dat Gus eerst met zijn vrouw wilde praten en haar misschien wilde waarschuwen voordat ze Howard zag. Ze is in een van die twee ongebruikte slaapkamers verderop in de gang, dacht hij. Daar is ze de boel aan het sorteren. De extra ruimte komt eindelijk van pas.

Het duurde wel vijf minuten voordat de Kramers naar de woonkamer kwamen, waar Howard zat te wachten. Lil

Kramer zag er geagiteerd uit. Ze beet zenuwachtig op haar lippen en toen Howard haar een hand wilde geven, wreef ze eerst haar hand af aan haar rok voordat ze de zijne met tegenzin aannam.

Zoals hij had verwacht, was haar hand klam van het zweet.

Val maar meteen met de deur in huis, maande Howard zichzelf. Bezorg ze de schrik van hun leven. 'Ik zal er geen doekjes om winden,' zei hij. 'Ik was er niet bij toen die jongen van MacKenzie verdween, maar ik was er wel toen zijn zus onlangs langskwam. Lil, jij was toen net zo nerveus als nu. Ik kon zien dat je bang was om met haar te praten. Daaruit concludeer ik dat jullie een vermoeden hebben waarom die jongen is verdwenen en waar hij naartoe is gegaan. Misschien hebben jullie er zelfs iets mee te maken gehad.'

Hij zag dat Lil Kramer doodsbang naar haar man keek en dat het gezicht van Gus Kramer een lelijke paarsrode kleur kreeg. Ik heb gelijk, dacht hij. Ze zijn doodsbenauwd. Zelfverzekerd vervolgde hij: 'Die zus is nog niet klaar met jullie. De volgende keer brengt ze misschien een privédetective of de politie mee. Als jullie denken dat jullie haar in Pennsylvania kunnen ontlopen, zijn jullie niet goed wijs. Als ze terugkomt en jullie zijn hier niet meer, zal ze vragen gaan stellen en dan zal ze horen dat jullie heel plotseling zijn vertrokken. Lil, tegen hoeveel mensen heb jij in de loop der jaren wel niet gezegd dat je niet voordat je minstens negentig bent uit New York weg zult gaan?'

Lil Kramer stond bijna te huilen.

Op zachtere toon ging Howard verder: 'Lil, Gus, denk er nog eens over na. Als jullie nu weggaan, denken Carolyn MacKenzie en de politie dat jullie iets te verbergen hebben. Ik weet niet wat het is, maar jullie zijn vrienden van me en ik wil jullie helpen. Laat mij tegen meneer Olsen zeggen dat jullie er nog eens over na hebben gedacht en toch liever willen blijven. Als Carolyn MacKenzie weer belt om nog een afspraak te maken, laat het me dan weten, dan zal ik erbij zijn. En dan zal ik haar duidelijk laten weten dat de eigenaar van dit appartement niet wil dat ze zijn werknemers nog langer lastigvalt. Ik zal haar er bovendien aan herinneren dat er op hinderlijk achtervolgen een strenge straf staat.'

Toen hij de opluchting op hun gezichten zag, wist hij dat hij het pleit had gewonnen. En ik hoefde hun niet eens salarisverhoging te beloven of mijn woord te geven dat ze hier mogen blijven wonen, dacht hij triomfantelijk.

Maar toen hij zich Lils onderdanige dankbaarheid liet aanleunen en Gus' zakelijke bedankje aannam, brandde hij van nieuwsgierigheid naar de reden van hun angst en naar wat ze wisten, als ze al iets wisten, van Mack MacKenzies verdwijning tien jaar geleden.

29

Zondagmorgen ben ik naar de laatste mis in de Saint-Francis de Sales gegaan. Ik was vroeg, ging helemaal achteraan zitten en keek even later aandachtig naar de gezichten van de binnenkomenden. Ik hoef eigenlijk niet eens te zeggen dat ik niemand zag die ook maar enigszins op Mack leek. Oom Dev houdt altijd een mooie preek en weeft er vaak zijn Ierse humor doorheen, maar die dag heb ik er geen woord van gehoord.

Na de mis ging ik naar de pastorie om er vlug een kop koffie te drinken. Devon lachte toen hij me zag en wenkte dat ik naar zijn kantoor moest komen, waar hij me vertelde dat hij met vrienden in Westchester zou gaan golfen, maar dat ze best even op hem konden wachten. Hij schonk koffie in twee witte aardewerken mokken en gaf er een aan mij voordat we gingen zitten.

Ik had hem nog niet verteld dat ik bij de Kramers was geweest en toen ik dat deed, zei hij tot mijn verbazing dat hij zich dat echtpaar nog goed kon herinneren. 'Kort nadat Mack werd vermist, ben ik met je vader naar zijn appartement in West End gegaan,' zei hij. 'Ik weet nog dat die vrouw erg bang was dat er iets met Mack was gebeurd.'

'Herinnert u zich ook nog hoe Gus Kramer reageerde?' vroeg ik.

Wanneer oom Dev zijn wenkbrauwen fronst om na te denken, lijkt hij griezelig veel op mijn vader. Soms troost me dat, soms doet het me verdriet. Die dag deed het me verdriet, ik weet niet waarom.

'Die Gus Kramer is een rare vogel, Carolyn,' zei hij. 'Volgens mij was hij eerder bang dat de media zich met hem zouden bemoeien dan dat hij zich zorgen maakte om Mack.'

Tien jaar later dacht ik er precies zo over, maar omdat ik wist dat Devon weg moest, zei ik dat niet. In plaats daarvan haalde ik de bandrecorder die ik in Macks koffer had gevonden uit mijn tas en vertelde hem waar ik die had gevonden. Toen liet ik hem ernaar luisteren. Ik zag zijn verdrietige glimlach toen hij Macks stem hoorde en hoe zijn gezicht betrok toen Mack begon voor te lezen: 'Nu ik in de ogen van Fortuna en de mensen in ongenade ben gevallen, beween ik heel alleen mijn verworpen staat en ontrief de dove hemel met mijn vergeefse kreten.'

Toen ik het apparaat uit had gezet, zei mijn oom schor: 'Ik ben blij dat je moeder er niet bij was toen je dit vond, Carolyn. Het lijkt me beter dat je haar hier niet naar laat luisteren.'

'Dat ben ik ook niet van plan. Maar ik zou wel graag willen weten wat dit te betekenen heeft, Devon. Heeft Mack jou ooit verteld dat hij privéles kreeg van de toneeldocente op Columbia?'

'Ik geloof dat hij zich dat ooit eens heeft laten ontvallen.

Toen hij een jaar of dertien was en zijn stem veranderde, had hij een poosje een heel hoge stem en daar werd hij op school ongenadig mee geplaagd.'

'Ik kan me helemaal niet herinneren dat hij ooit een hoge stem had,' zei ik een beetje verontwaardigd, maar Devs opmerking zette me aan het denken. Toen Mack dertien was, was ik acht.

'Natuurlijk werd zijn stem algauw steeds lager, maar Mack was gevoeliger dan de meeste mensen dachten. Als hij zich gekwetst voelde, liet hij dat niet merken, maar jaren later bekende hij me dat hij zich in die tijd heel ellendig had gevoeld.' Oom Dev tikte tegen de zijkant van zijn mok terwijl hij nadacht. 'Misschien was dat op de een of andere manier de reden voor zijn bijles. Maar hij wilde advocaat worden, dat ook, en hij zei een keer dat een goede advocaat ook een goede acteur moest zijn. Dat zou ook een reden kunnen zijn voor die lessen en die band.'

We kwamen er natuurlijk niet achter en konden er alleen maar naar raden of Mack die sombere passage had gekozen omdat hijzelf zich zo voelde of dat het een willekeurig stukje tekst was. En we wisten net zomin waarom hij zo abrupt was gestopt of de rest van de bandopname voor zijn docente had gewist.

Om halfeen omhelsde oom Devon me hartelijk en vertrok om te gaan golfen. Ik ging terug naar Sutton Place en was blij dat ik dat kon doen, want in mijn appartement in de West Village voelde ik me niet langer thuis. Ik vond het een vreselijke gedachte dat ik daar naast het appartement van Leesey Andrews woonde. Als dat niet zo was, zou rechercheur Barrott volgens mij nooit op het idee zijn gekomen dat Mack iets met haar verdwijning te maken had.

Ik wilde een afspraak maken met Aaron Klein, de zoon van Macks toneeldocente. Ik wist waar ik hem kon bereiken. Aaron werkte al ruim twintig jaar voor Wallace & Madison, en hij zou oom Elliott opvolgen. Ik herinnerde me dat zijn moeder een jaar nadat Mack was verdwenen was beroofd en vermoord, en dat mijn ouders en oom Elliott naar hem toe waren gegaan toen hij sjiva zat.

Het probleem was dat ik niet wilde dat oom Elliott zou horen dat ik met Aaron Klein had gepraat. Elliott was er inmiddels van overtuigd dat mama en ik ons bij Macks verzoek hadden neergelegd en dat we hem met rust zouden laten. Als Elliott wist dat ik vanwege Mack contact wilde opnemen met Aaron Klein, zou hij dat beslist eerst met mijn moeder willen bespreken.

Het betekende dat ik Klein moest vragen of hij me ergens anders dan op zijn kantoor zou willen ontmoeten en of hij ons gesprek geheim zou willen houden, en dan moest ik erop vertrouwen dat hij tegen Elliott zijn mond niet voorbij zou praten.

Ik ging naar papa's studeerkamer, knipte het licht aan en opende Macks dossier. Ik wist dat Lucas Reeves, de privédetective, Macks toneeldocente had ondervraagd en ook andere leden van de faculteit van Columbia. Ik had het verslag onlangs gelezen en was er een stuk wijzer van geworden, maar nu wilde ik vooral weten wat hij over Esther Klein had geschreven.

Het was niet veel. 'Mevrouw Klein zei dat Macks verdwijning haar verdriet deed en verbijsterde. Ze wist niet of hij misschien een probleem had.'

Een nietszeggende verklaring, dacht ik. Synoniem met inhoudsloos en ongeïnspireerd, en zonder dat je 'aha!' riep.

Uit de paar woorden die zij en Mack hadden gewisseld op die band, had ik opgemaakt dat ze hartelijk met elkaar omgingen. Was Esther Klein tijdens haar gesprek met Reeves met opzet zo terughoudend geweest? En zo ja, waarom?

Deze vraag hield me zo bezig dat ik de hele nacht lag te woelen in bed en blij was toen ik maandagmorgen kon opstaan. Ik gokte erop dat Aaron Klein iemand was die al vroeg achter zijn bureau zat, en belde om twintig voor negen het kantoor van Wallace & Madison en vroeg of ze me met hem wilden doorverbinden.

Zijn secretaresse vroeg, zoals alle secretaresses: 'Waar gaat het over?' en reageerde een beetje beledigd toen ik zei dat het een persoonlijke kwestie was. Maar toen ze mijn naam noemde tegen Aaron Klein, nam hij het gesprek onmiddellijk aan.

Eerst legde ik hem zo kort mogelijk uit dat ik Elliott en mijn moeder niet wilde kwetsen door het onderzoek naar mijn broer voort te zetten, maar dat ik een bandje had gevonden met een gesprekje tussen Mack en zijn moeder erop en dat ik hem graag ergens buiten zijn kantoor wilde ontmoeten om het hem te laten horen.

Hij reageerde heel warm en begripvol. 'Elliott heeft me verteld dat je broer vorige week op Moederdag weer heeft gebeld en dat hij een briefje heeft achtergelaten met de boodschap dat je hem niet mag gaan zoeken.'

'Dat klopt,' zei ik. 'Daarom wil ik dit onder ons houden. Maar wat er op de band staat, doet me vermoeden dat Mack in moeilijkheden verkeerde. Ik weet niet of je moeder ooit met jou over hem heeft gepraat?'

'Ze was erg op Mack gesteld,' zei Aaron Klein meteen. 'En ik begrijp waarom je hier Elliott en je moeder buiten wilt laten. Ik heb het altijd heel erg gevonden dat je broer is verdwenen. Maar goed, ik was al van plan om vandaag vroeg naar huis te gaan. Mijn zoons doen vanavond mee aan een toneelopvoering op school en dat wil ik niet mislopen door in de file te staan. Alle bandopnames die mijn moeder van haar privélessen heeft gemaakt, zitten in een doos bij mij op zolder en ik weet zeker dat er ook banden bij zijn met de stem van je broer. Als je om een uur of vijf bij me thuis kunt zijn, zal ik ze je allemaal geven.'

Natuurlijk beloofde ik dat ik er zou zijn. Ik belde de garage en zei tegen de beheerder dat ik de auto van mijn moeder nodig had. Ik wist dat het me verdriet zou doen steeds opnieuw Macks stem te horen, maar als ik er dan zeker van zou zijn dat de band die ik in de koffer had gevonden niet verschilde van een heleboel andere, zou dat een eind maken aan de knagende angst dat hij een vreselijk probleem had dat hij niet met ons kon delen.

Opgelucht omdat ik deze afspraak had kunnen maken, zette ik verse koffie en luisterde naar het nieuws, maar ik schrok toen ik de laatste berichten over de zaak Leesey Andrews hoorde. Iemand had een verslaggever van de *Post* gebeld en gezegd dat ze op zaterdag haar vader had gebeld en dat ze had beloofd op Moederdag weer te bellen.

Op MOEDERDAG!

Mijn mobiel rinkelde en ik wist intuïtief dat het rechercheur Barrott was. Ik nam niet op en toen ik even later mijn boodschappen checkte, hoorde ik ook zijn stem: 'Mevrouw MacKenzie, ik zou u graag zo gauw mogelijk weer willen spreken. Mijn nummer is...'

Ik verbrak de verbinding en mijn hart begon wild te bonzen. Ik had zijn nummer, maar ik wilde hem pas terugbellen nadat ik bij Aaron Klein was geweest.

Toen ik die middag om vijf uur aankwam bij het huis van de Kleins in Darien, wachtte me daar een kille ontvangst. Nadat ik had aangebeld, werd opengedaan door een aantrekkelijke vrouw van achter in de dertig, die zich voorstelde als Aarons vrouw Jenny. Haar gezicht stond zo strak dat ik meteen besefte dat er iets ergs was gebeurd.

Ze nam me mee naar de studeerkamer. Aaron Klein zat op zijn knieën op de grond, omringd door lege dozen en ontelbare stapels banden. Het moeten er minstens driehonderd zijn geweest.

Aaron was lijkbleek. Toen ik binnenkwam, stond hij langzaam op en keek langs me heen naar zijn vrouw. 'Ze zijn er niet bij, Jenny. Niet een.'

'Maar dat kan toch niet, Aaron!' zei ze. 'Waarom zou...'

Hij onderbrak haar door met een vijandig gezicht naar mij te kijken en te zeggen: 'Ik heb nooit geloofd dat mijn moeder het slachtoffer is geweest van een toevallige voorbijganger,' zei hij botweg. 'Destijds dachten we niet dat er iets uit haar appartement werd vermist, maar we hadden ongelijk. Alle banden van de lessen van je broer ontbreken en het moeten er minstens twintig zijn, dat weet ik. Ik weet ook dat ze er na zijn verdwijning nog steeds waren. De enige die er belangstelling voor zou kunnen hebben, is je broer.'

'Ik begrijp niet wat je bedoelt,' zei ik en ik liet me op een stoel zakken.

'Ik ben er nu van overtuigd dat mijn moeder is vermoord omdat iemand iets wilde hebben wat in haar appartement lag. De moordenaar heeft haar sleutel meegenomen. Destijds kon ik niets ontdekken wat ontbrak. Maar er ontbrak wel degelijk iets: de doos met banden van de lessen van je broer.'

'Maar toen je moeder werd vermoord, was Mack al een jaar verdwenen!' zei ik. 'Waarom zou hij die banden toen nog willen hebben? Wat voor nut hadden ze nog?' Ik werd opeens kwaad en vroeg nijdig: 'Wat insinueer je eigenlijk?'

'Helemaal niets,' snauwde Aaron Klein. 'Ik vertel je ronduit dat ik nu geloof dat je vermiste broer waarschijnlijk de moordenaar is van mijn moeder! Wie weet heeft er iets op een van die banden gestaan wat belastend voor hem was.' Hij wees naar buiten. 'Een meisje uit Greenwich is ook al een week verdwenen. Ik ken haar niet, maar als het nieuwsbericht dat ik in de auto op weg naar huis hoorde waar is, heeft ze haar vader gebeld en beloofd dat ze hem op Moederdag weer zal bellen. Is dat ook niet de dag die je broer heeft uitgekozen om te bellen? Geen wonder dat hij je waarschuwde dat je hem niet mocht gaan zoeken.'

Ik stond op. 'Mijn broer is geen moordenaar. Hij is geen

overvaller. Als uiteindelijk de waarheid aan het licht komt, zul je weten dat Mack niet verantwoordelijk is voor wat er met je moeder en met Leesey Andrews is gebeurd.'

Ik verliet het huis, stapte in de auto en reed weg. Ik verkeerde in een shocktoestand en moet op de automatische piloot naar huis zijn gereden, want ik kwam pas weer bij mijn positieven toen ik voor ons appartement in Sutton Place stilstond. Rechercheur Barrott stond in de hal op me te wachten.

30

'Toe nou, poppa, u bent toch niet echt kwaad op me? U weet dat ik van u hou,' zei Steve Hockney op vleierige toon tegen zijn oude oom, Derek Olsen, die tegenover hem aan tafel zat. Hij had zijn oom met een taxi van huis opgehaald en hem meegenomen om te gaan eten bij Shun Lee West in Sixty-fifth Street. 'We eten hier bij de beste Chinees in New York, dus wat hindert het dat we uw verjaardag een paar weken later vieren? Misschien vieren we die wel de rest van het jaar!'

Steve zag dat zijn vleierij succes had. De boosheid in de ogen van zijn oom trok weg en hij begon onwillekeurig te glimlachen. Ik moet beter opletten, maande Steve zichzelf. Het was ontzettend stom van me dat ik zijn verjaardag vergat.

'Je boft dat ik je niet uit je appartement zet en je voor de verandering een tijdje voor jezelf laat zorgen,' mopperde Olsen, maar op een goedmoedige manier. Het verbaasde hem elke keer weer dat de knappe zoon van zijn overleden zus zo veel genegenheid bij hem opwekte. Dat komt doordat hij zo veel op Irma lijkt, dacht Olsen. Hij heeft haar donkere haar, grote bruine ogen en charmante glimlach.

Vlees van mijn vlees, dacht hij toen hij een hap nam van de gestoomde deegbal die Steve voor hem had besteld. Hij smaakte heerlijk. 'Dit is erg lekker,' zei hij. 'Je neemt me altijd mee naar een goed restaurant. Ik geef je waarschijnlijk te veel geld.'

'Nee hoor, poppa. We hebben regelmatig in het centrum gespeeld en binnenkort komt mijn grote doorbraak. Dan zult u trots op me zijn. Let maar op. Mijn band wordt de opvolger van de Rolling Stones.'

'Dat zei je al toen je twintig was. Hoe oud ben je nu? Tweeënveertig?'

Hockney glimlachte. 'Zesendertig, dat weet u best.'

Olsen lachte. 'Ja, dat weet ik. Maar hoor eens, ik vind nog steeds dat jij het beheer van mijn appartementen moet overnemen. Howie werkt me soms op mijn zenuwen. Hij kan heel irritant zijn. Ik had hem vandaag willen ontslaan, maar de Kramers hebben zich bedacht en willen goddank toch blijven.'

'De Kramers? Die gaan hier nooit weg. Hun dochter heeft hun gedwongen een huis in Pennsylvania te kopen en weet u waarom? Omdat zij niet wil dat haar ouders huisbewaarders zijn. Dat is niet chic genoeg voor die saaie, arrogante vrienden van haar.'

'Nou ja, Howie heeft hen overgehaald te blijven. Maar toch moet je er eens over nadenken of je niet voor me wilt werken.'

Alsjeblieft niet, dacht Steve Hockney, maar hij onderdrukte zijn ergernis. Voorzichtig, maande hij zichzelf. Je moet heel voorzichtig zijn. Ik ben zijn enige familie, maar hij is zo wispelturig dat hij in staat is alles aan een liefdadige instelling na te laten of zelfs het grootste deel van zijn eigendommen aan Howie. Deze week is hij kwaad op Howie, maar volgende week vertelt hij me weer dat niemand zijn zaken zo goed beheert als Howie en dat Howie bijna een zoon voor hem is.

Hij nam een paar happen van zijn eten en zei: 'Poppa, ik heb wel gedacht dat ik u meer zou moeten helpen. U doet tenslotte ontzettend veel voor mij. Misschien moet ik de volgende keer dat u met Howie alle gebouwen gaat inspecteren met jullie meegaan. Dat wil ik best doen.'

'Heus waar?' vroeg Derek Olsen ongelovig en hij keek zijn neef onderzoekend aan. Wat hij zag, stelde hem gerust, want hij zei: 'Je meent het. Dat zie ik.'

'Natuurlijk meen ik het. Waarom denkt u dat ik u "poppa" noem? Omdat u al sinds ik twee was een vader voor me bent.'

'Ik had je moeder nog zo gewaarschuwd dat ze niet met die man moest trouwen. Hij deugde niet. Hij was oneerlijk en achterbaks. Toen je een tiener was, was ik bang dat je net zo zou worden als hij. Goddank ben je je beter gaan gedragen. Ook dankzij mij.'

Steve Hockney schonk zijn oom een dankbare glimlach en haalde een doosje uit zijn zak. Hij zette het op tafel en schoof het naar zijn oom toe. 'Hartelijk gefeliciteerd, poppa.'

Olsen liet de laatste deegbal liggen en trok vlug het lint om het pakje los, haalde het papier eraf en opende het doosje. Het was een Montblanc-pen met zijn initialen op de gouden klem. Hij glimlachte tevreden. 'Hoe wist je dat ik mijn mooie pen heb verloren?'

'De vorige keer dat ik u zag, gebruikte u zo'n goedkoop ding met reclame erop, dus snapte ik dat u uw eigen pen kwijt was.'

De kelner kwam een schaal met pekingeend brengen. De rest van de maaltijd zorgde Steve ervoor dat ze herinneringen ophaalden aan zijn overleden moeder en vergat hij niet te vermelden dat ze altijd had gezegd dat haar broer de slimste, aardigste man was die ze kende. 'Toen mama ziek was, zei ze tegen me dat ze hoopte dat ik net zo zou worden als u.'

Hij werd beloond toen hij zag dat zijn oom tot tranen toe geroerd was.

Toen ze klaar waren, riep Steve een taxi aan en bracht zijn oom thuis. Hij ging mee naar boven om zijn oom bij zijn voordeur af te leveren. 'Vergeet niet de sleutel tweemaal om te draaien,' waarschuwde hij bij een liefhebbende omhelzing. Toen hij aan de klik hoorde dat zijn oom dat had gedaan, rende hij naar beneden en ging gauw terug naar zijn eigen appartement, tien straten verderop.

Thuis verwisselde hij haastig zijn jasje, broek en overhemd met das voor een vrijetijdsbroek en een sweatshirt. Tijd om naar SoHo te gaan, dacht hij. God, ik dacht dat ik gek werd toen ik me zo lang met die ouwe moest bezighouden.

Zijn appartement lag op de begane grond en had een eigen ingang. Toen hij naar buiten ging, keek hij om zich heen en dacht, zoals vaak, aan de vorige bewoner, de toneeldocente die maar één straat verderop tijdens het joggen was vermoord.

Mijn vorige optrekje was een rothok, dacht hij. Maar na de dood van die vrouw wilde poppa me maar al te graag hierheen laten verhuizen toen ik hem had verteld hoe bijgelovig mensen zijn. Hij was het met me eens dat hij dit appartement zolang die moord nog in het nieuws was, beter niet te huur kon zetten. Dat is inmiddels negen jaar geleden, maar wie denkt daar nu nog aan?

Ik ga hier nooit meer weg, dacht hij. Het is precies wat ik nodig heb en er zijn geen bewakingscamera's die me in de gaten houden.

31

Rechercheur Barrott had een goede reden me te willen spreken. Hij wilde het briefje hebben dat Mack in de collectemand had gestopt. Ik had het in het dossier gelegd dat in het bureau van mijn vader lag, dus vroeg ik Barrott om mee naar boven te gaan. Hij ging met me mee naar binnen.

Ik was met opzet ongemanierd en liet hem in de hal wachten terwijl ik het briefje ging halen. Het zat nog in het plastic zakje. Ik haalde het eruit en las het opnieuw. Elf woorden, in hoofdletters: OOM DEVON, ZEG TEGEN CAROLYN DAT ZE ME NIET MAG ZOEKEN.

Hoe kon ik er zeker van zijn dat Mack dat inderdaad had geschreven? Het stukje papier was slordig uit een groter vel geknipt. Toen ik het maandag aan Barrott had laten zien, had hij er geen enkele belangstelling voor getoond. Hij had gezegd dat minstens één andere persoon, mijn oom, mijn moeder en ik het hadden aangeraakt. Ik weet niet meer of ik hem had verteld dat ik het ook aan Elliott had laten zien. Zouden Macks vingerafdrukken er ook nog op staan?

Ik stopte het terug in het zakje en liep ermee terug naar Barrott. Hij was aan het telefoneren. Toen hij me door de gang zag aankomen, beëindigde hij het gesprek. Ik had gehoopt dat hij het briefje zou aanpakken en meteen zou weggaan, maar hij zei: 'Mevrouw MacKenzie, ik moet met u praten.'

Laat me kalm blijven, bad ik toen ik hem voorging naar de woonkamer. Mijn knieën begonnen te trillen en ik ging in de grote Queen Anne-stoel zitten waar papa altijd het liefst had gezeten. Ik wierp een blik op het portret dat mijn moeder van hem had laten schilderen en dat nog steeds boven de schoorsteenmantel hing. De leunstoel stond tegenover de open haard en papa grapte vaak dat hij, wanneer hij daar zat, zichzelf aan een stuk door bewonderde. 'Mijn god, Liv, kijk nou toch eens naar die fantastische kerel,' zei hij dan. 'Hoeveel meer heb je de schilder moeten betalen om zo'n knappe man van me te laten maken?'

Dat ik in papa's stoel zat, gaf me moed. Rechercheur

Barrott was op de rand van de bank gaan zitten en hij keek me zonder een sprankje vriendelijkheid aan. 'Mevrouw MacKenzie, ik heb net gehoord dat Aaron Klein uit Darien, Connecticut, ons kantoor heeft gebeld en heeft gezegd dat hij denkt dat uw broer degene is die zijn moeder negen jaar geleden heeft vermoord. Hij zei dat hij altijd al had gedacht dat de moordenaar iets uit haar appartement wilde hebben en dat hij nu gelooft dat het de banden waren met de stem van uw broer erop. Hij zei dat u bij hem bent geweest om hem naar een van die banden te laten luisteren. Hebt u die band bij u?'

Ik had het gevoel dat hij ijskoud water in mijn gezicht had gegooid. Ik wist wat hij zou denken als hij de band hoorde. Hijzelf en ook alle anderen op het bureau van de officier van justitie zouden denken dat Mack een groot probleem had en dat hij daar met Esther Klein over had gepraat. Ik klemde mijn handen om de leuningen van de stoel. 'Mijn vader was net als ik jurist,' zei ik, 'en voordat ik ook nog maar iets tegen u zeg of u iets overhandig, wil ik een advocaat raadplegen.'

'Ik wil u iets vertellen, mevrouw MacKenzie,' zei Barrott. 'Zaterdagmorgen was Leesey Andrews nog in leven. Niets is belangrijker dan dat we haar vinden, als het niet al te laat is. U hebt vast wel op het nieuws gehoord dat ze haar vader twee dagen geleden heeft opgebeld en heeft gezegd dat ze op Moederdag weer zal bellen. U zult toch moeten toegeven dat dit ongeloofwaardig maakt dat het toeval is dat ze precies hetzelfde doet, of wordt gedwongen te doen, als uw broer.'

'Het is geen geheim dat Mack op Moederdag belt,' protesteerde ik. 'Dat weten andere mensen ook. Een jaar nadat hij was verdwenen, heeft een journalist een artikel over hem geschreven en dat erbij vermeld. Het staat ook op het internet en iedereen kan het lezen.'

'Het staat niet op het internet dat, nadat de toneeldocente van uw broer was vermoord, alle banden met de stem van uw broer erop uit haar appartement verdwenen waren,' zei Barrott bars en hij keek me streng aan. 'Mevrouw MacKenzie, als er ook maar iets op die band van u staat dat ons zou kunnen helpen uw broer op te sporen, hoort u fatsoenlijk genoeg te zijn om hem aan mij te geven.'

'Ik geef u de band niet,' zei ik. 'Maar ik zweer u dat er niets op staat waaruit u zou kunnen concluderen waar hij is. Ik zal u zelfs vertellen dat de bandopname nog geen minuut duurt. Mack zegt een paar woorden tegen zijn toneeldocente en declameert een stukje Shakespeare. Dat is alles.'

Ik kreeg de indruk dat Barrott me geloofde. Hij knikte. 'Als u iets van hem zou horen,' zei hij, 'of als u iets te binnen zou schieten wat ons zou kunnen helpen om hem te vinden, dan hoop ik dat u eraan zult denken dat het leven van Leesey Andrews veel belangrijker is dan het beschermen van uw broer.'

Toen Barrott weg was, deed ik wat ik wist dat onvermijdelijk was: ik belde de baas van Aaron Klein, Elliott Wallace. De beste vriend van mijn vader, mijn surrogaatoom, de man die met mijn moeder wilde trouwen. Ik vertelde hem dat Mack, doordat ik me niet aan de afspraak had gehouden dat we aan zijn verzoek zouden voldoen, inmiddels werd verdacht van een moord en een ontvoering.

32

Nick DeMarco had zich het hele weekend niet op zijn gemak gevoeld. Hij wilde niet toegeven dat het weerzien met Carolyn MacKenzie hem in de war had gebracht. 'Pizza en pasta' had hij zichzelf genoemd wanneer hij was uitgenodigd om in Sutton Place te komen eten.

Ik wist toen absoluut niet hoe ik me moest gedragen, dacht hij. Ik moest afkijken welke vork ze gebruikten en hoe ze hun servet op schoot legden. Papa stopte zijn servet altijd achter zijn boord. En het hielp niet dat meneer MacKenzie grapjes maakte over het feit dat hijzelf uit de arbeidersklasse kwam, al vond ik het aardig van hem dat hij zijn best deed om zo'n boerenkinkel als ik op zijn gemak te stellen.

En wat mijn verliefdheid voor Barbara aangaat, achteraf gezien was dat ook weer iets waarom ik jaloers was op Mack.

Het had niets met Barbara te maken.

Het had met Carolyn te maken.

Met haar heb ik me altijd op mijn gemak gevoeld. Ze was vroeger ook al grappig en scherpzinnig. Ik heb een leuke avond met haar gehad.

Macks familie was mijn snobistische ideaal. Ik hield van mijn ouders, maar ik wilde dat papa geen bretels droeg. Ik wilde dat mama haar vaste klanten niet omhelsde. Hoe luidt dat gezegde ook alweer? Zoiets als: 'Eerst houden onze kinderen van ons, wanneer ze opgroeien veroordelen ze ons en soms vergeven ze het ons.'

Het zou andersom moeten zijn: 'Eerst houden onze ouders van ons, wanneer we opgroeien veroordelen ze ons en soms vergeven ze het ons.' Maar vaak ook niet.

Ik wilde niet dat papa nog langer zo'n goedkoop restaurantje runde. Ik had geen idee wat ik hem aandeed toen ik hem de leiding over mijn eigen nieuwe restaurant gaf. Hij vond het verschrikkelijk. En mama vond het erg dat ze niet meer mocht koken. Hun dure zoon liet hen niet meer zichzelf zijn.

Nick DeMarco, succesvol zakenman, begeerd vrijgezel, alle meisjes vallen voor hem, dacht hij wrang. Nick DeMarco, gaat geen risico uit de weg. En nu misschien Nick DeMarco, de idioot die een te groot risico heeft genomen.

Leesey Andrews.

Heeft iemand gehoord dat ik haar heb aangeboden te helpen als ze het in de showbusiness wilde proberen? De camera heeft niet gefilmd dat ik haar mijn visitekaartje overhandigde, maar heeft iemand dat toevallig wel gezien?

33

Op dinsdagmorgen bekeken commissaris Larry Ahearn en rechercheur Bob Gaylor, allebei na zes uur slaap weer aardig opgefrist, op de technische afdeling van het bureau van de officier van justitie de films van de bewakingscamera's van de drie andere nachtclubs waar jonge vrouwen voor het laatst waren gezien voordat ze waren verdwenen.

De zaken van alle drie de jonge vrouwen – Emily Valley, Rosemarie Cummings en Virginia Trent – waren heropend. De korrelige foto's uit het dossier van Emily Valley, van tien jaar geleden, waren met behulp van de modernste technologie scherp en helder gemaakt. Onder het groepje studenten in de club die The Scene heette, waren Mack MacKenzie en Nick DeMarco opeens duidelijk te herkennen.

'Toen we op zoek gingen naar Emily Valley, heeft die hele groep studenten van Columbia zich gemeld, nadat we degenen die een creditcard hadden gebruikt, hadden opgeroepen,' zei Ahearn, hardop denkend. 'Ongeveer een maand nadat we met hen hadden gepraat, verdween Mack MacKenzie. Bij nader inzien hadden we die verdwijning misschien meteen met de zaak Valley in verband moeten brengen.'

'Maar hij staat niet op de videofilms van de clubs waar die andere vermiste meisjes waren geweest. Dat meisje Cummings verdween natuurlijk pas drie jaar later, en dat meisje Trent vier jaar geleden. Hij kan zich in al die tijd een heel ander uiterlijk hebben aangemeten. Hij heeft zijn hele studententijd veel aan toneel gedaan,' zei Gaylor.

'Ik had willen zweren dat DeMarco de dader was, maar die vermiste banden uit het appartement van de toneeldocente en die telefoontjes op Moederdag wijzen naar MacKenzie,' zei Ahearn gefrustreerd. 'Hoe is het mogelijk dat hij zich al tien jaar lang schuilhoudt? Waar leeft hij van? Hoe kan hij met de mobiel van Leesey Andrews tussen Brooklyn en Manhattan heen en weer reizen zonder dat iemand hem herkent? Elke agent in New York heeft een foto van hem bij zich waarop hij zo oud is gemaakt als hij nu is. En waar heeft hij Leesey sinds haar verdwijning ondergebracht? Waar is ze, als ze nog leeft?'

'En wat heeft hij met haar gedaan?' voegde Roy Barrott er op verbitterde toon aan toe.

Zijn collega's hadden hem niet binnen horen komen en draaiden zich abrupt om.

'Je zou een paar uur gaan slapen,' zei Ahearn.

Barrott knikte. 'Dat heb ik ook gedaan, lang genoeg. Ik wilde jullie even vertellen dat ze de twee foto's die Leeseys huisgenote Kate van haar had genomen en waarvan we er een voor de poster hebben gebruikt, hebben vergroot. Ze had die foto's genomen vlak nadat ze Angelina Jolie en Brad Pitt met hun kroost had gekiekt, en nu kunnen we ook de gezichten van de mensen op de achtergrond zien.'

'En?' zei Ahearn.

'Kijk eens goed naar deze foto. Herken je die man daar links?'

'Dat is DeMarco!' zei Ahearn en hij herhaalde de naam alsof hij het niet kon geloven. 'DeMarco.'

'Juist,' beaamde Barrott. 'En DeMarco heeft ons niet verteld dat hij een week voordat Leesey verdween nog in Greenwich Village was geweest en aan de overkant van de straat stond toen Kate die foto's nam. Hij heeft ons wel verteld dat hij, als hij niet in zijn SUV rijdt, een Mercedes cabriolet gebruikt, maar hij heeft geen woord gezegd over zijn Mercedes sedan met chauffeur.'

Ahearn stond op. 'Ik geloof dat het tijd is dat we die vent weer hier laten komen om hem nog eens aan de tand te voelen, en deze keer pakken we hem hard aan,' zei hij. 'Het moet geen probleem voor hem zijn geweest Leesey midden in de nacht door zijn chauffeur uit dat zolderappartement te laten ophalen om haar ergens anders naartoe te brengen. Er zijn ook nog andere feiten over hem boven water gekomen. Hij heeft een heleboel onroerend goed gekocht en daar nauwelijks een aanbetaling voor gedaan. Hij heeft zich financieel op glad ijs begeven. Als hij zijn alcoholvergunning voor die chique bar, de Woodshed, kwijtraakt, bestaat de kans dat hij binnenkort weer in Queens een pizzeria moet runnen.' Ahearn keek Bob Gaylor aan. 'Ga hem halen.'

'Tien tegen een dat hij een advocaat meebrengt,' zei Barrott. 'Het verbaasde me al dat hij vorige week alleen durfde te komen.'

34

Mama zou op woensdag vanuit Griekenland naar huis vliegen en ik werd steeds nerveuzer. Elliott was na mijn paniektelefoontje maandagavond meteen naar me toe gekomen om me tot bedaren te brengen. Hij had me geweldig gerustgesteld door de manier waarop hij op alles wat ik hem vertelde reageerde, zelfs toen ik zei dat Aaron Klein, zijn opvolger bij Wallace & Madison, nu geloofde dat Mack zijn moeder had vermoord.

'Wat een onzin,' had hij nadrukkelijk gezegd. 'Aaron heeft me destijds zelf verteld dat er niets uit haar appartement werd vermist. Dat herinner ik me nog goed. "Waarom zou iemand mijn moeder vermoorden en haar sleutel stelen als hij niet van plan was haar appartement te beroven?" Dat heeft hij letterlijk gezegd. Ik zei toen dat de dader waarschijnlijk een drugsverslaafde was die in paniek was geraakt toen hij zag dat ze dood was. Aaron blijft hardnekkig volhouden dat de moordenaar van zijn moeder moet worden gevonden, maar ik sta niet toe dat hij nu probeert Mack als de dader aan te wijzen.'

Elliott had zijn formele houding laten varen en was zelfs fel geworden. Hij had niet voor mijn vader ondergedaan. Ik geloof dat dat het moment was waarop mijn twijfel over zijn steeds hechter wordende vriendschap met mijn moeder verdween. Het was ook het moment waarop ik besloot hem niet langer 'oom Elliott', maar gewoon 'Elliott' te noemen.

We waren het met elkaar eens dat ik er niet aan kon ontkomen nogmaals over Mack te worden ondervraagd en dat we meteen een advocaat in de arm moesten nemen. 'Ik sta niet toe dat Mack door de kranten wordt aangeklaagd en veroordeeld,' had Elliott ferm gezegd. 'Ik ga op zoek en stuur je de beste advocaat die ik kan vinden.'

We waren het er ook over eens dat mama moest weten wat er aan de hand was. 'Het zal niet lang duren voordat een slimme verslaggever een verband legt tussen de verdwijning van Mack en die van dat meisje, vanwege Moederdag,' had Elliott gezegd. 'Ik zie er die rechercheurs zelfs voor aan dat zij de media die tip zullen geven. En dan mag niet de schijn worden gewekt dat je moeder de pers probeert te ontwijken.'

Elliott had mijn moeder gebeld en haar tactvol aangeraden eerder thuis te komen. Toen ze woensdagavond landde, was alles gegaan zoals Elliott had voorspeld. De media hadden, als bloedhonden die een vers spoor volgden, de zaken erbij gehaald van de drie andere jonge vrouwen die na een bezoek aan een nachtclub waren verdwenen, en hadden gemeld dat Mack en zijn vrienden van de universiteit ook in de club waren geweest waar dat eerste vermiste meisje, Emily Valley, de avond had doorgebracht. En het verband tussen Macks telefoontjes op Moederdag en Leeseys belofte aan haar vader dat ze op die dag weer zou bellen, had natuurlijk de krantenkoppen gehaald.

Toen mijn moeder, met Elliotts arm stevig om haar heen, in Sutton Place uit de taxi was gestapt, moest ze zich tussen ontelbare camera's en microfoons door een weg banen naar de voordeur. Ze begroette me op de manier die ik had verwacht, terwijl ik toch had gehoopt dat het anders zou gaan. Ze had kringen onder haar ogen, die waren opgezwollen van het huilen, en zag er voor het eerst als een vrouw van tweeënzestig uit. 'Carolyn, we hadden afgesproken dat we Mack zijn eigen leven zouden laten leiden. Dat hadden we afgesproken,' zei ze. 'En omdat jij je daar niet bij neer kon leggen, wordt mijn zoon nu gezocht alsof hij een misdadiger is. Elliott was zo vriendelijk me te vragen bij hem te komen logeren. Mijn bagage staat nog in de auto en ik neem zijn uitnodiging aan. Intussen kun jij proberen deze toestand tot een goed einde te brengen en je spijt betuigen aan de buren omdat hun privacy is geschonden. Maar voordat ik wegga, wil ik die band horen.'

Ik ging de band halen en speelde die even later in de keuken voor haar af. We hoorden Macks stem vrolijk aan zijn toneeldocente vragen: 'Klink ik als Laurence Olivier of als Tom Hanks?' en daarna de klank van zijn stem veranderen toen hij het citaat uit Shakespeare aanhaalde.

Toen ik het apparaat uitzette, was mama bleek geworden van verdriet. 'Er was iets met hem aan de hand,' fluisterde ze. 'Waarom heeft hij me dat niet verteld? Hoe erg het ook was, ik zou hem altijd hebben geholpen.' Ze stak haar hand uit. 'Geef mij die band, Carolyn,' beval ze.

'Dat mag ik niet doen, mama,' zei ik. 'Het zou me niet

verbazen als de politie die opeist. Jij maakt eruit op dat Mack een probleem had, maar het kan ook zijn dat hij alleen maar een citaat voorlas, zoals hem was opgedragen. Elliott en ik hebben morgenochtend een afspraak met een advocaat en dan moet ik die band ook voor hem afspelen.'

Zonder nog iets te zeggen, stond mijn moeder op en liep weg. Elliott fluisterde: 'Ik bel je straks' voordat hij achter haar aan ging. Toen ze weg waren, luisterde ik nog een keer naar de band: '... beween ik heel alleen mijn verworpen staat en ontrief de dove hemel met mijn vergeefse kreten...'

Misschien was het zomaar een citaat om voor te dragen of misschien bedoelde Mack er zichzelf mee, maar met een mengeling van verdriet en verbittering dacht ik dat die woorden inmiddels ook op mij sloegen. Een paar minuten later rinkelde de telefoon. Ik nam op en zei: 'Hallo,' en de beller verbrak meteen de verbinding.

35

Hij genoot van de nieuwe verhalen die de media opdisten over de andere drie meisjes. Emily, Rosemarie en Virginia. Hij kon zich hen nog heel goed herinneren. Emily was de eerste geweest. In het begin hadden de kranten haar verdwijning niet serieus genomen. Ze was wel vaker van huis weggelopen, dus toen ze voor de zoveelste keer niet terug was gekomen naar haar ouderlijk huis in Trenton, New Jersey, gaven zelfs haar ouders toe dat ze misschien met opzet had willen verdwijnen.

Toen drie jaar later Rosemarie was verdwenen, begon men te denken dat Emily misschien was ontvoerd. En toen vier jaar geleden Virginia werd vermist, buitelden de media over elkaar heen om te bewijzen dat de zaken verband met elkaar hielden.

Maar er was natuurlijk een einde aan gekomen. Zo nu en dan was er nog een verhaal verschenen waarin de een of andere Pulitzerprijswinnaar beweerde dat er wat betreft de vermissing van de drie jonge vrouwen naar één dader moest worden gezocht, maar omdat hij niets nieuws had te melden, had het publiek er nauwelijks belangstelling voor gehad.

Leesey had daar verandering in gebracht. 'Mack, waar bén je?' vroeg iedereen zich opeens weer af.

In een joggingpak met capuchon en met een zonnebril op rende hij door Sutton Place. Zoals hij had verwacht, stonden er allerlei busjes van de pers. Fantastisch, dacht hij. Fantastisch! Hij haalde een metalen doosje uit zijn zak en haalde er Leeseys mobieltje uit. Als hij nu een nummer intoetste, zouden ze kunnen nagaan dat hij vanaf deze plek had gebeld. Maar dat wil ik immers? dacht hij glimlachend. Hij toetste het nummer van het appartement in, wachtte tot hij Carolyns stem hoorde en verbrak meteen de verbinding. Toen liep hij hard weg in de richting van het drukke voetgangersverkeer in Fifty-seventh Street.

36

Bruce Galbraith en zijn vrouw, dr. Barbara Hanover Galbraith, hadden het tot nu toe vermeden over Mack MacKenzie te praten. Maar toen op woensdagavond de kinderen in bed lagen en ze naar het nieuws van tien uur hadden gekeken, wist Bruce dat hij het onderwerp niet langer kon vermijden.

Ze zaten in de bibliotheek van hun ruime appartement in Park Avenue. Elke keer als Bruce op zakenreis was, besefte hij hoe gelukkig hij was met zijn huis en zijn gezin. Barbara had zich verkleed in een lichtgroene pyjama en haar asblonde haar hing los op haar schouders. Het was al heel lang geleden dat hij zich in haar nabijheid stuntelig en verlegen had gevoeld, maar ergens in zijn onderbewustzijn zat altijd de angst dat hij op een dag wakker zou worden en ontdekken dat het een droom was geweest, dat het leven dat hij leidde een illusie was.

Het was hem opgevallen dat Barbara de afgelopen dagen, sinds de media Mack in verband hadden gebracht met de verdwijning van dat meisje uit Connecticut, Leesey Andrews, en met de moord op de toneeldocente, onder steeds meer spanning stond.

Tijdens de nieuwsuitzending had hij, vervuld van de jaloezie die hij nooit had kunnen overwinnen, naar het gezicht van zijn vrouw gekeken wanneer er foto's van Mack op het scherm werden vertoond. En nadat hij met behulp van de afstandsbediening de tv uit had gezet, besloot hij dat het tijd was om het onderwerp aan te roeren.

'Barb, toen dat eerste meisje verdween, was ik ook in die nachtclub,' begon hij.

'Dat weet ik, maar jullie waren met wel twintig studenten van Columbia. Nick en Mack waren er ook bij,' antwoordde Barbara. Ze keek hem niet aan.

'Carolyn MacKenzie heeft me onlangs opgebeld, maar ik heb haar nog niet teruggebeld. Ik wil er alles onder verwedden dat zij de zaak aan het onderzoeken is, en ik denk dat de politie me binnenkort ook wel zal willen ondervragen. Tenslotte waren Nick en ik huisgenoten van Mack.'

Hij zag dat zijn vrouw haar tranen probeerde in te houden. 'Wat wil je daarmee zeggen?' vroeg ze met trillende stem.

'Dat het me een goed idee lijkt als jij met de kinderen naar je vader op Martha's Vineyard gaat. Hij heeft drie hartaanvallen gehad, dus niemand zal het gek vinden als je zegt dat hij weer gezondheidsproblemen heeft.'

'En de school van de kinderen dan?'

'Daar betalen we zo veel geld voor dat ze ons best een lesschema kunnen meegeven en dan huren we een poosje een privéleraar. Bovendien krijgen ze over een paar weken vakantie.'

Hij zag dat ze aarzelde. 'Barbara, je bent met opzet samen met twee andere kinderchirurgen een praktijk begonnen om af en toe eens vrij te kunnen nemen. Het is hoog tijd dat je dat een keer doet.'

Hij stond op, liep naar haar toe en gaf haar een kus op haar hoofd. 'Ik kan Mack wel vermoorden om wat hij jou heeft aangedaan,' zei hij zacht.

'Daar ben ik allang overheen, Bruce. Echt waar.'

Niet waar, dacht hij. Maar ik heb geleerd ermee te leven, en Mack zal op geen enkele manier de kans krijgen je nog eens zo veel verdriet te doen.

37

Op woensdagavond, kort nadat mama en Elliott weer waren vertrokken, belde rechercheur Barrott. Ik dacht dat de situatie niet erger kon worden, maar ik had het mis. Barrott vroeg kalm of ik wist dat degene die me zojuist had gebeld, toen ik had aangenomen dat de beller verkeerd was verbonden, de mobiele telefoon van Leesey Andrews had gebruikt. Daar schrok ik zo van dat het volgens mij wel een volle minuut duurde voordat ik iets kon mompelen als: 'Maar dat kan toch niet?' Ik dacht er even over na. 'Dat is absoluut onmogelijk.'

Barrott zei kortaf dat het waar was en vroeg me of ik dacht dat mijn broer misschien contact met me had willen opnemen.

'Toen ik antwoordde, werd er meteen opgehangen. Ik dacht dat de beller een verkeerd nummer had ingetoetst.

Weten jullie dan niet dat ík verder niets heb gezegd?' vroeg ik boos.

'Dat weten we. Maar we weten ook dat u daar een geheim nummer hebt, mevrouw MacKenzie. Vergis u niet. Als uw broer in het bezit is van de mobiele telefoon van Leesey Andrews en als hij opnieuw probeert u te bereiken en u ons niet helpt om hem te vinden, kunt u als medeplichtig aan een heel ernstige misdaad worden beschouwd.'

Ik gaf niet eens antwoord en verbrak de verbinding.

Donderdagochtend ergens tussen vier en zeven uur besloot ik Lucas Reeves te bellen om zo gauw mogelijk een afspraak met hem te maken. Ik had hulp nodig van iemand van wie ik zeker wist dat hij grondig te werk ging en onpartijdig was. Toen ik Macks dossier had gelezen, was het me al opgevallen dat hij iedereen die hij ook maar enigszins in verband had kunnen brengen met mijn broer, had ondervraagd. Zijn eindoordeel aan papa was duidelijk: 'Ik kan niets vinden wat erop wijst dat uw zoon zo'n groot probleem had dat vluchten zijn enige uitweg was. Ik wil de mogelijkheid niet uitsluiten dat hij leed aan een geestesziekte die hij voor iedereen verborgen heeft kunnen houden.'

Elliott en ik zouden elkaar om twaalf uur ontmoeten in het kantoor van Thurston Carver, de advocaat die Elliott had gevonden om onze verdediging op zich te nemen. Om negen uur belde ik Reeves. Hij was nog niet op kantoor, maar zijn secretaresse beloofde dat hij me, zodra hij kwam, terug zou bellen. Blijkbaar wist ze nog wie ik was. Een halfuur later belde hij inderdaad terug. Ik legde hem zo bondig mogelijk uit wat er aan de hand was. 'Hebt u alstublieft vanmorgen nog tijd voor me?' vroeg ik en ik hoorde zelf hoe wanhopig ik klonk.

Hij antwoordde met zijn diepe, welluidende stem: 'Ik zal een paar afspraken verzetten. Waar ontmoet u die advocaat?'

'Op de hoek van Park Avenue en Forty-fifth Street,'

antwoordde ik. 'In het MetLife gebouw.'

'Ik heb nog wel hetzelfde telefoonnummer, maar mijn kantoor is twee jaar geleden verhuisd naar de hoek van Park Avenue en Thirty-ninth Street, niet ver van MetLife. Kunt u hier om halfelf zijn?'

Dat kon ik. Ik had al gedoucht en me aangekleed. Het was wisselvallig weer en ik zag dat het hard waaide. De mensen op straat droegen jacks en liepen met hun handen in de zakken, en ik besloot in plaats van het dunne broekpak dat ik aanhad een velours joggingpak aan te trekken, waardoor ik er minder als jurist en meer als de zus van iemand zou uitzien. Ik beweer niet dat het me aantrekkelijk maakte. Het joggingpak was donkergrijs en toen ik in de spiegel keek, zag ik dat het de donkere kringen onder mijn ogen en mijn ongewoon bleke huid benadrukte. Overdag gebruik ik meestal weinig make-up, maar deze keer maakte ik me op met foundation, oogschaduw, blusher, mascara en lipgloss. Opgetut om mijn broer te helpen, dacht ik, en ik vond het vreselijk dat het me zo verbitterd stemde.

Was ik maar nooit naar rechercheur Barrott toe gegaan. Had ik die band in Macks koffer maar nooit gevonden. Zinloze gedachten.

Ik merkte dat ik hoofdpijn kreeg en hoewel ik geen trek had, liep ik beneden naar de keuken, zette een pot koffie en roosterde een muffin. Ik nam het blad mee naar de ontbijthoek en ging daar aan tafel zitten, waar ik een schitterend uitzicht had over de East River. Aan de golven kon je zien dat het hard waaide, en ik had het gevoel dat ik ook meedreef met een stroom waartegen ik me niet kon verzetten. Ik moest me laten meesleuren tot ik verdronk of in kalmer water terechtkwam.

Ik was blij geweest dat mama in Griekenland was en dat ik alleen thuis kon zijn. Maar toen was ze ver weg geweest. Ik vond het ongelooflijk dat ze inmiddels wel weer in New York was, maar niet wilde terugkeren naar haar eigen huis.

Toen ik even later naar buiten liep, begreep ik waarom. Voor de deur wemelde het van de mediabusjes en van alle kanten renden verslaggevers naar me toe en vroegen om commentaar. Dit is haar gisteravond overkomen, dacht ik.

Ik had de portier gebeld en gevraagd of hij een taxi voor me wilde roepen, en die stond op me te wachten. Ik negeerde alle microfoons, stapte vlug in de taxi en zei: 'Rij alstublieft weg.' Ik wilde niet dat iemand anders zou horen waar ik naartoe ging. Twintig minuten later stond ik bij de receptie van het kantoor van Lucas Reeves. Precies om half elf kwam hij met een echtpaar met strakke gezichten, waarschijnlijk ook cliënten, zijn kantoor uit. Hij liep met hen mee naar de voordeur, keek om en kwam vlug naar me toe. 'Mevrouw MacKenzie, komt u maar mee.'

Ik wist nog dat ik hem één keer eerder had ontmoet, tien jaar geleden in Sutton Place, dus was het mogelijk dat hij zich mij ook herinnerde. Of anders ging hij er, omdat ik de enige bij de receptie was, gewoon van uit dat ik Carolyn MacKenzie was.

Lucas Reeves was nog kleiner dan ik me hem herinnerde. Ik denk dat hij met schoenen aan hooguit een meter zestig is. Hij had een dikke bos kroezig grijzend haar en je kon zien dat het was geverfd om het grijs gedistingeerder te maken. Hij had een heleboel rimpeltjes om zijn mond, wat me deed vermoeden dat hij zwaar had gerookt. Zijn diepe, prettige stem hoorde eigenlijk helemaal niet bij zo'n kleine man, maar paste wel bij zijn vriendelijke ogen en de hartelijke manier waarop hij me een hand gaf.

Ik liep achter hem aan naar zijn kantoor. Hij ging niet achter zijn bureau zitten, maar bood me een stoel aan in een zithoek met twee leunstoelen, een bank en een lage tafel. 'Ik weet niet hoe u erover denkt, mevrouw MacKenzie, maar voor mij is het koffietijd. Wilt u ook een kop koffie of mag ik u, net als mijn Engelse vrienden, een kop thee aanbieden?'

'Zwarte koffie graag,' zei ik.

'Zo drink ik het ook.'

De receptioniste stak haar hoofd om de deur. 'Wat mag het zijn, meneer Reeves?'

'Twee zwart. Dank je, Marge.' Hij draaide zich weer naar me om en legde uit: 'Toen we opeens allemaal politiek correct moesten zijn, ging ik zelf naar ons keukentje om koffie te zetten, maar mijn assistente, mijn secretaresse, mijn receptioniste en mijn accountant hebben me daar letterlijk uit gesleurd. Ze zeiden dat je met mijn koffie de verf van de muren kon strippen.'

Ik vond het zo aardig van hem dat hij me op mijn gemak probeerde te stellen dat ik er tranen van in mijn ogen kreeg. Hij deed alsof hij het niet zag. Ik had gezegd dat ik Macks dossier mee zou brengen, maar dat was niet nodig, omdat hij nog een kopie had. Die lag al op tafel. Hij wees ernaar en zei: 'Vertel me maar eens wat er allemaal is gebeurd, Carolyn.' Hij bleef me aandachtig aankijken toen ik uitlegde hoe Mack, door wat ik had ondernomen, een verdachte was geworden in de zaak Leesey Andrews en die van Esther Klein.

'En nu denken ze dat Mack Leeseys mobiel heeft. We hebben inderdaad een geheim nummer, maar dat is al sinds mijn jeugd hetzelfde. Honderden mensen hebben het.' Ik beet op mijn lip, die zo trilde dat ik even niet verder kon praten. Het was door mijn hoofd geflitst dat mama al die tijd in het appartement had willen blijven omdat ze zeker wilde weten dat Mack haar daar kon bereiken.

In de loop van mijn verhaal was Reeves steeds bezorgder gaan kijken. 'Het is heel akelig, maar je broer is een voor de hand liggende verdachte, Carolyn. Ik zal eerlijk zijn. Ik heb destijds niets kunnen vinden wat een eenentwintigjarige jongen van goede familie ertoe zou kunnen brengen te verdwijnen. Ik moet bekennen dat ik, toen hij opeens weer volop in de belangstelling kwam te staan, zijn dossier nog eens heb nagelezen en me voor alle zekerheid nog eens in de feiten heb verdiept. Je vader heeft me uitstekend betaald, maar desondanks heb ik hem niet kunnen helpen de verdwijning van je broer op te lossen.'

Hij keek langs me heen. 'Ah, daar komt de koffie die ik niet zelf heb gezet.' Hij wachtte tot de kopjes op tafel stonden en we weer alleen waren voordat hij vervolgde: 'En nu kijk ik naar de zaak vanuit het standpunt van de politie. Op de avond dat het eerste meisje verdween, was je broer ook in die club, The Scene. Maar zijn twee huisgenoten waren er ook bij, en nog een paar studenten van Columbia, plus een stuk of vijftien anderen. Het was een kleine bar en het personeel bestond uit een barman, een paar kelners en een band. Hun namen staan in het dossier, volgens mij is de lijst compleet. Omdat de politie nu denkt dat je broer ook iets met die verdwijning te maken heeft gehad, moeten we denken zoals zij. Met de huidige technologie kun je iemand gemakkelijk volgen en ik ben er trots op dat ik kan zeggen dat ons kantoor beschikt over de beste technologische systemen ter wereld. We zullen dan ook beginnen met na te gaan wat iedereen die op die lijst staat de afgelopen tien jaar heeft gedaan.'

Hij nam een slok koffie. 'Uitstekend. Sterk, maar niet bitter. Bewonderenswaardige eigenschappen, vind je niet?'

Ik vroeg me af of dat een vermaning was. Had hij de bittere toon gehoord waarop ik zo langzamerhand over Mack en zelfs, moest ik toegeven, over mijn moeder praatte?

Hij wachtte niet op antwoord. 'Je zei dat je het gevoel hebt dat de huismeesters, de heer en mevrouw Kramer, iets te verbergen hebben.'

'Ik weet niet of dat het is,' zei ik. 'Ik weet wel dat ze een heel nerveuze indruk maakten. Het leek wel alsof ze bang waren dat zij ervan beschuldigd zouden worden dat ze iets met Macks verdwijning te maken hadden.'

'Ik heb hen tien jaar geleden ook ondervraagd. Ik zal mijn personeel opdracht geven om na te gaan of er in hun leven iets ongewoons is gebeurd wat we zouden moeten weten. Vertel me nu eens iets over je ontmoeting met Nicholas DeMarco. Je moet me eerlijk alles vertellen wat je aan hem is opgevallen, tot in details, positief of negatief.'

Ik deed mijn best om objectief te zijn. 'Nick is inmiddels natuurlijk ook tien jaar ouder,' begon ik. 'Volwassen geworden. Toen ik zestien was, was ik verliefd op hem, dus betwijfel ik dat ik hem toen zag zoals hij was. Hij was een knappe, leuke jongen en ik geloof dat hij destijds met me flirtte, en in mijn onschuld geloofde ik dat hij me een heel bijzonder meisje vond. Maar Mack waarschuwde me dat ik niet zo veel aandacht aan Nick moest besteden en daarna zorgde ik ervoor dat ik, als hij bij ons kwam eten, niet thuis was.'

'Mack waarschuwde je?' Reeves keek me met opgetrokken wenkbrauwen aan.

'Zoals een grote broer kan doen. Ik was veel te open en Mack zei dat alle meisjes verliefd waren op Nick. Maar toen ik hem onlangs weer zag, kreeg ik de indruk dat hij zorgen had.'

'Heb je het met hem nog over hun andere huisgenoot gehad, Bruce Galbraith?'

'Ja. Nick heeft geen contact meer met hem. Ik geloof niet dat hij Bruce mocht. Hij noemde hem de Lone Stranger. Ik heb u al verteld dat ik Bruce ook heb gebeld, maar hij heeft nog niet gereageerd.'

'Bel hem dan nog eens. Ik kan me niet voorstellen dat hij, nu je broer weer zo vaak in het nieuws is, weigert met je te praten. Intussen zal ik meteen beginnen met het updaten van de gegevens van die lijst mensen die ik heb genoemd. Vanwege de zinspeling op Moederdag heeft de politie al verband gelegd tussen Mack en de verdwijning van Leesey Andrews, en nu denken ze dus ook dat hij iets met de verdwijning van die andere jonge vrouwen te maken heeft gehad. Nadat er met Leeseys mobiel naar je moeders appartement is gebeld, zijn ze overtuigd van zijn schuld. Elke aanwijzing leidt naar Mack, dat komt hun goed uit. Maar ik vraag me af of alles wat er is gebeurd, is begonnen met die avond in The Scene, weken voordat Mack verdween.'

Ik begreep meteen wat hij bedoelde. 'Meneer Reeves, denkt u dat iemand anders expres probeert om de schuld van de verdwijning van die vier jonge vrouwen op Mack te schuiven?'

'Ik denk dat dat een mogelijkheid is. Je hebt zelf ook al gezegd dat er een paar jaar geleden een artikel in de krant heeft gestaan waarin werd vermeld dat je broer alleen op Moederdag naar huis belt. Het zou best kunnen dat iemand die informatie goed heeft onthouden en er nu gebruik van maakt om de politie op een dwaalspoor te brengen. Er zijn allerlei manieren om iemands identiteit te stelen, en het patroon volgen van iemand die is verdwenen en zichzelf niet wil verdedigen, kan ook een manier zijn. De ontvoerder van Leesey heeft haar mobieltje, en misschien heeft hij ook jullie geheime telefoonnummer.'

Dat vond ik een heel logische redenering. Toen ik het kantoor van Reeves verliet, had ik het gevoel dat ik deze keer bij de juiste persoon had aangeklopt. Iemand die op zoek zou gaan naar de waarheid zonder er bij voorbaat van uit te gaan dat Mack een moordenaar was.

38

Vergezeld door zijn advocaat, Paul Murphy, ging Nick DeMarco op donderdagmiddag weer naar het bureau van de opsporingsdienst van de officier van justitie. Deze keer was de sfeer in het kantoor van commissaris Ahearn ronduit vijandig. Er werden geen handen geschud en niemand bedankte hem omdat hij meteen op het telefoontje waarin hij was verzocht zo gauw mogelijk te komen, had gereageerd.

Maar Nick had andere problemen. Op dinsdagmorgen was hij, nadat zijn moeder hem dodelijk ongerust had opgebeld om hem te vertellen dat zijn vader met pijn in zijn borst naar het ziekenhuis was gebracht, al heel vroeg naar Florida gevlogen. Toen hij er aankwam, had onderzoek uitgewezen dat er nog niets ernstigs aan de hand was, maar zijn vader moest in het ziekenhuis blijven om een eventuele hartaanval te voorkomen. Toen hij de ziekenkamer binnenkwam, had zijn moeder hem innig omhelsd en geroepen: 'O, Nick, ik dacht dat we hem zouden verliezen!'

Zijn vader, een oudere uitgave van hemzelf, zat met een bleek gezicht tegen een stapel kussens, met een zuurstofslang in zijn neus en een infuus in zijn hand. 'Nick, ik haat ziekenhuizen,' was het eerste wat hij met een somber gezicht tegen Nick had gezegd. 'Maar misschien is dit minder erg dan ik dacht. In de ambulance dacht ik aan allerlei dingen die ik tegen je had willen zeggen, maar je moeder wilde niet dat ik ze uitsprak. Nu doe ik dat toch. Ik ben achtenzestig. Ik heb sinds mijn veertiende gewerkt. Voor het eerst van mijn leven voel ik me nutteloos en dat vind ik afschuwelijk.'

'Papa, ik had een restaurant gekocht dat jij mocht runnen!' had Nick geprotesteerd. 'Jij wilde zelf met pensioen!'

'Jawel, je had dat restaurant hier gekocht, maar je had moeten weten dat het niets voor mij was. Ik voelde me daar volkomen misplaatst en ik vond het verschrikkelijk dat je er met je vaste lasten en dure liflafjes zo veel geld aan kwijt was. Ik heb al heel wat van dat soort tenten zien komen en gaan. Doe jezelf een plezier en verkoop die tent, of zet anders een paar fatsoenlijke gerechten op het menu die mensen lekker vinden als ze geen trek hebben in ganzenleverpastei en kaviaar.’

‘Kalm nou maar, Dominick,’ had zijn moeder gesust.

‘Niks kalm nou maar. Dit moet me van het hart voordat mijn hart eronder bezwijkt. Vrijgezel van de maand! Ik vond het afschuwelijk dat je daar zo blij mee was. Je zou haast denken dat het de eremedaille van het Congres was. Nu ik er nog ben om je te waarschuwen: hou op met die onzin!’

‘Ik hoor wat je zegt, papa. En je mag het geloven of niet, maar deze keer luister ik naar je. Vertel me dan maar wat je wél wilt. Wat ik wél voor je kan doen.’

‘Ik wil niet golfen en ik wil niet in een duur appartement wonen waar ze me met een golfbal een gat in mijn hoofd kunnen slaan omdat het naast de zestiende hole ligt.’

‘Dat kunnen we oplossen, papa. Wat nog meer?’

De verwijtende blik van zijn vader was Nick bijgebleven.

‘Je bent tweeëndertig. Word eens volwassen. Wees de zoon op wie we zo trots waren. Laat die vrouwen die je in bars ontmoet voortaan met rust. Verkoop trouwens die bar, je krijgt er nog eens last mee. Zoek een aardig meisje. Je moeder en ik lopen tegen de zeventig. We waren al vijftien jaar getrouwd toen God ons eindelijk blij maakte met een zoon. Laat ons niet vijftien jaar wachten voordat je ons blij maakt met een kleinkind.’

Nick dacht aan dat gesprek terug toen hij en zijn advocaat plaatsnamen op de harde stoelen voor het bureau van commissaris Ahearn. Rechercheur Barrott en rechercheur Gaylor zaten aan weerskanten van de commissaris.

Een vuurpeloton, dacht Nick. Hij wierp een blik op zijn advocaat en zag dat Murphy hetzelfde dacht.

‘Meneer DeMarco,’ begon Ahearn, ‘u hebt ons niet verteld dat u ook in het bezit bent van een Mercedes 550 sedan, die u alleen gebruikt wanneer u zich door uw chauffeur laat rijden.'

Nick fronste zijn wenkbrauwen. 'Wacht even. Als ik het me goed herinner, vroeg u naar de auto's die ik zelf bestuur. Ik zit nooit achter het stuur van de sedan. Als ik zelf rijd, gebruik ik de cabriolet of de SUV.'

'U hebt ook niet gezegd dat u een chauffeur in dienst hebt.'

'Het kwam niet bij me op dat ik u dat hoorde te vertellen.'

'Dan bent u in gebreke gebleven, meneer DeMarco,' zei Ahearn. 'Vooral omdat uw chauffeur, Benny Seppini, een crimineel verleden heeft.'

Zonder opzij te kijken, wist Nick dat Paul Murphy zich afvroeg waarom hij hem dat niet had verteld.

'Benny is achtenvijftig,' legde Nick uit. 'Toen hij klein was, woonde hij niet thuis en in zijn tienerjaren was hij lid van een straatbende. Op zijn zeventiende werd hij wegens inbraak als een volwassene berecht en voor vijf jaar naar de gevangenis gestuurd. Toen hij vrijkwam, heeft mijn vader hem in dienst genomen. Dat was vijfendertig jaar geleden. Hij is een fatsoenlijke, goeie kerel.'

'Tien jaar geleden kreeg hij een straatverbod omdat hij zijn ex-vrouw lastigviel,' zei Ahearn bars.

'Benny's eerste vrouw is jong gestorven. Zijn tweede vrouw wilde hem dwingen hun appartement op haar naam te zetten. De klacht die ze over hem indiende, was een verzinsel en ze trok hem in toen ze het appartement had gekregen.'

'Hm. Meneer DeMarco, wandelt u overdag vaak door Greenwich Village?'

'Natuurlijk niet, ik ben zakenman.'

'Had u Leesey Andrews voor vorige week maandag al eens eerder gezien?'

'Niet voor zover ik weet.'

'Dan zal ik u eens een foto laten zien, meneer DeMarco.' Ahearn knikte tegen Barrott, die de verscherpte foto's die Leeseys huisgenote had genomen naar Nick en Murphy toe schoof.

'Herkent u de man op de achtergrond op de tweede foto, meneer DeMarco?' vroeg Barrott.

'Natuurlijk zie ik dat ik dat ben,' antwoordde Nick geërgerd. 'Ik weet nog dat ik die dag een lunchafspraak had met een makelaar. Ik denk erover om onroerend goed te kopen in de buurt van die oude spoorlijn daar. Als die buurt straks wordt opgeknapt, zullen de prijzen omhoogschieten. Ik zag overal paparazzi en ging kijken wat er aan de hand was, en toen zag ik Brad Pitt en Angelina Jolie lopen.'

'Waar hebt u toen geluncht?'

'In Casa Florenza, om de hoek van de plaats waar deze foto is genomen.'

'En u zegt dat het u is ontgaan dat Leesey Andrews daar door haar vriendin is gefotografeerd?'

'Dat zég ik niet alleen, dat héb ik helemaal niet gezien!' zei Nick fel.

'Hebt u de rekening van die lunch nog?' vroeg Gaylor op een toon alsof het hem zou verbazen als Nick die daadwerkelijk zou hebben.

'Nee, die heb ik niet. Die makelaar wil me onroerend goed verkopen, dus heeft hij betaald. Als het hem lukt, zal hij met zijn commissie nog heel lang zijn benzine kunnen betalen.'

'Hoelang zult u nog de benzine voor al uw auto's kunnen betalen, meneer DeMarco?' vroeg Ahearn. 'U zit financieel behoorlijk krap, nietwaar?'

'Wat hebben de zaken van meneer DeMarco te maken met de reden dat we hier zitten?' vroeg Paul Murphy.

'Misschien niets,' antwoordde Ahearn. 'Maar misschien ook alles. Als de staat besluit de alcoholvergunning van de Woodshed in te trekken, denk ik niet dat uw cliënt rijk zal worden van de verkoop van lolly's. En u kunt me op mijn woord geloven als ik u zeg dat we een reden zullen vinden om die vergunning te laten intrekken als we ook maar vermoeden dat meneer DeMarco niet helemaal eerlijk tegen ons is.'

Ahearn keek weer naar Nick. 'Hebt u het geheime telefoonnummer van het appartement van de familie MacKenzie in Sutton Place?'

'Tenzij ze een ander nummer hebben gekregen, heb ik dat vast wel ergens liggen. Ik weet nog dat ik mevrouw MacKenzie heb gebeld nadat haar man op 11 september was verongelukt.'

'Denkt u dat Leesey Andrews dood is?'

'Ik hoop het niet. Dat zou bijzonder tragisch zijn.'

'Weet u of ze nog leeft?'

'Wat is dat voor ongelooflijk rare vraag?'

'We gaan, Nick.' Murphy stond al.

Ahearn negeerde hem. 'Meneer DeMarco, bent u in het bezit van een mobiele telefoon die niet op uw naam staat, met een prepaidkaart erin, van het soort dat gokkers en criminelen gebruiken?'

'Zo is het genoeg! We hoeven die goedkope insinuaties van u niet langer aan te horen!' schreeuwde Murphy.

Larry Ahearn deed alsof hij het niet had gehoord. 'En heeft uw bezorgde chauffeur ook zo'n telefoon, meneer DeMarco? En zo ja, heeft hij dan gereageerd op uw paniekerige telefoontje dat hij Leesey uit uw zolderappartement moest komen halen? En als ze op dat moment nog niet dood was, heeft hij toen besloten haar voor zijn eigen vermaak nog een poosje in de buurt te houden? En als dat zo was, heeft hij u dan van haar welzijn op de hoogte gehouden?'

Nick stond al bijna met gebalde vuisten bij de deur toen hij Ahearns laatste vraag hoorde: 'Of probeert u de huisgenoot uit uw studententijd, Mack MacKenzie, in bescherming te nemen of anders zijn knappe zus te helpen hem te beschermen? U had immers afgelopen vrijdag een afspraakje met haar?'

39

Na mijn bezoek aan Lucas Reeves ging ik naar Elliott in het kantoor van Thurston Carver in het MetLife gebouw. Ik besefte meteen dat ik Carver, toen ik nog voor rechter Huot werkte, wel eens in de rechtbank had gezien. Hij was een forse man en omdat ik hem schatte op hooguit vijfenvijftig, vermoedde ik dat zijn dikke bos haar vroegtijdig grijs was geworden.

Mijn gesprek met Reeves had me gesterkt en ik vertelde Carver wat Reeves tegen me had gezegd. Mack werd vermist. Dat hij elk jaar op Moederdag belde, was algemeen bekend en degene die Leesey Andrews had ontvoerd, probeerde door zijn telefoontjes Mack tot mogelijke dader te bestempelen.

Elliott, die er moe en heel bezorgd uitzag, vond dat meteen een aannemelijke verklaring. Hij zei dat mijn moeder de avond daarvoor, toen ze in zijn appartement aankwamen, zo van streek was dat ze was ingestort en zo hard had gehuild dat hij zich ernstig zorgen om haar maakte. 'Gisteravond drong het tot me door dat Olivia er altijd van overtuigd is geweest dat Mack geestelijk in de war is geraakt en daarom is verdwenen,' zei hij tegen Carver. 'Maar nu gelooft ze dat hij, als hij deze verdwijningen op zijn geweten heeft, krankzinnig is geworden en waarschijnlijk wordt doodgeschoten wanneer de politie hem vindt.'

'En daar geeft ze mij de schuld van,' zei ik.

'Carolyn, ze moet íémand de schuld geven, maar dat

houdt ze niet vol. Dat weet jij ook.'

Jij bent al die tijd mijn steun en toeverlaat geweest, had mama vorige week tegen me gezegd, nadat Mack op Moederdag had gebeld. Ik vertrouwde er nog steeds op dat ze op een bepaald moment zou begrijpen waarom ik de toestand met Mack op de een of andere manier wilde afsluiten. Intussen had ze Elliott om haar bij te staan, en ik was hem zielsdankbaar voor zijn steun. Toen ik daar in dat fraai betimmerde kantoor van Thurston Carver zat, werd ik me ervan bewust dat ik, hoe deze zaak ook zou aflopen, de jaloezie die ik had gevoeld wanneer ik eraan dacht dat Elliott bij mijn moeder de plaats van mijn vader zou innemen, had laten varen.

Later die dag belde ik Bruce Galbraith. Nadat ik eindeloos lang had gewacht, kwam hij aan de lijn en stemde er met tegenzin in toe dat ik vrijdagmiddag naar zijn kantoor zou komen om met hem te praten. 'Maar ik moet je alvast waarschuwen, Carolyn,' zei hij, 'dat ik sinds de dag waarop Mack is verdwenen nooit meer iets van hem heb gehoord. Ik begrijp eigenlijk niet wat ik je nog kan vertellen.'

Ik schrok van het venijn in zijn stem, maar ik gaf hem niet het antwoord dat op het puntje van mijn tong lag: ik zou wel eens willen weten waarom je Mack zo haat.

Op vrijdagmiddag bracht de receptioniste me naar het kantoor van Galbraith. Het lag op de drieënzestigste verdieping van zijn gebouw in de Avenue of the Americas en bood een panoramisch uitzicht over de stad. Het enige uitzicht dat er volgens mij aan kan tippen, is dat vanuit de Rainbow Room in het Rockefeller Center.

Ik kon me Bruce nog maar vaag herinneren. Toen mijn ouders tijdens de speurtocht naar Mack steeds heen en weer reden naar zijn appartement, hadden ze mij erbuiten gehouden. Ik herinnerde me vaag dat Bruce rossig haar had en een bril droeg.

Hij begroette me beleefd en hij ging niet op de stoel achter zijn bureau zitten, maar op een van de twee identieke leren stoelen aan weerskanten ervan. Hij begon het gesprek met me zijn medeleven te betuigen omdat de kranten de verdwijning van Leesey Andrews met die van Mack in verband hadden gebracht. 'Ik kan me voorstellen hoe je moeder daaronder lijdt,' zei hij. Hij zweeg even en voegde eraan toe: 'En jij ook, natuurlijk.'

'Bruce,' zei ik, 'je begrijpt zeker wel dat ik niet alleen wanhopig probeer Mack te vinden, maar ook dat ik, of ik hem vind of niet, zijn naam wil zuiveren door te bewijzen dat hij niets met die verdwenen vrouwen te maken heeft.'

'Dat begrijp ik heel goed,' zei hij. 'Maar jij moet begrijpen dat Mack, Nick en ik een appartement deelden en meer niet. Mack en Nick waren vrienden. Ze brachten veel tijd samen door en gingen samen met meisjes uit. Nick kwam vaak bij jullie eten. Je kunt je vragen beter aan hem stellen dan aan mij. Ik kan je niet meer vertellen dan onze andere jaargenoten van Columbia.'

'En Barbara?' vroeg ik. 'Zij is ook een keer bij ons komen eten. Ik dacht dat ze Nicks vriendin was, maar Nick heeft me verteld dat ze verliefd was op Mack en dat ze na Macks verdwijning met jou is getrouwd. Heb je ooit met haar over Mack gepraat? Zou zij enig idee hebben over zijn geestestoestand vlak voordat hij verdween?'

'Na alle recente publiciteit over Mack hebben Barbara en ik vanzelfsprekend over hem gepraat, en ze begrijpt net zomin als ik waarom ze denken dat hij iets met de een of andere misdaad te maken heeft. Ze zei dat hij dan beslist niet meer de persoon zou zijn die zij kende.'

Hij klonk kalm, maar ik zag dat er vanuit zijn hals een blos omhoog kroop naar zijn wangen. Hij haat Mack inderdaad, dacht ik. Is hij jaloers? En zo ja, hoe ver zou hij in zijn jaloezie gaan? Hij was heel gesloten, heel beheerst, een onopvallende man die, te oordelen naar zijn succes, een buitengewoon goede makelaar was. Prompt zag ik Mack voor me, met zijn knappe gezicht, geweldige gevoel voor humor en grote charme.

En ik herinnerde me dat Mack de lijst van de tien beste studenten nog net had gehaald en Galbraith net niet. Dat moet Bruces ego een knauw hebben gegeven, dacht ik. En na Macks verdwijning was Barbara, het meisje dat volgens Nick verliefd was geweest op Mack, met Bruce getrouwd, misschien wel om dankzij hem verder te kunnen studeren...

'Ik heb Barbara jaren geleden bij mij thuis ontmoet,' zei ik. 'Ik zou het fijn vinden als ik ook met haar kon praten.'

'Het spijt me, maar dat kan niet,' zei Galbraith kalm. 'Haar vader is erg ziek. Hij woont op Martha's Vineyard. Ze is er met de kinderen naartoe gevlogen om de laatste weken van zijn leven bij hem te zijn.' Hij stond op en ik begreep dat het gesprek was afgelopen. Hij liep met me mee naar de receptie en we gaven elkaar een hand. Het viel me op dat hij met zijn hand over zijn broekspijp wreef voordat hij hem uitstak, en hij was nog steeds klam van het zweet. Een onopvallende man in een duur pak, met uitdrukkingsloze ogen.

Het schoot me weer te binnen dat Nick hem de Lone Stranger had genoemd.

40

Als er iemand was aan wie Lil Kramer een grotere hekel had dan Howard Altman, was dat Steve Hockney, de neef van Derek Olsen. Daarom raakte Lil, toen hij vrijdagmorgen bij haar aanbelde, meteen van haar stuk. Ze hadden de raad van Howie – dat het niet verstandig was zo snel naar Pennsylvania te vertrekken, omdat het dan leek alsof ze iets te verbergen hadden – dankbaar aangenomen. Maar Lil wist maar al te goed dat Olsen beurtelings de voorkeur gaf aan zijn neef Steve en zijn assistent Howard, en toen ze Steve voor de deur zag staan, sloeg de schrik haar om het hart.

Howie is weer eens uit de gratie en Steve neemt het van hem over, dacht ze. Ze was blij dat Gus naar boven was gegaan om het filter in een paar airconditioningapparaten te vervangen. Hij was in een slecht humeur omdat een van de studenten de afgelopen nacht bier had gemorst op de trap tussen de tweede en derde verdieping en hij die schoon had moeten boenen.

'Ze hebben een heel vat naar boven gesleept,' had hij gegromd, vlak voordat Steve aanbelde. 'Het bier is over de hele trap gestroomd. Ze hadden er niks van gekregen als ze dat zelf even hadden opgedweild.'

Het is maar goed dat Gus het heeft gezien voordat Steve binnenkwam, dacht Lil. Want Steve gaat straks natuurlijk uitgebreid de gangen en trappen inspecteren in de hoop iets te vinden wat hem niet bevalt. Misschien zou het toch wel fijn zijn het niet eeuwig zo druk te hebben. Ze deed haar best om beleefd te zijn en vroeg of Steve binnen wilde komen, en ze bood hem een kop thee aan. Met een brede glimlach beende hij langs haar heen.

Hij is wel knap om te zien, dacht ze, en dat weet hij. Maar hij vond zichzelf een geweldige kerel en toen hij een jaar of twintig was, had Olsen hem een paar keer uit een netelige situatie moeten redden. Hij was zelfs een keer bijna in de gevangenis beland. En nu stond hij daar met een brutale glinstering in zijn ogen. Hij wilde geen thee en ging meteen op de bank zitten, met zijn arm op de rugleuning en zijn ene been over het andere geslagen.

'Mijn oom is vorige maand drieëntachtig geworden, Lil,' begon hij.

'Dat weet ik,' zei ze. 'We hebben hem een kaart gestuurd.'

'Dan ben je beter dan ik,' zei hij en hij glimlachte weer. 'Maar ik vind wel dat het hoog tijd is dat ik een deel van zijn zaken van hem overneem. Je kent hem, dus weet je dat hij niet laat merken dat hij het best wat kalmer aan zou willen doen, maar ik zie dat hij voor sommige dingen te oud wordt. Ik zie ook dat Howie Altman hem de laatste tijd op zijn zenuwen werkt.'

'Wij kunnen het goed met Howie vinden,' zei Lil voorzichtig.

'Maar hij dringt er toch voortdurend op aan dat jullie naar een kleiner appartement moeten verhuizen?'

'Nu niet meer.'

'Hij is een eigengereide kerel. Ik weet dat mijn oom naar jullie zou luisteren als jullie hem zouden vertellen hoe gemeen Howie soms tegen jullie is.'

'Waarom zou ik problemen veroorzaken terwijl het mij geen spat aangaat hoe meneer Olsen over Howard denkt?'

'Omdat ik jullie hulp nodig heb, Lil. Je bent blijkbaar vergeten dat ik in dit gebouw was toen Mack MacKenzie jou ervan leek te beschuldigen dat je zijn horloge had gestolen. Dat was een paar dagen voordat hij verdween.'

Lil trok wit weg en stamelde: 'Hij heeft dat horloge teruggevonden en me zijn verontschuldigingen aangeboden.'

'Heeft iemand dat gehoord?'

'Dat weet ik niet. Nee, dat denk ik niet.'

Hockney stond soepel op van de bank. 'Lil, dat van die verontschuldiging lieg je. Dat zie ik. Maar je hoeft niet bang te zijn. Ik heb niemand ooit iets over dat horloge verteld en dat zal ik ook niet doen. Maar we mogen Howie niet, hè Lil? Ik zal trouwens tegen oom Derek zeggen dat dit gebouw de parel aan zijn kroon is, dankzij de inspanningen van jou en Gus.'

41

Derek Olsen was bij lange na niet de norse, nukkige oude man die hij volgens zijn neef Steve en zijn manager Howie was. Hij was een slimme investeerder, die tot zijn voldoening had geconstateerd dat zijn strategisch gelegen appartementengebouwen hem inmiddels een fortuin van miljoenen dollars hadden opgeleverd. En nu was hij tot de slotsom gekomen dat het tijd was om zijn onroerende goederen van de hand te doen.

Op vrijdagmorgen belde hij Wallace & Madison en vroeg kortaf naar Elliott Wallace. Elliotts secretaresse, die aan Olsens manier van doen gewend was, verspilde geen tijd door hem te vertellen dat meneer Elliott op weg was naar een belangrijke vergadering, maar vroeg of hij even wilde wachten en rende de gang in om Elliott op weg naar de lift staande te houden. 'Olsen aan de lijn,' zei ze.

Met een vermoeide zucht liep Elliott terug naar zijn kantoor en pakte de hoorn. 'Derek, hoe gaat het?' vroeg hij op hartelijke toon.

'Goed. Die zogenaamde neef van je zit weer eens in de problemen, zie ik.'

'Je weet net zo goed als ik dat Mack al tien jaar weg is. Het is belachelijk dat de politie hem die misdaden in de schoenen wil schuiven. Wat kan ik voor je doen?'

'Hij heeft me een hoop last bezorgd toen hij uit een van mijn appartementen verdween. Maar daarom bel ik niet. Ik ben vorige maand drieëntachtig geworden. Het is tijd dat ik alles verkoop.'

'Dat raad ik je al vijf jaar aan.'

'Als ik alles vijf jaar geleden had verkocht, had ik er niet voor gekregen wat ik er nu voor zal krijgen. Ik wil met je praten. Maandagmorgen, tien uur. Komt je dat uit?'

'Maandagmorgen om tien uur is goed,' zei Elliott vriendelijk. Toen hij zeker wist dat Olsen de verbinding verbroken had, legde hij de hoorn met een smak op het toestel. 'Je moet alle afspraken van maandag verzetten,' snauwde hij tegen zijn secretaresse toen hij opnieuw naar de lift liep.

Ze keek hem met een meelevende blik na. Op dat tijdstip had hij een vergadering gepland om te beslissen wie de positie van Aaron Klein in de firma zou overnemen. Nadat Klein vier dagen thuis was gebleven, had hij opgebeld met de mededeling dat hij zijn ontslag indiende omdat hij niet langer kon samenwerken met iemand die de moordenaar van zijn moeder de hand boven het hoofd hield.

42

Gregg Andrews had een routine voor zichzelf vastgesteld en daar hield hij zich aan. Nadat zijn dienst in het ziekenhuis erop zat, ging hij rechtstreeks naar huis, at iets en ging naar bed. Zijn wekker stond op één uur 's nachts. Om een uur of twee zat hij achter een biertje in de Woodshed en daar bleef hij tot sluitingstijd. Daarna ging hij in zijn auto zitten, een eindje verderop in de straat, en controleerde de volgorde waarop de kelners, barbedienden en musici naar buiten kwamen en of dat inderdaad vlak na elkaar was en steeds met meerderen tegelijk, zoals volgens hun verklaringen in de nacht van Leeseys verdwijning was gebeurd.

De afgelopen drie nachten was hij vervolgens van de bar naar Leeseys appartement gelopen, een afstand van ongeveer anderhalve kilometer, en had iedereen die hij tegenkwam aangehouden met de vraag of ze daar in de nacht van Leeseys verdwijning ook hadden gelopen en haar misschien hadden gezien. Tot nu toe had dat niets opgeleverd.

In de vierde en vijfde nacht reed hij door de hele buurt, voor het geval dat hij lopend niet de kortste weg had genomen.

Op zaterdagmorgen om half vier wilde hij, nadat het personeel van de Woodshed de voordeur op slot had gedaan, net wegrijden om nogmaals de buurt te verkennen toen er iemand op het portierraampje klopte. Een man met een vuil gezicht en verward haar keek hem aan. Gregg vermoedde dat hij geld wilde hebben en liet het raampje een paar centimeter zakken.

'Jij bent de broer,' zei de man met schorre stem. Hij stonk zurig naar drank. Gregg leunde onwillekeurig iets achteruit. 'Dat klopt.'

'Ik heb haar gezien. Beloof je me dat ik de beloning krijg?'

'Als je me kunt helpen mijn zus te vinden, ja.'

'Schrijf mijn naam op.'

Gregg haalde een blocnote uit het dashboardkastje.

'Zach Winters. Ik woon in het daklozenhuis in Mott Street.'

'En je denkt dat je mijn zus hebt gezien?'

'Ja, in de nacht dat ze verdween.'

'Waarom heb je je niet eerder gemeld?'

'Niemand gelooft mensen zoals ik. Als ik zeg dat ik haar heb gezien, zeggen ze voordat je het weet dat ik haar kwaad heb gedaan. Zo gaat het.' Winters legde een smerige hand op de auto om niet om te vallen.

'Als dat wat je me kunt vertellen ons helpt om mijn zus te vinden, zal ik je de beloning persoonlijk komen brengen. Wat heb je gezien?'

'Ze kwam als laatste klant naar buiten. Ze liep de straat in.' Hij wees. 'Toen kwam er een grote SUV aanrijden en die stopte naast haar.'

Gregg voelde zijn maag ineenkrimpen. 'Werd ze gedwongen in te stappen?'

'Nee, helemaal niet. Ik hoorde de chauffeur "hallo Leesey" roepen en toen stapte ze zelf in.'

'Kun je me het merk van die auto vertellen?'

'Jawel, hoor. Het was een zwarte Mercedes.'

43

Op zaterdagmorgen werd hij overmand door een van zijn zeldzame aanvallen van spijt. Hij schaamde zich verschrikkelijk voor zijn daad. Ik had niet verwacht dat ik ooit weer iemand zou vermoorden, dacht hij. Ik was bang. Na de eerste keer heb ik mijn best gedaan om me goed te gedragen. Maar daarna is het nog twee keer gebeurd. Toen heb ik nog steeds geprobeerd ermee op te houden. Maar dat lukte me niet. En toen heeft hij me weer gedwongen het nog een keer te doen. En nog een keer. Daarna was er geen houden meer aan.

Soms wil ik het tegen hem zeggen. Maar dat zou stom zijn, en ik ben niet gek.

Ik heb een idee waar ik over nadenk. Het zou gevaarlijk zijn, maar dat is het altijd geweest. Ik weet dat ze me op een dag te pakken zullen krijgen. Maar dan laat ik me niet naar de gevangenis sturen. Dan doe ik het op mijn eigen manier en neem degenen die toevallig in de buurt zijn mee.

Ik heb die telefoon sinds woensdagavond niet meer aangeraakt. Ik zal zondag weer bellen.

Het is een heel goed idee.

Daarna zoek ik iemand anders.

Ik kan er nog niet mee ophouden.

44

Zaterdagmorgen in alle vroegte belde Gregg Andrews Larry Ahearn op zijn mobiel en vertelde hem opgewonden dat iemand Leesey in de nacht dat ze verdween in een zwarte Mercedes SUV had zien stappen. 'Ze kende de chauffeur,' zei Gregg, hees van vermoeidheid en spanning. 'Hij riep haar naam en ze stapte meteen in.'

In de ongeveer twaalf dagen na de verdwijning van Leesey Andrews had Ahearn elke nacht niet meer dan een uur of vier geslapen. Toen zijn mobiel rinkelde, lag hij uitgeput nog in een diepe slaap. Moeizaam werd hij wakker en keek op de klok. 'Gregg, het is pas halfvijf! Waar ben je?'

'Ik ben onderweg naar huis. Ik heb Zach Winters, een zwerver, bij me. Hij is dronken. Ik zal hem in mijn appartement zijn roes laten uitslapen en dan neem ik hem mee naar je bureau. Ik denk dat hij niet meer weet dan wat ik je al heb verteld, maar het is onze eerste betrouwbare aanwijzing. Die nachtclubeigenaar, die Leesey vroeg bij hem aan zijn tafeltje te komen zitten, wat voor auto heeft hij?'

Nick DeMarco reed die nacht in zijn SUV, dacht Ahearn. Hij heeft ons verteld dat dat was omdat zijn golfclubs erin lagen. Ik weet niet meer of hij erbij heeft gezegd welke kleur die auto heeft. Opeens was hij klaarwakker. Hij ging rechtop zitten, stapte uit bed, verliet de slaapkamer en deed de deur achter zich dicht. 'DeMarco heeft minstens drie auto's,' antwoordde hij voorzichtig. 'Eerst moeten we uitzoeken of zijn SUV een zwarte Mercedes is. Ik geloof het wel. Maar we moeten de achtergrond van deze getuige ook onderzoeken, Gregg. Hij heet Zach Winters, zei je?'

'Ja.'

'We zullen zijn verleden nagaan. Wees in elk geval voorzichtig als je hem meeneemt naar huis. Hij is waarschijnlijk alcoholist.'

'Dat is hij ook, maar dat kan me niets schelen. Misschien

herinnert hij zich als hij wakker wordt nog iets meer over Leesey. O, mijn god!'

'Gregg, wat is er?'

'Ik val in slaap, Larry. Ik ben bijna tegen een taxi aan gereden die me inhaalde. Ik zie je om een uur of tien op je bureau.'

Ahearn hoorde aan de klik dat Gregg de verbinding had verbroken.

De slaapkamerdeur ging open. Sheila, de vrouw van Larry, knoopte de ceintuur van haar ochtendjas dicht en zei kalm: 'Ik zal koffiezetten terwijl jij een douche neemt.'

Een uur later zat Larry met Barrott en Gaylor op kantoor. 'Het klinkt verdacht,' zei Barrott ronduit.

Gaylor knikte. 'Ik denk dat als die vent, hoe heet hij ook alweer, Zach Winters, die avond inderdaad in de straat van de Woodshed rondzwierf, hij te dronken was om te kunnen zien wat er gebeurde, laat staan dat hij kon verstaan wat er werd gezegd. Ik wil er alles onder verwedden dat hij alleen maar probeert die beloning in de wacht te slepen.'

'Zo denk ik er ook over,' beaamde Ahearn. 'Maar laten we hem toch ondervragen. Gregg zei dat hij hem om een uur of tien mee zou brengen.'

Gaylor las zijn aantekeningen door. 'De eerste keer dat DeMarco hier was, zei hij dat zijn SUV in de garage van zijn zolderappartement stond, omdat hij de volgende morgen zijn golfclubs mee naar het vliegveld wilde nemen.' Hij keek Barrott en Ahearn om beurten aan. 'Zijn SUV is een zwarte Mercedes,' voegde hij er zakelijk aan toe.

'Dus is hij misschien vanuit de Woodshed naar dat appartement gegaan om zijn auto op te halen en ermee terug te rijden om te proberen of hij Leesey kon oppikken.' Ahearn klemde zijn lippen opeen tot een smalle streep. 'Ik vind dat het tijd is om DeMarco het vuur na aan de schenen te leggen en de media te laten weten dat we met betrekking tot Leeseys verdwijning bijzonder veel belangstelling voor hem hebben.'

Barrott sloeg het dossier MacKenzie open. 'Moet je horen, Larry. De eerste keer dat de vader na de verdwijning van zijn zoon naar dit bureau kwam, hebben ze opgeschreven wat hij zei. "Mack heeft geen reden om ervandoor te gaan. Het gaat prima met hem. Hij is afgestudeerd als een van de tien besten van zijn jaar. Gaat rechten studeren aan Duke. Ik heb hem een Mercedes SUV cadeau gedaan, waar hij dolblij mee was. Er stond nog maar een paar honderd kilometer op de teller toen hij verdween."'

'En?' zei Ahearn.

'Hij heeft die auto in de garage laten staan.'

'Heb je gevraagd naar de kleur?'

'Zwart. Ik vraag me af of Mack nog steeds een voorkeur voor dat merk heeft.'

'Wat is er met de auto gebeurd die zijn vader hem cadeau had gedaan?'

'Dat weet ik niet. Misschien kan zijn zus ons dat vertellen.'

'Bel haar,' beval Ahearn.

'Het is nog niet eens zes uur,' waarschuwde Gaylor.

'Wij zijn toch ook al op?' zei Barrott.

'Wacht even.' Ahearn hief zijn hand op. 'Roy, heb jij Carolyn MacKenzie gevraagd je het briefje te geven dat haar broer in het collectemandje had gestopt?'

'Dat overhandigde ze me toen ze twee weken geleden naar me toe kwam,' begon Barrott op verontschuldigende toon. 'En toen heb ik het haar teruggeven. Het was een vodje papier met elf in blokletters geschreven woorden erop. Het leek me geen zin hebben het te onderzoeken. We hebben geen vingerafdrukken van haar broer. Het was aangeraakt door haar oom, de priester, door minstens één collectant in de kerk, door Carolyn MacKenzie zelf en door haar moeder.'

'Waarschijnlijk heeft het inderdaad geen zin, maar ik wil een dagvaarding voor dat briefje en ook voor de band die ze je onlangs weigerde te geven. Bel Carolyn nu maar op en vraag wat er met de auto van haar broer is gebeurd. Ik vermoed dat ze die na een paar jaar hebben verkocht.'

Barrott moest zichzelf stiekem bekennen dat het hem voldoening gaf Carolyn MacKenzie zo vroeg uit bed te moeten bellen. Doordat ze maandagavond had geweigerd de band voor hem af te spelen of aan hem te geven, was hij ervan overtuigd dat ze haar broer wilde beschermen. Het deed hem ook genoegen dat ze na de eerste beltoon opnam, waardoor hij aannam dat ze niet goed had geslapen. Nou ja, wij ook niet, dacht hij. Hij praatte kort met haar en Ahearn en Gaylor zagen aan de verbaasde uitdrukking op zijn gezicht dat de zaak een onverwachte wending had genomen.

Toen hij het gesprek had beëindigd, zei Barrott: 'Ze zal haar advocaat raadplegen. Als hij het goedvindt, zal ze me de band en het briefje overhandigen. Jullie hebben waarschijnlijk wel gehoord dat ik zei dat hij dat beslist goed zal vinden.'

'En die SUV van haar broer?'

'Dit zullen jullie niet geloven. Die auto is ongeveer acht maanden na Macks verdwijning uit de garage van het appartement in Sutton Place gestolen.'

'Gestolen?' riep Gaylor.

'Zijn er toen nog meer auto's gestolen?' vroeg Ahearn meteen.

'Nee, dat was de enige. Het is geen grote garage. De jongen die hem die nacht moest bewaken, was omstreeks middernacht in slaap gevallen. Hij werd wakker met een zak over zijn hoofd, plakband op zijn mond en vastgeketend aan zijn stoel. Toen ze hem vonden, was de SUV verdwenen.'

De drie mannen keken elkaar aan. 'Als Mack toen zijn

eigen auto heeft gestolen, kan het zijn dat hij er nog steeds in rondrijdt,' zei Gaylor. 'De Mercedes van mijn schoonvader is al twintig jaar oud.'

'En als hij er nog in rondrijdt en als die dronkaard de waarheid spreekt, bestaat de kans dat Leesey bij MacKenzie in de auto is gestapt en niet bij DeMarco,' zei Larry Ahearn somber. 'Maar goed, laten we eerst voor die dagvaardingen zorgen. Misschien maakt die band van MacKenzie en zijn toneeldocente ons iets wijzer.'

45

Howard Altman wist maar al te goed dat hij niet onvoorwaardelijk op zijn baas kon rekenen, maar hij merkte pas dat er iets goed mis was toen meneer Olsen op zaterdagmorgen niet met hem wilde brunchen. Het was hem opgevallen dat Olsen een nieuwe Montblanc pen gebruikte en hij vermoedde dat het een cadeau van Steve Hockney was, Olsens neef.

Steve bakt zoete broodjes om de ouwe te paaien, dacht hij verbitterd. Het is net iets voor Olsen om zijn hele bedrijf aan zijn neef na te laten en het eerste dat Steve zal doen, is mij de laan uit sturen. Daarna verkoopt hij alle appartementen en steekt het geld in zijn zak.

Hijzelf woonde in Ninety-fourth Street in een van de kleinste appartementengebouwen die Olsen bezat. Het was vier verdiepingen hoog, met maar twee appartementen per verdieping. De meeste huurders woonden er al jaren. Howards appartement lag op de begane grond en was daar het enige. Het was karig gemeubileerd en zag er akelig netjes uit, met in de woonkamer een televisiescherm met een doorsnee van een meter vijftig. Howard bracht zijn avonden door met zijn twee favoriete bezigheden: op televisie een film zien of op het internet chatten met vrienden over de hele wereld. Hij vond zijn internetvrienden een stuk interessanter dan de mensen die hij dagelijks ontmoette.

Hij kon goed koken en maakte voor zichzelf altijd een lekkere maaltijd klaar. Terwijl hij naar een film keek, dronk hij een paar glazen wijn en at vanaf een opklaptafeltje. Na het eten zette hij de tv uit en ging naar zijn computer, die in de slaapkamer stond.

Howard was erg gesteld op zijn appartement, dat bij zijn baan hoorde. En hij hield van zijn baan, vooral nu hij het beheer mocht voeren over alle gebouwen van Olsen. Ik heb het verdiend, hield hij zichzelf voor. Ik heb deze baan gekregen omdat ik heb bewezen wat ik kan. Ik kan alles maken wat kapot is. Ik kan een muur bouwen om een grote kamer in tweeën te delen. Ik kan leidingen vervangen en kasten timmeren. Ik kan schilderen, behangen en vloeren schuren. Daarom heeft Olsen me steeds promotie laten maken. Maar wat zal er met me gebeuren als hij alles nalaat aan Steve?

Hij kon de vraag niet uit zijn hoofd krijgen. Hij kon zich niet concentreren op de film die hij in de dvd-speler had gestopt. Wat kon hij doen om ervoor te zorgen dat Olsen opnieuw teleurgesteld werd in zijn neef?

Opeens wist hij het antwoord. Hij had een loper om zich toegang te verschaffen tot alle appartementen in het gebouw waar Steve Hockney woonde. Hij zou een bewakingscamera aanbrengen in het appartement van Steve. Ik weet dat hij drugs gebruikt en ik vermoed dat hij erin handelt, dacht Howard. Als ik het kan bewijzen, heeft hij de sympathie van zijn oom verspeeld.

Het hemd is nader dan de rok. We zullen zien.

Opgelucht omdat hij een oplossing had gevonden voor het probleem, zette hij de tv uit en liep naar zijn slaapkamer. Hij glimlachte toen hij het ruisende geluid hoorde dat betekende dat zijn computer tot leven kwam.

En hij besefte dat hij zich erop verheugde vanavond te chatten met zijn vriend Singh in Mumbai.

46

Ik had vrijdagnacht nauwelijks geslapen en toen rechercheur Barrott me de volgende morgen om zes uur had gebeld, wist ik dat ik de hoop op nog een paar uur dommelen beter kon opgeven.

Waarom wil Barrott zo graag weten wat er met Macks SUV is gebeurd? vroeg ik me af toen ik de hoorn weer op het toestel had gelegd en uit bed stapte. Zoals gewoonlijk had ik de ramen van de slaapkamer open gelaten, en ik liep ernaartoe om ze dicht te doen. De zon stond al boven de East River en het beloofde een mooie dag te worden. Er waaide een koele bries, maar ik wist dat de weerman deze keer gelijk had gehad toen hij een zonnige dag voorspelde met tegen lunchtijd een temperatuur van ongeveer twintig graden. Kortom, een perfecte dag voor eind mei, wat betekende dat er op dat moment al een stroom mensen de stad uitreed die de avond daarvoor nog niet naar hun zomerhuis waren vertrokken. Bewoners van Sutton Place die geen tweede huis in de Hamptons bezaten, hadden er vast wel een aan de Cape, in Nantucket of op Martha's Vineyard of zo.

Papa had nooit vast willen zitten aan een tweede huis, maar voordat Mack verdween, hadden we de maand augustus altijd ergens anders doorgebracht. De fijnste zomer die ik me herinnerde was toen ik vijftien was en papa een villa in Toscane had gehuurd, ongeveer een halfuur rijden van Florence. Dat was een heerlijke maand geweest, vooral omdat het de laatste vakantie was van ons vieren.

Ik schudde het verleden van me af en dacht weer aan het

heden. Waarom had Barrott me opgebeld om naar Macks SUV te vragen?

Onze garage is vrij klein. Hij is bedoeld voor de bewoners van het gebouw, met een stuk of tien extra plaatsen voor bezoekers. Papa had die auto pas een week voordat Mack verdween voor hem gekocht. Mack had hem in de garage in de West Side geparkeerd, vlak bij zijn eigen appartement. Twee weken na zijn verdwijning had papa hem met de reservesleutel opgehaald. Ik herinnerde me dat Mack ermee had gereden in slecht weer, want er zaten modderspatten op de zijkanten en moddervlekken op de mat aan de kant van de bestuurder. Papa had een van onze garagebewakers wat geld gegeven om hem te wassen en dat had die man grondig gedaan, zo grondig dat de politie er zelfs geen vingerafdrukken meer op had kunnen vinden.

Toen hij was gestolen, had papa gedacht dat een van de garagebewakers de schuldige was. Hij dacht ook dat de jongen die was vastgebonden, er iets mee te maken had gehad, maar dat is nooit bewezen en die jongen is kort daarna weggegaan.

Waarom belde Barrott over Macks SUV?

Terwijl ik koffiezette en roereieren maakte, liet die vraag me niet los. De kranten lagen op de mat en onder het ontbijt bladerde ik erdoorheen. De roddelbladen probeerden zo veel mogelijk voordeel te halen uit de verdwijning van Leesey Andrews en het eventuele aandeel daarin van Mack. De beschuldiging van Aaron Klein dat Mack zijn moeder had vermoord omdat hij de banden wilde hebben, werd uitentreuren herhaald. Op pagina drie van een van de kranten stond de foto van Mack uit zijn jaarboek, maar bijgewerkt om een idee te geven van hoe hij er nu zou uitzien. Ik keek ernaar en probeerde mijn tranen te bedwingen. Zijn gezicht was iets dikker, zijn haargrens lag iets verder naar achteren en hij glimlachte raadselachtig. Ik vroeg me af of Elliott dezelfde kranten had en of mama de foto ook had gezien.

Ik kende haar goed genoeg om te weten dat ze de kranten per se wilde lezen. Ik dacht aan wat Elliott me in het kantoor van Thurston Carver had verteld: dat mama er altijd van overtuigd was geweest dat Mack een soort zenuwinzinking had gehad die de oorzaak was van zijn verdwijning. Op dat moment vroeg ik me af of ze gelijk had en of Mack dan misschien zijn eigen auto had gestolen. Maar ik vond het zo'n ongelooflijke veronderstelling dat ik merkte dat ik onwillekeurig mijn hoofd schudde. 'Nee, nee, nee,' zei ik hardop.

Maar ik heb hem twee weken geleden nog gesproken, hield ik mezelf voor. En hij heeft die boodschap voor oom Dev achtergelaten. De enige uitleg is misschien toch dat hij niet meer de oude is. Mama is bang dat hij, als hij inderdaad iets met de verdwijning van Leesey Andrews te maken heeft en de politie hem vindt, zal worden doodgeschoten als hij zich tegen zijn arrestatie verzet. Is dat een logische gedachte en inderdaad een mogelijkheid? vroeg ik me af.

Mama, papa noch ik had voordat Mack verdween iets ongewoons aan hem gemerkt, maar misschien had iemand anders dat wel. Mevrouw Kramer? Ze had zijn appartement schoongehouden en de was voor hem gedaan, dus was ze vaak bij hem boven geweest. En ze was bloednerveus toen ik met haar had gesproken. Zag ze me als een bedreiging? Misschien zou ze, als ik een keer alleen met haar zou praten, zonder haar man erbij, meer loslaten...

Bruce Galbraith haatte Mack. Wat was er tussen hen gebeurd om die haat te veroorzaken? Nick zei dat Barbara verliefd was geweest op Mack. Was Bruce alleen maar jaloers of was er iets gebeurd waar hij tien jaar later nog steeds kwaad om was?

En nu was dr. Barbara Hanover Galbraith naar Martha's

Vineyard gegaan om haar zieke vader te bezoeken. Hoelang was ze van plan daar te blijven? Ik dacht aan de felle reactie van Bruce toen ik had gezegd dat ik graag met haar wilde praten en het kwam bij me op dat hij haar misschien expres de stad uit had gestuurd, om te voorkomen dat ik haar zou treffen of dat de politie haar zou ondervragen. Want ook zij stond in Macks dossier op de lijst van zijn vrienden en vriendinnen.

Ik zette mijn vuile ontbijtspullen in de vaatwasser, liep naar papa's studeerkamer en zette de computer aan om het adres en telefoonnummer van Barbara's vader op te zoeken. Er woonden meerdere Hanovers op Martha's Vineyard: 'Judy en Syd', 'Frank en Natalie' en een Richard. Ik wist dat Barbara's moeder ongeveer halverwege Barbara's studie aan de universiteit was overleden, dus waagde ik het erop en toetste het nummer van Richard Hanover in.

De telefoon werd meteen opgenomen door een man met een oudere stem, maar hij klonk heel opgewekt. Ik had al bedacht wat ik zou zeggen: 'U spreekt met Cluny Flowers in New York. Ik wil graag weten of het adres van Richard Hanover juist is. Maiden Path 11, klopt dat?'

'Dat klopt, maar wie wil me dan bloemen sturen? Ik ben niet ziek, dood of jarig.' Hij klonk kerngezond.

'Eh... Het spijt me, ik heb me vergist,' zei ik vlug. 'De bloemen zijn voor mevrouw Judy Hanover.'

'Dat hindert niet. De volgende keer zijn ze misschien voor mij. Nog een prettige dag.'

Ik legde de hoorn neer en schaamde me. Ik was een rasechte leugenaar geworden. Toen besefte ik dat Barbara Hanover Galbraith niet uit New York was vertrokken omdat haar vader een hartaanval had gehad, maar omdat ze niet beschikbaar wilde zijn om vragen te beantwoorden over Mack.

Ik wist meteen wat ik zou doen. Ik nam een douche, kleedde me aan en pakte een paar spullen in een tas. Ik moest Barbara onder vier ogen spreken. Als mama gelijk had en Mack tien jaar geleden was ingestort, zou het Barbara dan zijn opgevallen dat Mack zich vreemd was gaan gedragen? Ik besefte dat ik wanhopig mijn best deed om Mack te kunnen verdedigen als hij inderdaad labiel was geworden en misdaden pleegde.

Ik belde Elliott op zijn mobiel. Omdat hij mijn naam niet noemde en zacht zei dat hij me terug zou bellen, begreep ik dat mama hem kon horen.

Toen hij een halfuur later terugbelde, kon ik mijn oren niet geloven. 'Die rechercheur Barrott van je is hier geweest om met je moeder te praten. Ik zei dat we er dan eerst een advocaat bij wilden halen, maar toen schreeuwde Olivia plotseling tegen hem: "Weten jullie dan niet dat mijn zoon een zenuwinzinking heeft gehad? Begrijpen jullie dan niet dat hij niet verantwoordelijk is? Hij is ziek. Hij weet niet wat hij doet!"'

Mijn mond was opeens zo droog dat ik alleen nog maar kon fluisteren, al was dat niet nodig. 'En wat zei Barrott toen?'

'Hij vroeg of je moeder echt dacht dat Mack geestesziek is.'

'Waar is mama nu?'

'Carolyn, ze was zo hysterisch dat ik een dokter heb gebeld. Hij heeft haar een injectie gegeven en is van mening dat ze een paar dagen ter observatie moet worden opgenomen. Ik zal haar naar een uitstekend sanatorium in Connecticut brengen, waar ze kan uitrusten en met een eh... therapeut kan praten.'

'Waar ligt dat sanatorium precies? Dan rijd ik daar ook naartoe.'

'Het heet Sedgwick Manor en ligt in Darien. Maar kom liever niet, Carolyn. Olivia wil je voorlopig niet zien en ze zal nog meer van streek raken als je haar per se wilt bezoeken. Ze vindt dat je Mack verraden hebt. Ik beloof je dat ik goed voor haar zal zorgen en ik zal je bellen zodra ze daar is geïnstalleerd.'

Daar moest ik me bij neerleggen. Mijn moeder kon Mack geen slechtere dienst bewijzen dan tegen de politie zeggen dat hij krankzinnig was. Na het gesprek ging ik naar mijn slaapkamer, haalde Macks band tevoorschijn en speelde die af terwijl ik weer naar het stukje papier keek waarop hij zijn boodschap aan oom Devon had geschreven: OOM DEVON, ZEG TEGEN CAROLYN DAT ZE ME NIET MAG ZOEKEN. Ik luisterde naar zijn stem: 'Nu ik in de ogen van de mensen en Fortuna in ongenade ben gevallen, beween ik heel alleen mijn verworpen staat en ontrief de dove hemel met mijn vergeefse kreten.'

Ik kon me de reactie van Barrott voorstellen als hij, na mama's uitbarsting, dat briefje en de band in handen zou krijgen. Ik had die gedachte nog maar nauwelijks geformuleerd of de conciërge belde om te zeggen dat rechercheur Gaylor op weg was naar boven. 'Het spijt me, mevrouw Carolyn, maar ik mocht hem niet aankondigen. Hij liet me een dagvaarding zien die hij u moet overhandigen.'

Voordat de voordeurbel ging, belde ik in paniek Thurston Carver, onze advocaat, op zijn mobiel. Zoals hij ook op zijn kantoor had gedaan, zei hij dat ik niet het recht had die dagvaarding te negeren.

Meteen nadat ik de deur voor rechercheur Gaylor open had gedaan, overhandigde hij me de dagvaarding. Hij gedroeg zich professioneel en onpersoonlijk. Hij wilde het briefje hebben dat Mack in de collectemand had gestopt en de band die ik in zijn koffer had gevonden. Trillend van woede gooide ik ze hem bijna toe, en ik was blij dat ik ze allebei had gekopieerd.

Toen hij weg was, liet ik me op een stoel vallen en herhaalde in gedachten steeds dat citaat van Mack: '... beween ik heel alleen mijn verworpen staat...' Ten slotte stond ik op, ging terug naar mijn slaapkamer en haalde alles weer uit de tas. Het was duidelijk dat ik mijn plan naar Martha's Vineyard te rijden, moest uitstellen. Ik was zo geconcentreerd aan het nadenken over mijn volgende, logische stap dat ik eerst niet hoorde dat mijn mobieltje rinkelde. Ik rende om op te nemen. Het was Nick, die net een boodschap wilde inspreken. 'Ik ben thuis,' zei ik.

'Mooi zo. Dit zou een ingewikkelde boodschap zijn geworden, Carolyn,' zei hij op gespannen toon. 'Ik vind dat je moet weten dat ik zojuist ben aangemerkt als eventuele verdachte in de zaak Leesey Andrews. Ik heb in de kranten gelezen dat de tweede theorie van de politie is dat Mack rondrent om mensen te vermoorden. En ik kan er maar beter bij zeggen dat ze, toen ik donderdag op het bureau van de officier van justitie was, zelfs suggereerden dat jij en ik samenspannen om Mack te beschermen.'

Hij gaf me geen kans om iets te zeggen en vervolgde: 'Ik vlieg straks voor de tweede keer deze week naar Florida. Mijn vader ligt in het ziekenhuis, hij heeft gisteren een lichte hartaanval gehad. Als alles goed gaat, kom ik morgen terug. Als ik niet in Florida hoef te blijven, wil je dan morgenavond met me uit eten? Ik vond het fijn je weer te zien, Carolyn,' voegde hij eraan toe. 'Ik begin te begrijpen waarom ik me er altijd op verheugde als ik bij jullie mocht komen eten en waarom dat veranderde toen Macks zusje er niet meer bij was.'

Ik zei dat ik hoopte dat zijn vader gauw beter zou worden en dat ik de volgende avond graag met hem zou gaan eten. Nadat Nick de verbinding had verbroken, hield ik mijn mobiel nog even tegen mijn oor gedrukt. Ik was ten prooi aan allerlei tegenstrijdige emoties en toen ik die begon te ontwarren, bekende ik mezelf dat ik nog steeds verliefd was op Nick. Ik had de hele week zijn stem in mijn hoofd gehoord en het was me bijgebleven hoe heerlijk ik het had gevonden om die avond tegenover hem aan tafel te zitten.

Maar toen begon ik me af te vragen of Nick soms een kat-en-muisspelletje met me speelde. De recherche had hem als eventuele verdachte in de verdwijningszaak van Leesey Andrews aangemerkt. Ik wist dat dat een heel ernstige uitspraak was, bijna een aanklacht. Maar de politie geloofde ook dat hij mij hielp Mack te beschermen. Nick had de hele week geen contact met me opgenomen, ook al stond Macks naam met vette koppen in de krant. En toen we samen dineerden, had hij totaal niet gereageerd op mijn bezorgdheid om Mack en mijn vermoeden dat hij hulp nodig had.

Was het waar wat Nick had gezegd, dat hij een eventuele verdachte was? Of had de politie tegen hem gezegd dat hij mij met die aantijging op het verkeerde been moest zetten? Hoopte Nick, de boezemvriend van zijn vroegere huisgenoot die misdadiger was geworden, dat hij mij kon overhalen om Mack te verraden als hij soms weer zou bellen?

Ik schudde mijn hoofd om al die vragen van me af te zetten, maar dat lukte niet.

Het ergste was dat ik geen enkel antwoord wist.

47

Dokter David Andrews had sinds het telefoontje van Leesey geen stap meer buiten de deur gezet. Hij kon niet meer slapen en was een grauwe, vermagerde schaduw geworden van de man die hij voor de verdwijning van zijn dochter was geweest. Als de telefoon rinkelde, nam hij haastig op. Hij nam het draagbare toestel mee naar elke kamer van zijn huis en in bed legde hij het op het kussen naast zijn hoofd.

Wanneer iemand hem belde, maakte hij het gesprek zo

kort mogelijk door uit te leggen dat hij de lijn vrij wilde houden voor het geval dat Leesey weer zou bellen.

Zijn huishoudster, die al twintig jaar bij hem was en meestal na de lunch naar huis ging, begon ook 's avonds te blijven om te proberen dokter Andrews iets te laten eten, al was het maar een kop soep of koffie en een broodje. Hij had al zijn vrienden gezegd dat ze niet mochten bellen en wilde niemand zien. 'Ik kan het beter aan als ik geen gesprek gaande hoef te houden,' had hij gezegd.

Op zaterdagmorgen nam Gregg Zach Winters mee naar het bureau van Larry Ahearn, maar toen hij meeluisterde terwijl Ahearn Zach ondervroeg, besefte hij dat er van het verhaal dat Leesey in een zwarte Mercedes SUV was gestapt, weinig overbleef. Zach had gezegd dat hij ongeveer een halfuur in die straat had rondgehangen, maar het personeel van de Woodshed, dat maar een paar minuten na Leesey het pand had verlaten, had gezworen dat ze hem niet hadden gezien. Zach gaf toe dat hij een dronkaard was en dat hij een keer uit de Woodshed was weggestuurd toen hij daar naar binnen was gegaan en de klanten had lastiggevallen. Hij gaf toe dat hij kwaad was op Nick DeMarco, de eigenaar, omdat die hem eruit had laten gooien en hij wist dat Nick een zwarte Mercedes SUV had.

Na de langdurige ondervraging bracht Gregg Zach terug naar de plek waar hij hem had gevonden. Hij reed uitgeput door naar huis en sliep tot zondagmorgen negen uur. Toen hij wakker werd, voelde hij zich weer helemaal fris en uitgerust. Hij nam een douche, kleedde zich aan en reed naar Greenwich.

Hij schrok toen hij zag hoe zijn vader in één week was veranderd. De huishoudster, Annie Potters, die anders op zondag nooit kwam, was er die dag wel. 'Hij wil niet eten,' fluisterde ze tegen Gregg. 'Het is al elf uur en hij heeft sinds gisteren nog geen hap genomen.'

'Zou je voor ons beiden het ontbijt willen maken, Annie?' vroeg Gregg. 'Dan zal ik zien wat ik kan doen.'

Nadat zijn vader hem had begroet, was hij meteen teruggegaan naar zijn leunstoel in de woonkamer en daar met de telefoon binnen handbereik weer gaan zitten. Gregg liep achter hem aan en nam ook een stoel. 'Papa, ik heb nachtenlang door de straten gelopen op zoek naar Leesey. Maar ik ben ermee opgehouden en jij moet hier ook mee ophouden. We helpen Leesey er niet mee en we maken onszelf kapot. Ik ben onlangs weer op het bureau van de officier van justitie geweest en ik heb gezien dat Larry Ahearn en zijn mensen werkelijk alles doen om Leesey te vinden. Ik wil dat je met me gaat ontbijten en daarna gaan we een eind wandelen. Het is prachtig weer.' Hij stond op en bukte zich om zijn vader te omhelzen. 'Je weet best dat ik gelijk heb.'

David Andrews knikte, maar toen betrok zijn gezicht. Gregg sloeg een arm om hem heen. 'Ik weet het, papa, ik weet het. Kom nu mee, en laat de telefoon hier liggen. Als hij rinkelt, zullen we opnemen.'

Tot zijn genoegen at zijn vader de helft van de roereieren met spek die Annie voor hem had neergezet. Gregg at een stuk toast en dronk er een kop koffie bij toen de telefoon ging. Zijn vader sprong op en rende ernaartoe, maar hij was iets te laat en het antwoordapparaat was al ingeschakeld.

Het was Leesey, daarover bestond geen enkele twijfel. 'Papa, papa, help me,' jammerde ze. 'Alsjeblieft, papa, hij zegt dat hij me gaat vermoorden!'

Leesey begon te huilen.

David Andrews dook naar de hoorn, maar toen hoorde hij alleen nog de kiestoon. Zijn knieën knikten en Gregg kon hem nog net op tijd opvangen en in zijn leunstoel laten zakken.

Gregg was net bezig de pols van zijn vader op te nemen toen er opnieuw werd gebeld. Deze keer was het Larry Ahearn.

'Gregg, dat was toch Leesey, hè?'

Gregg drukte op de luidsprekertoets zodat zijn vader kon meeluisteren. 'Dat was Leesey, Larry, je hebt gelijk.'

'Ze leeft nog, Gregg, en we zullen haar vinden. Dat beloof ik je.'

David Andrews griste de hoorn uit Greggs hand. Met hese stem schreeuwde hij: 'Jullie móéten haar vinden, Larry. Jullie hebben gehoord wat ze zei. Degene die haar vasthoudt, zal haar vermoorden. Vind haar in godsnaam voordat het te laat is!'

48

Iedereen vergat zijn vermoeidheid toen Larry Ahearn de band met Leeseys noodkreet afspeelde voor zijn hele team. 'Ze belde om half twaalf, precies een uur geleden,' zei hij. 'Van ergens in het centrum van Manhattan. Maar het kan natuurlijk ook zijn dat de ontvoerder haar stem ergens anders heeft opgenomen en die daar een eind vandaan heeft laten horen.'

'Als dat zo is, bestaat de mogelijkheid dat hij haar inmiddels heeft vermoord,' merkte Barrott zacht op.

'We zetten het onderzoek voort met de gedachte dat ze nog leeft,' zei Ahearn bars. 'We weten zeker dat de ontvoerder een ongeduldig type is. Hij wil aandacht. Ik heb met onze persoonlijkheidsdeskundige gepraat, dokter Lowe, en hij zegt dat de ontvoerder geniet van de krantenkoppen en de artikelen van Greta Van Susteren en Nancy Grace. Hij wacht waarschijnlijk vol spanning op de algemene consternatie nadat we bekend hebben gemaakt dat Leesey haar vader heeft gebeld en weer een boodschap heeft ingesproken.'

Te rusteloos om lang stil te zitten, stond hij op en trommelde met zijn vingers op zijn bureau. 'Aan het volgende wil ik niet eens denken, maar we moeten de mogelijkheid onder ogen zien. Over een dag of vijf, hooguit een week, zal er nog steeds worden gespeculeerd over Leeseys telefoontje, maar als er geen nieuwe ontwikkelingen bijkomen, zal het geen groot nieuws meer zijn.'

Ahearns kantoor was eigenlijk niet groot genoeg om plaats te bieden aan zijn hele team, dus stonden de mannen dicht opeen gepropt. Met ernstige gezichten luisterden ze aandachtig toen hun baas zijn gedachtegang uiteenzette. 'Leesey is op maandagavond naar die bar gegaan en verdwenen. De zondag daarna, zes dagen later, belde ze op en beloofde op Moederdag weer iets van zich te laten horen. Zeven dagen daarna belde ze weer. Dokter Lowe vermoedt dat de ontvoerder niet weer een week zal wachten voordat hij voor nieuwe krantenkoppen zorgt.'

'MacKenzie is de dader,' zei Barrott nadrukkelijk. 'Jullie hadden zijn moeder moeten zien toen ik haar gisteren opzocht in het appartement van haar vriend.'

'Haar vriend?' riep Ahearn verbaasd.

'Elliott Wallace, een belangrijke bankier. Aaron Klein, de zoon van die toneeldocente, heeft veertien jaar voor hem gewerkt. Klein zei dat ze na de moord op zijn moeder goede vrienden waren geworden. Wallace was na de verdwijning van MacKenzie een jaar voor die moord nog zo van slag dat er een band tussen hen was ontstaan. De vader van MacKenzie had samen met Wallace in Vietnam gevochten en sindsdien waren ze boezemvrienden geweest. Volgens Klein is Wallace altijd verliefd geweest op Olivia MacKenzie.'

'Wonen ze samen?' vroeg Ahearn.

'Zo wil ik het niet noemen, maar nu het in Sutton Place wemelt van de verslaggevers, is ze bij hem. Klein zei ook dat het hem niet zou verbazen als ze uiteindelijk met Wallace trouwt. In elk geval heeft Wallace haar niet de gelegenheid gegeven om ons nog vaker te vertellen dat haar zoon krankzinnig is, want hij heeft haar onmiddellijk naar een privékliniek gebracht.'

'Zou het kunnen dat ze contact heeft met haar zoon?'

Barrott haalde zijn schouders op. 'Als Mack contact heeft met iemand van zijn familie, denk ik eerder dat het met zijn zus is.'

'Laten we verdergaan.' Ahearn draaide zich weer om naar zijn team. 'Ik blijf erbij dat DeMarco ook een verdachte is. Ik wil dat hij dag en nacht in de gaten wordt gehouden. Net als Carolyn MacKenzie. En we zullen alle telefoons die nog niet worden afgeluisterd van nu af aan ook aftappen: die van MacKenzie in haar appartement in Thompson Street, in Sutton Place en haar mobieltje. Die van DeMarco overal waar hij woont en werkt.'

'Ik wil graag ook nog iets zeggen, Larry,' zei Bob Gaylor. 'Al is die Zach Winters een dronkaard, toch denk ik dat hij die nacht iets heeft gezien. Hij slaapt in portieken. Hoewel de musici en het personeel van de Woodshed hebben gezegd dat zij hem nergens in die straat hebben gezien, is dat geen bewijs dat hij er niet was. En ik weet zeker dat hij iets voor ons heeft verzwegen.'

'Ga dan nog maar een keer met hem praten,' zei Ahearn. 'Hij woont in een tehuis voor daklozen in Mott Street, klopt dat?'

'Daar is hij soms te vinden, maar bij goed weer stopt hij zijn spullen in een waszak op wielen en slaapt op straat.'

Ahearn knikte. 'Oké. We werken samen met de FBI, maar ik wil jullie op het hart drukken dat ik Leesey al ken sinds ze een meisje van zes was, dat ik wil dat ze levend wordt gevonden en dat wij degenen zijn die haar zullen vinden.'

49

Op zondagmorgen verliet ik, om aan de pers te ontsnappen, het appartement via de uitgang voor het personeel om een lange wandeling langs de rivier te maken. Na het telefoontje van Elliott over mama voelde ik me verslagen, en ik werd gekweld door twijfel over Nick en, om eerlijk te zijn, over Mack.

Het beloofde een mooie dag te worden en dat werd het ook: warm met een lichte bries. De East River met zijn meestal sterke stroming kabbelde zacht in het zonlicht. Het was niet druk op het water, maar overal waren mensen aan het varen en dat was een mooi gezicht. Ik ben dol op New York. Zelfs die schreeuwerige, enorme Pepsi Cola-reclame op de oever van Long Island City vind ik mooi, God sta me bij.

Nadat ik drie uur had gelopen, was ik zowel lichamelijk als geestelijk doodmoe. Toen ik weer thuis was, nam ik een douche en ging naar bed. Ik sliep de hele middag en toen ik om zes uur wakker werd, was ik beter in staat om te denken en voelde ik me weer wat sterker. Ik trok comfortabele kleren aan: een blauw-wit gestreepte blouse en een witte spijkerbroek. Misschien zou Nick een jasje en een das dragen, maar ik wilde niet dat hij zou denken dat ik me speciaal voor onze afspraak had opgetut.

Nick stond precies om zeven uur voor de deur, gekleed in een vrijetijdsbroek en een overhemd zonder das. Ik was van plan geweest om meteen met hem mee te gaan, maar hij was me voor: 'Carolyn, ik moet met je praten en ik denk dat het beter is dat we dat hier bij jou thuis doen.'

Ik liep achter hem aan naar de bibliotheek. 'Bibliotheek' klinkt indrukwekkend, maar het is gewoon een kamer met boekenkasten, gemakkelijke stoelen en panelen tegen de muur met daarachter een ingebouwde bar. Nick liep meteen door naar de bar, schonk voor zichzelf een whisky met ijs in en zonder het me te vragen voor mij een glas witte wijn met een paar ijsblokjes.

'Dit dronk je vorige week ook. Ik heb ergens gelezen dat de hertogin van Windsor ijsblokjes in haar champagne deed,' zei hij toen hij me het glas overhandigde.

'Ik heb ergens gelezen dat de hertog van Windsor whisky dronk zonder ijs,' zei ik.

'Omdat hij met haar was getrouwd, verbaast me dat niets.' Hij glimlachte. 'Een grapje. Ik heb geen idee wat voor soort vrouw ze was.'

Ik ging op de leuning van de bank zitten. Hij koos een leunstoel en liet die ronddraaien. 'Ik vond dit vroeger fantastische stoelen,' zei hij. 'Ik beloofde mezelf dat ik, als ik ooit rijk zou worden, ook minstens één zo'n stoel zou kopen.'

'En?' vroeg ik.

'Ik heb nooit tijd gehad om erover na te denken. Toen ik geld ging verdienen en een appartement had gekocht, heb ik het door een binnenhuisarchitect laten inrichten. Ze hield van het Wilde Westen en toen het klaar was, voelde ik me net Roy Rogers.'

Intussen had ik hem goed opgenomen en gezien dat zijn slapen grijzer waren dan ik had gedacht. Hij had wallen onder zijn ogen en in plaats van bezorgd te kijken, zoals de week daarvoor, keek hij hoogst verontrust. Hij was de dag daarvoor naar Florida geweest omdat zijn vader een hartaanval had gehad, en ik vroeg hoe het met hem ging.

'Vrij goed. Het was een lichte aanval. Hij mag over een paar dagen naar huis.'

Toen keek hij me recht aan en vroeg: 'Carolyn, denk jij dat Mack nog leeft? En als hij nog leeft, is hij dan in staat om te doen wat de politie denkt dat hij doet?'

Het lag op het puntje van mijn tong om eerlijk te zeggen dat ik niet meer wist wat ik ervan moest denken, maar ik deed het niet. 'Waarom vraag je me dat? Natuurlijk niet.' Ik hoopte dat ik verontwaardigd genoeg klonk.

'Kijk me alsjeblieft niet zo aan, Carolyn. Je weet toch wel dat Mack mijn beste vriend was? Ik heb nooit begrepen waarom hij wilde verdwijnen en nu vraag ik me af of er iets door zijn hoofd spookte waar niemand van wist.'

'Maak je je zorgen om Mack of om jezelf, Nick?' vroeg ik.

'Daar geef ik geen antwoord op. Carolyn, wat ik je wil vragen, waar ik je om smeek, is dat je, als je contact met hem hebt of hij je belt, niet moet denken dat je hem een gunst bewijst door hem in bescherming te nemen. Heb je de boodschap gehoord die Leesey Andrews vanmorgen voor haar vader heeft achtergelaten?' Hij keek me vragend aan.

Ik schrok zo dat ik even geen woord kon uitbrengen, en toen antwoordde ik dat ik de radio of de tv de hele dag nog niet aan had gehad. Maar toen Nick het me vertelde, kwam alleen maar bij me op dat Barrott had geopperd dat Mack zijn eigen auto had gestolen. Het was belachelijk, maar opeens moest ik denken aan de dag dat Mack, toen ik een jaar of zes was, een heel erge bloedneus had gekregen. Papa was thuis en hij had een met ons monogram geborduurde handdoek uit de badkamer gehaald om het bloeden mee te stelpen. We hadden toen een oude huishoudster die dol was op Mack, maar ze schrok zo toen ze papa die handdoek zag gebruiken dat ze het ding uit zijn handen rukte en gilde: 'Die hangt er alleen voor de show! Alleen voor de show!'

Papa vond het altijd leuk dat verhaal te vertellen, maar steeds voegde hij eraan toe: 'Die arme mevrouw Anderson maakte zich heus wel zorgen om Mack, maar van die mooie handdoeken moest je afblijven. Ik zei tegen haar dat onze eigen initialen erop stonden en dat Mack dus het recht had er een van te vernielen.'

Ik kon me best voorstellen dat Mack zijn eigen auto had

gestolen, maar niet dat hij Leesey had ontvoerd en haar vader zo veel verdriet deed. Ik keek Nick aan. 'Ik weet niet meer wat ik van Mack moet denken,' zei ik. 'En ik zweer je, en wie dan ook die dat wil horen, dat ik Mack al die tien jaar niet meer heb gezien en dat ik behalve op Moederdag nooit meer iets van hem heb gehoord.'

Nick knikte en ik denk dat hij me geloofde. Toen vroeg hij: 'Denk je dat ík Leesey heb ontvoerd? Dat ik haar ergens heb verborgen?'

Ik liet mijn hart en mijn ziel spreken voordat ik antwoordde: 'Nee, dat denk ik niet. Maar jullie zijn hier allebei bij betrokken geraakt. Mack doordat ik naar de politie ben gegaan en jij omdat ze na een bezoek aan jouw bar is verdwenen. Maar als jullie niet de daders zijn, wie is het dan wel?'

'Carolyn, ik zou werkelijk niet weten hoe ik daarachter zou kunnen komen.'

We bleven er ruim een uur over praten. Ik vertelde hem dat ik wilde proberen of ik Lil Kramer alleen te spreken kon krijgen, omdat ze bang was om in het bijzijn van haar man haar mond open te doen. Steeds opnieuw kwam ter sprake dat Mack vlak voor zijn verdwijning boos op haar was geweest, maar dat hij Nick niet had verteld waarom. Ik vertelde Nick dat ik een week geleden bij Bruce Galbraith was geweest en dat hij zich erg vijandig had gedragen, en dat ik ervan overtuigd was dat Barbara alleen maar naar haar vader op Martha's Vineyard was gegaan om te voorkomen dat ze werd ondervraagd.

'Ik ga morgen of dinsdag naar haar toe,' zei ik. 'Mijn moeder wil me niet zien en Elliott zal goed voor haar zorgen.'

Nick vroeg of ik dacht dat ze met Elliott zou trouwen.

'Ik denk het wel,' zei ik. 'En eerlijk gezegd, hoop ik van wel. Ze passen goed bij elkaar. Mama hield veel van papa, maar hij vond het leuk om af en toe een beetje rebels te zijn. Eigenlijk is Elliott meer haar type, al vind ik het moeilijk dat te zeggen. Ze zijn allebei perfectionisten, en ik denk dat ze samen gelukkig zullen zijn.' Ik voegde er iets aan toe wat ik nooit eerder had willen toegeven. 'Daarom was Mack haar lievelingetje. Hij deed alles zoals zij het wilde. Ik ben veel te impulsief. Bijvoorbeeld door naar de politie te gaan en de hele zaak weer op te rakelen.'

Ik schrok ervan dat ik dit zomaar tegen Nick had gezegd en ik denk dat hij naar me toe had willen komen om een arm om me heen te slaan, maar hij merkte waarschijnlijk dat ik daar niet op zat te wachten. In plaats daarvan zei hij luchtig: 'Kun je raden wie dit heeft gezegd? "Ze was volwassen aan het brein van haar vader ontsproten."'

'De godin Minerva,' antwoordde ik. 'Zuster Catherine, de zesde klas. Ze was gek op mythologie.' Ik stond op. 'Je had me uitgenodigd om iets te gaan eten, weet je nog? Zullen we naar Neary's gaan? Ik heb zin in een broodje rosbief en patat.'

Nick aarzelde. 'Carolyn, ik moet je waarschuwen. Buiten wemelt het van de journalisten. Maar mijn auto staat recht voor de ingang, met een paar sprongen zitten we erin. Ik denk niet dat ze achter ons aan zullen gaan.'

Hij had gelijk. Toen we het gebouw verlieten, flitsten overal camera's en probeerde iemand een microfoon voor mijn mond te houden: 'Mevrouw MacKenzie, denkt u dat uw broer...' Nick pakte mijn hand vast en trok me mee naar de auto. Hij reed York Avenue in en bij Seventy-second Street keerde hij om en reed terug. 'Ik denk dat we ze nu wel kwijt zijn,' zei hij.

Ik sprak hem niet tegen en was blij dat mama zich veilig schuil kon houden op een plek waar journalisten geen toegang hadden.

Neary's is een Ierse kroeg in Fifty-seventh Street, maar één straat bij ons vandaan. Het is een soort tweede thuis voor een heleboel mensen uit onze buurt. Het is er gezellig, je kunt er prima eten en waarschijnlijk ken je de helft van de mensen die er zitten.

Als ik behoefte had aan morele steun, en God wist dat dat op dat moment zo was, dan was Jimmy Neary de man om me die te geven. Toen hij me binnen zag komen, kwam hij meteen naar me toe. 'Carolyn, het is een schande wat ze allemaal over Mack zeggen,' begon hij en hij legde vriendschappelijk een hand op mijn schouder. 'Die jongen had een hart van goud. Maar de waarheid zal aan het licht komen, daar kun je op rekenen.'

Hij keek naar Nick. 'Hallo, jongen. Weet je nog dat je, toen jij en Mack hier een keer waren, wilde wedden dat de pasta van je vader even goed was als mijn cornedbeef?'

'We hebben nooit een smaaktest gedaan,' zei Nick. 'En nu is mijn vader met pensioen en woont in Florida.'

'Met pensioen? En hoe bevalt het hem?' vroeg Jimmy.

'Absoluut niet.'

'Dat kan ik me voorstellen. Zeg tegen hem dat hij terug moet komen en dat we dan eens zullen proeven.'

Jimmy nam ons mee naar een tafeltje achter in een hoek, waar Nick me vertelde over zijn bezoek aan zijn ouders in Florida. 'Ik heb mijn moeder gevraagd ervoor te zorgen dat papa geen kranten uit New York leest,' zei hij. 'Want ik weet niet wat er met hem zou gebeuren als hij te weten zou komen dat ik in verband met de verdwijning van Leesey een mogelijke verdachte ben.'

Zonder met elkaar te overleggen, bestelden we allebei een broodje rosbief en brachten het gesprek op neutrale onderwerpen. Nick vertelde me over zijn eerste restaurant en hoe goed het liep. Hij zinspeelde erop dat hij de laatste vijf jaar te hard van stapel was gelopen. 'Ik geloof dat ik het succesverhaal van Donald Trump te vaak had gelezen,' bekende hij. 'Ik had mezelf wijsgemaakt dat het leuk was risico's te nemen. Ik heb veel geld in de Woodshed gestoken, de juiste tent op de juiste plaats. Maar als ze ons onze alcoholvergunning afpakken, en als ze willen vinden ze heus wel een reden om dat te doen, heb ik een groot probleem.'

We praatten voorzichtig over Barbara Hanover. 'Ik weet nog dat ik haar heel mooi vond,' zei ik.

'Dat was ze en dat is ze nog steeds. Maar ze is ook berekenend, ze doet alleen dingen waar ze profijt van heeft. Ik weet niet hoe ik het moet uitleggen. Maar toen ik bezig was met mijn MBA en Mack was verdwenen, had ik er geen enkele behoefte aan Bruce nog een keer te zien.'

We dronken nog een cappuccino en toen bracht Nick me terug naar Sutton Place. Een eindje bij onze ingang vandaan stond nog één busje van een televisiezender. Nick liep vlug met me mee naar binnen en bracht me naar de lift. Toen de liftbediende de deur voor me openhield, zei hij: 'Carolyn, ik heb het niet gedaan en Mack ook niet. Onthou dat goed.'

Hij sloeg de beleefde kus op de wang over en liep weg. Ik ging naar boven. Het lichtje op de telefoon knipperde, dus iemand had een bericht ingesproken. Het was rechercheur Barrott. 'Mevrouw MacKenzie, u bent om tien over half negen gebeld met de mobiel van Leesey Andrews. Uw broer heeft geen boodschap achtergelaten.'

50

Lucas Reeves had het weekend niet vrij genomen, maar was naar kantoor gegaan om met zijn technische staf een paar klusjes te doen. Bijna tien jaar geleden had Charles MacKenzie senior hem ingehuurd om op zoek te gaan naar zijn vermiste zoon, en dat hij er niet in was geslaagd ook maar een tipje van de sluier over Macks verdwijning op te lichten, had hem al die tijd dwarsgezeten.

En nu wilde hij niet alleen weten wat er met Mack was

gebeurd, maar ook de moordenaar van de drie jonge vrouwen vinden en hopelijk Leesey Andrews het leven redden.

Op maandagmorgen om acht uur zat hij weer op zijn kantoor in Park Avenue South. Hij had zijn drie detectives gezegd dat ze vroeg op hun werk moesten zijn en om halfnegen zaten ze voor zijn bureau. 'Ik heb een vermoeden, en in het verleden zijn mijn vermoedens wel eens juist gebleken,' begon hij. 'Dus wil ik ermee aan de slag. Ik ga ervan uit dat Mack onschuldig is en dat de dader iemand is die hem tamelijk goed kende. Ik bedoel dat de dader hem zo goed kende dat hij weet dat Mack op Moederdag belt en dat hij het geheime telefoonnummer van de familie heeft.'

Reeves keek zijn mannen een voor een aan. 'We beginnen met de mensen die een band met Mack hadden. Dat wil zeggen, met Nick DeMarco en Bruce Galbraith. We proberen zo veel mogelijk te weten te komen over de huisbewaarders, Lil en Gus Kramer. Daarna verdiepen we ons in de vrienden die samen met Mack in die nachtclub waren op de avond dat het eerste meisje verdween. Het afgelopen weekend hebben onze technici alle krantenartikelen en nieuwsuitzendingen verzameld die betrekking hebben op de vermissing van alle drie de meisjes. We hebben de gezichten van iedereen op de betreffende foto's uitvergroot. Bestudeer die gezichten. Prent ze in je geheugen!'

Lucas was zo vroeg op kantoor gekomen dat hij zelf koffie had moeten zetten. Hij nam een slok, trok een vies gezicht en vervolgde: 'Rond Sutton Place krioelt het van de verslaggevers. Een van jullie moet daar in de buurt blijven. Gebruik je mobiele telefoon als camera. Iemand anders van jullie moet vanavond tegen openingstijd voor de Woodshed gaan staan en foto's nemen van de mensen die er inen uitlopen, en ook van de mensen die er op straat rondhangen. Deze week gaan er in SoHo nog een paar clubs open, meng je dan onder de paparazzi.'

'Lucas, dat is onmogelijk,' protesteerde Jack Rogers, de oudste van de detectives. 'We zijn maar met z'n drieën, dat krijgen we nooit voor elkaar.'

'Dat weet ik heus wel,' zei Reeves geërgerd. Zijn diepe stem klonk hoger dan normaal. 'Pak de lijst van de lui die we gebruiken als we extra hulp nodig hebben en rekruteer dertig gepensioneerde politieagenten.'

Rogers knikte. 'Oké.'

Op normale toon vervolgde Reeves: 'Volgens mij wil de dader zo veel mogelijk aandacht. Als de pers ergens naartoe stroomt, wil hij erbij zijn. Alle gezichten op de foto's die jullie nemen, worden uitvergroot. Al zijn het er honderden. Misschien, wie weet, is er een gezicht bij van iemand die na al die eerdere verdwijningen ook ergens in de menigte stond. Ik wil nogmaals zeggen dat we er voorlopig van uitgaan dat Mack MacKenzie onschuldig is.'

Hij keek Rogers aan. 'Zeg het maar, Jack.'

'Goed, Lucas, ik zal het zeggen. Als je gelijk hebt, vinden we misschien iemand die overal bij is geweest. Een dikke of magere of kale man of een man met een paardenstaart. Een man die zelfs door zijn moeder niet zou worden herkend en wiens naam Charles MacKenzie junior zal blijken te zijn.'

51

Rechercheur Bob Gaylor ging op zondag meteen na de bespreking op kantoor op zoek naar Zach Winters. De zwerver was niet in het daklozentehuis in Mott Street, waar hij zo nu en dan bivakkeerde. Sinds zaterdagmorgen vroeg, toen hij had rondgehangen voor de Woodshed en even later door Gregg Andrews was meegenomen, had niemand in die straat hem daar meer gezien. Hij was zaterdagochtend ondervraagd en daarna vermoedelijk teruggegaan naar zijn normale stek, maar niet naar het tehuis.

'Zach laat meestal om de dag zijn gezicht zien,' zei Joan Coleman, een aantrekkelijke vrijwillige keukenhulp van een jaar of dertig in Mott Street, tegen Gaylor. 'Dat hangt natuurlijk ook af van het weer. Hij hangt graag rond bij de clubs in SoHo, omdat hij daar volgens hem het meeste geld bij elkaar kan bedelen.'

'Heeft hij ooit gezegd dat hij daar in de nacht dat Leesey Andrews verdween ook in de buurt was?'

'Niet tegen mij. Maar hij heeft een stel wat hij zijn "beste makkers" noemt en die kan ik het vragen.' Het idee dat ze voor detective mocht spelen, trok haar blijkbaar aan.

'Ik kom wel terug om erbij te zijn,' zei Gaylor.

Ze schudde haar hoofd. 'Dan houden ze hun mond stijf dicht. Meestal ben ik hier niet bij het avondeten, maar ik val vanavond in voor een vriendin. Als u me uw telefoonnummer geeft, zal ik u bellen.'

Daar moest Bob Gaylor het mee doen. Hij bracht de rest van de dag door in SoHo en Greenwich Village, maar dat leverde niets op.

Het leek wel of Zach Winters van de aardbodem was verdwenen.

52

Zoals hij had gezegd, kwam Derek Olsen klokslag tien uur naar het kantoor van Elliott Wallace. Hij droeg een keurig pak dat glom van ouderdom, zijn resterende plukjes grijswit haar waren netjes gekamd en hij liep met stijve tred, maar hij straalde wel levenslust uit. Elliott Wallace nam hem van hoofd tot voeten op en vermoedde terecht dat Olsen zich erop verheugde om, nadat hij al zijn bezittingen had verkocht, tegen zijn neef Steve en zijn manager Howie te kunnen zeggen dat ze de pot op konden.

Met een vriendelijke glimlach bood hij Olsen een stoel aan. 'Ik weet dat je geen nee zegt tegen een kop thee, Derek.'

'De vorige keer was het net afwaswater. Zeg tegen je secretaresse dat ik er vier klontjes suiker in wil en een scheut room, Elliott.'

'Komt voor elkaar.'

Meteen nadat Elliott de bestelling aan zijn secretaresse had doorgegeven, zei Olsen met een voldane glimlach: 'Die adviezen van jou… Weet je nog dat je tegen me zei dat ik die drie vervallen herenhuizen, die al jaren leegstaan, van de hand moest doen?'

Elliott wist wat Olsen zou gaan zeggen. 'Derek, je betaalt al jarenlang belasting en verzekering voor die waardeloze panden. Ik weet heus wel dat de prijzen van onroerend goed zijn gestegen, maar ik kan je voorrekenen dat je, als je ze had verkocht en aandelen had gekocht, veel beter af zou zijn geweest.'

'Absoluut niet. Want ik wist dat ze die gebouwen op de hoek van 104th Street ooit zouden afbreken en dat projectontwikkelaars dan ook op mijn huizen zouden azen.'

'Die projectontwikkelaars hadden jouw huizen blijkbaar niet nodig, want ze zijn al aan de bouw van dat nieuwe appartementencomplex begonnen.'

'Ze hebben alsnog contact met me opgenomen en vanmiddag zet ik mijn handtekening.'

'Gefeliciteerd,' zei Wallace oprecht. 'Maar ik hoop dat je ook hebt onthouden dat ik je geld op een heel winstgevende manier heb geïnvesteerd.'

'Behalve dat hedgefonds.'

'Behalve dat hedgefonds, dat ben ik met je eens. Maar dat is al heel lang geleden.'

De secretaresse bracht thee voor Olsen en koffie voor

Elliott. 'Mm, dat smaakt beter,' zei Olsen nadat hij voorzichtig een slokje had genomen. 'Zo vind ik het lekker. Laten we het nu hebben over waar ik voor ben gekomen. Ik wil alles verkopen. Ik wil een trustfonds oprichten. Jij mag het beheren. Ik wil dat er parken van worden aangelegd in New York, parken met veel bomen. Deze stad heeft te veel hoge gebouwen.'

'Dat is heel gul van je. Wil je ook nog iets nalaten aan je neef of iemand anders?'

'Ik laat Steve vijftigduizend dollar na. Daar kan hij nieuwe apparatuur van kopen, of een drumstel of een gitaar. Hij kan me, als we tegenover elkaar aan tafel zitten, niet aankijken zonder zich af te vragen hoelang ik nog in leven zal blijven. Een paar huisbewaarders hebben me verteld dat hij heeft aangekondigd dat hij Howies baan als manager van hem over zal nemen. Hij heeft een vulpen voor me gekocht en me mee uit eten genomen, en omdat ik heb laten blijken dat ik op hem gesteld ben, denkt hij dat hij in de toekomst mijn zaken zal mogen beheren. Hij en zijn stelletje muzikanten. Steeds wanneer hij niet meer wordt gevraagd om in de een of andere ongure tent te komen spelen, bedenkt hij een nieuwe naam voor zijn waardeloze band, laat iedereen zich weer anders uitdossen en neemt de volgende mislukte pr-manager in dienst. Als hij niet de zoon was van mijn zus, God hebbe haar ziel, zou ik hem al jaren geleden hebben laten vallen.'

'Ik weet dat je in hem teleurgesteld bent, Derek.' Elliott probeerde zo meelevend mogelijk te kijken.

'Teleurgesteld? Ha! O ja, ik wil Howie Altman ook vijftigduizend dollar nalaten.'

'Dat zal hij beslist op prijs stellen. Is hij al van je plannen op de hoogte?'

'Nee. Hij begint ook lastig te worden. Ik merk dat hij denkt dat hij recht heeft op een groot deel van mijn erfenis. Niet dat hij zijn werk niet goed doet, Elliott, want dat doet hij wel, en ik ben je nog steeds dankbaar dat je hem hebt aanbevolen toen die vorige manager niet voldeed.'

Elliott knikte. 'Een van mijn andere cliënten verkocht een gebouw en zei dat Howie een nieuwe baan zocht.'

'Nou, dat doet hij dan binnenkort weer. Maar hij is geen familie en hij begrijpt niet dat je uitstekende werknemers als de Kramers niet op straat zet omdat ze volgens jou best een kamer kunnen missen.'

'Is George Rodenburg nog steeds je advocaat?'

'Natuurlijk. Waarom niet?'

'Ik wilde het alleen maar weten omdat ik met hem zal gaan praten over dat trustfonds. Je zei dat je vanmiddag je handtekening zet onder de verkoopakte van 104th Street. Wil je dat ik erbij ben?'

'Nee, dat zal Rodenburg afhandelen. Het aanbod was er al jaren, alleen het bedrag is veranderd.'

Olsen stond op. 'Ik ben geboren in Tremont Avenue in de Bronx. Dat was toen een nette buurt. Ik heb nog foto's van mijn zus en mij op de stoep voor een van die kleine flatgebouwen, van het soort dat ik nu zelf bezit. Ik ben er vorige week naartoe gereden en het ziet er behoorlijk armoedig uit. Op een stuk kaal terrein vlak bij de plek waar wij hebben gewoond staat het onkruid kniehoog en overal liggen lege blikjes en ander afval. Ik wil dat daar een park komt terwijl ik nog leef.' Hij glimlachte stralend en liep naar de deur. 'Tot ziens, Elliott.'

Elliott Wallace liep met zijn cliënt mee langs de receptie en door de gang naar de lift. Toen hij terugkwam in zijn kantoor, ging hij voor het eerst sinds hij volwassen was geworden naar de koelkast in de bar en schonk zich om elf uur 's morgens een pure whisky in.

53

Op maandagmorgen laat in de ochtend reed ik naar het appartement waar Mack had gewoond. Ik drukte op de bel van de intercom van de Kramers en werd even later beloond met een aarzelende groet. Ik wist dat ik vlug moest zeggen waarvoor ik kwam. 'Mevrouw Kramer, ik ben Carolyn MacKenzie. Ik moet met u praten.'

'O, nee! Mijn man is er vanmorgen niet.'

'Ik wil met ú praten, mevrouw Kramer, niet met hem. Mag ik alstublieft heel even binnenkomen?'

'Dat zal Gus niet goedvinden. Ik mag niet...'

'Mevrouw Kramer, ik weet zeker dat u de krant leest. U weet vast wel dat de politie denkt dat mijn broer schuldig is aan de verdwijning van dat meisje. Ik moet met u praten.'

Ik dacht even dat ze de verbinding had verbroken, maar toen hoorde ik een klik en kon ik de deur naar de hal openen. Ik ging naar binnen, liep naar haar voordeur en drukte op de bel. Eerst opende ze de deur op een kier, alsof ze er zeker van wilde zijn dat ik geen legertje mensen bij me had dat haar zou overvallen, en toen iets verder om me binnen te laten.

Een groot deel van de spullen in de woonkamer, die me bij mijn vorige bezoek had doen denken aan die van mijn oma van vaderskant in Jackson Heights, was ingepakt voor een verhuizing. In een hoek stonden stapels dozen. De vitrage en overgordijnen waren van de ramen gehaald. Er hing niets meer aan de muren en de lampen en snuisterijen die de vorige keer op de tafeltjes hadden gestaan, waren verdwenen.

'We gaan naar ons huis in Pennsylvania,' zei Lil Kramer. 'Gus en ik willen eindelijk wel eens met pensioen.'

Ze slaan op de vlucht, dacht ik terwijl ik haar opnam. Het was vrij koel in de kamer, maar op haar voorhoofd parelde zweet. Ze had haar grijze haar naar achteren gekamd en met speldjes vastgezet, en haar gezicht had dezelfde dofgrijze kleur als haar haren. Ik weet zeker dat ze niet besefte dat ze haar handen voortdurend nerveus tegen elkaar wreef.

Ik ging ongevraagd op de stoel zitten die het dichtstbij stond en besefte dat ik maar beter met de deur in huis kon vallen. 'Mevrouw Kramer, u hebt mijn broer gekend. Denkt ú dat hij een moordenaar is?'

Ze beet op haar lippen. 'Ik weet niet wat hij is.' Opeens barstte ze uit: 'Hij heeft leugens over me verteld. Ik ben altijd heel aardig voor hem geweest. Ik mocht hem erg graag. Ik heb altijd heel netjes zijn was gedaan en zijn kamer schoongemaakt. En toen beschuldigde hij me ergens van.'

'Waarvan?'

'Dat doet er niet toe. Het was niet waar. Ik kon mijn oren niet geloven.'

'Wanneer was dat?'

'Een paar dagen voordat hij verdween. En toen maakte hij me belachelijk.'

Geen van beiden hoorden we dat er iemand binnenkwam. 'Hou je mond, Lil,' beval Gus Kramer en hij kwam naar ons toe. Hij ging voor me staan. 'Maak dat u wegkomt. Uw broer heeft het gewaagd mijn vrouw afschuwelijk te behandelen en kijk nou eens wat hij met al die meisjes heeft gedaan.'

Ik werd woedend en stond op. 'Meneer Kramer, ik weet niet wat u bedoelt. Ik geloof absoluut niet dat Mack uw vrouw op welke manier dan ook slecht heeft behandeld en ik wil er mijn leven onder verwedden dat hij nooit een misdaad heeft gepleegd.'

'U mag geloven wat u wilt, maar ik zal u uitleggen wat ik bedoel. Mijn vrouw krijgt bijna een zenuwinzinking bij de gedachte dat uw broer, de moordenaar, nadat hij is opgepakt opnieuw allerlei leugens over haar zal verspreiden.'

'Noem hem geen moordenaar,' zei ik. 'Waag het niet hem een moordenaar te noemen!'

Gus werd rood van woede. 'Ik mag hem noemen wat ik wil, en ik zal u nog iets vertellen. Hij is een moordenaar die naar de kerk gaat. Op de dag dat hij dat briefje in het mandje stopte, heeft Lil hem gezien. Dat is toch zo, Lil?'

'Ik had mijn bril niet op, maar toch weet ik het zeker.' Lil begon te huilen. 'Ik herkende hem. Hij zag dat ik naar hem keek. Hij had wel een regenjas aan en een zonnebril op, maar ik weet zeker dat het Mack was in die kerk.'

'En ik zal u ook nog vertellen dat de politie hier een uur geleden is geweest en we ze dat hebben verteld,' schreeuwde Gus. 'Maak nou dat u wegkomt en laat ons met rust.'

54

Op zaterdagavond, toen Howard Altman zeker wist dat Steve weg was om ergens met zijn band op te treden, ging hij naar diens appartement. In de woonkamer en de slaapkamer plaatste hij zorgvuldig en heel slim camera's waarvan de videobeelden rechtstreeks naar zijn computer zouden worden gezonden.

Waarom heb ik dit niet eerder gedaan? vroeg hij zich af toen hij de apparatuur installeerde. Bedankt, Steve, dat je het me zo gemakkelijk maakt. Steve had in beide kamers en in de badkamer het licht aangelaten. Derek betaalt zijn energierekeningen, dacht Howard wrokkig, terwijl ik de mijne zelf moet betalen.

Steve was een sloddervos. Zijn bed was niet opgemaakt. Op een stoel lagen een paar van de belachelijke kledingstukken die hij bij zijn optredens aanhad. In een kartonnen doos op de grond lagen de haarstukjes en pruiken die hij droeg wanneer hij bepaalde personages uitbeeldde. Howard zette een pruik met lang donkerbruin haar op, bekeek zichzelf in de spiegel en trok hem gauw weer af. Met die pruik op leek hij net een vrouw, en dat deed hem denken aan de docente die eerder in het appartement had gewoond en was vermoord.

Ik snap niet dat Steve Hockney ergens wil wonen waar een moordslachtoffer heeft gewoond, dacht hij. Ik moet hier gauw weer weg.

Op maandagmorgen ging hij Derek Olsen ophalen om, zoals altijd op die tijd, samen met hem een paar gebouwen te gaan inspecteren, maar Derek was niet thuis. De huisbewaarder zei dat meneer Olsen al door een taxi was opgehaald.

Bezorgd reed Howard naar het gebouw waar ze meestal het eerst langsgingen, dat waar de Kramers toezicht hielden. Op het moment dat hij de voordeur wilde openen, werd die van binnenuit geopend en rende er een knappe jonge vrouw huilend langs hem heen naar buiten.

Carolyn MacKenzie, dacht hij. Wat doet zij hier? Hij draaide zich om, rende achter haar aan en haalde haar een eind verderop in de straat in, net toen ze het slot van haar autodeur opende. 'Mevrouw MacKenzie, ik ben Howard Altman. We hebben elkaar een paar weken geleden bij de familie Kramer ontmoet,' zei hij vlug en een beetje buiten adem.

Hij zag dat ze ongeduldig tranen van haar wangen veegde, maar ze huilde nog steeds. 'Het spijt me, maar ik kan nu niet met u praten,' zei ze.

'Ik heb uw foto in de kranten zien staan en al die dingen over uw broer gelezen. Uw broer is verdwenen voordat ik voor meneer Olsen ging werken, maar ik wou dat ik u nu kon helpen.'

'Dank u, dat wou ik ook.'

'Als meneer en mevrouw Kramer zich onheus tegen u hebben gedragen, kan ik daar wel iets aan doen,' beloofde hij.

Ze gaf geen antwoord en gaf hem een duwtje tegen zijn

arm om in de auto te kunnen stappen. Howard deed een stap opzij en vlug opende ze het portier, trok het dicht en startte de motor. Ze keurde hem geen blik meer waardig terwijl ze iets achteruit reed, aan het stuur draaide en wegreed.

Met een grimmig gezicht ging Howard naar het appartement van de Kramers. Ze deden niet open, ook niet toen hij zijn vinger op de bel hield. Hij probeerde met zijn eigen sleutel naar binnen te gaan, maar ze hadden het extra slot erop gedaan. 'Gus! Lil! Ik moet jullie spreken!' riep hij.

'Loop naar de hel!' schreeuwde Gus Kramer terug. 'We vertrekken vandaag! Je mag onze baan, ons appartement en de hele bliksemse boel hebben! En je mag zelf ook wel uitkijken, Howie. Als Steve ook maar iets te zeggen heeft, moet jij binnenkort ook op zoek naar een nieuw onderkomen. Ga nou maar weg.'

Er zat niets anders op dan weggaan, besefte Howard. Zou Olsen Steve hebben meegenomen om de ronde langs de gebouwen te doen? Want waarom zou Olsen anders een taxi hebben genomen?

Hij kon er maar op één manier achter komen. Hij ging terug naar zijn appartement en zette de computer aan. Toen hij de film bekeek, zag hij dat Steve de dag daarvoor het appartement in- en uit had gelopen, maar steeds alleen. Op dat moment was er niemand in de woonkamer. Misschien was hij dan toch met Olsen op stap, dacht Howard. Maar toen hij overschakelde naar de camera in de slaapkamer, zag hij Steve in zijn ondergoed op de rand van zijn bed zitten en een voor een zijn pruiken opzetten. De laatste was die met het lange, bruine haar. Steve glimlachte tegen zijn spiegelbeeld en smakte met zijn lippen alsof hij het kuste. Toen draaide hij zich om en keek recht in de camera.

'Howie, ik heb hier zelf ook bewakingscamera's opgehangen,' zei hij. 'Dat was nodig, want niet al mijn vrienden zijn even betrouwbaar. Als je nu kijkt, of anders wanneer je kijkt, wens ik je een prettige dag.'

Met trillende vingers zette Howard zijn computer uit.

55

Op maandag omstreeks het middaguur werd rechercheur Bob Gaylor opgebeld door de vrijwilligster van het daklozentehuis in Mott Street met wie hij had gesproken. 'Hallo, met Joan Coleman,' begon ze opgewonden. 'Ik had u beloofd dat ik u zou bellen over Zach.'

Het was lawaaiig in het kantoor en Gaylor deed zijn best om zich te concentreren op haar stem. 'Oké, wat hebt u me te vertellen?' zei hij.

'Hij komt hier voorlopig niet meer langs. Nu het zo warm is, blijft hij buiten. Gisteravond was hij met al zijn spullen in de buurt van de Brooklyn Bridge, stomdronken. Hij heeft tegen zijn vrienden daar gezegd dat hij in verband met de zaak Leesey Andrews waarschijnlijk een beloning zal krijgen.'

'Daar heeft hij zijn best voor gedaan, maar ik denk niet dat het ervan komt.'

'Mijn informant, Pete, is een jongen die het misschien nog wel zal redden. Hij is verslaafd, maar hij probeert af te kicken. Dat lukt voorlopig, dus geloof ik wat hij zegt.' Zacht vervolgde ze: 'Hij zegt dat Winters beweert dat hij een bewijs heeft, maar dat niet kan laten zien omdat hij dan de schuld zal krijgen.'

'Oké. Dus Winters was gisteravond in de buurt van de Brooklyn Bridge?'

'Ja, vlak bij een bouwput, daar is hij waarschijnlijk nog steeds. Volgens Pete moet hij een lange roes uitslapen.'

'Joan, als je ooit voor ons wilt komen werken,' zei Gaylor nadrukkelijk, 'is de baan voor jou.'

'Nee, dank u. Ik heb mijn handen vol aan de hulp die we deze kerels kunnen geven.'

'Heel erg bedankt, Joan.'

Gaylor stond op, ging naar het kantoor van Larry Ahearn en vertelde hem wat hij zojuist had gehoord.

Ahearn luisterde zonder hem te onderbreken en toen Gaylor was uitgesproken, zei hij: 'Jij dacht dat Winters niet het achterste van zijn tong had laten zien en misschien had je gelijk. Ga hem zoeken en probeer erachter te komen wat hij nog meer te vertellen heeft. Misschien is hij nog dronken genoeg om minder voorzichtig te zijn.'

'Heb je nog iets van Leeseys familie gehoord?'

Ahearn leunde zuchtend achterover op zijn stoel. 'Ik heb Gregg vanmorgen gesproken. Hij heeft zijn vader een kalmerend middel gegeven en blijft bij hem tot de zaak op welke manier dan ook is afgerond.' Hij haalde zijn schouders op. 'Maar jij en ik weten dat de kans bestaat dat we nooit zullen weten wat er precies met Leesey is gebeurd of nog zál gebeuren.'

'Dat geloof ik niet,' zei Gaylor. 'Je had gelijk toen je gisteren zei dat de dader aandacht wil.'

'Ik begin ook te geloven dat hij gepakt wil worden, maar dan wel op een heel spectaculaire manier.' Ahearn balde zijn handen tot vuisten. 'Gregg zei daarstraks dat hij zich verdomd hulpeloos voelt. Nou, ik ook.'

Toen Gaylor naar de deur wilde lopen, rinkelde de telefoon. Ahearn nam op, luisterde even en zei: 'Verbind hem door.' Hij wenkte Gaylor terug naar zijn bureau. 'Het is Gregg Andrews.'

Tegen de beller zei Ahearn: 'Als je vader een smeekbede in de kranten wil zetten, zullen we dat natuurlijk aan de media doorgeven.' Hij pakte een pen. 'Uit de Bijbel, oké.' Met de hoorn tegen zijn oor gedrukt, begon hij te schrijven. Hij onderbrak Gregg een keer om iets te herhalen en zei ten slotte: 'Ik heb het genoteerd en zal ervoor zorgen.'

Hij zuchtte diep en legde de hoorn neer. 'Ik zal je voorlezen wat dokter Andrews wil dat er op televisie en in de kranten wordt geciteerd, om de ontvoerder duidelijk te maken hoe wanhopig hij ernaar verlangt dat zijn dochter gezond en wel bij hem terugkomt. Het is een uitspraak van de profeet Hosea:

> "Toen je een kind was, heb ik je liefgehad.
> Ik leerde je lopen, ik heb je op mijn armen genomen.
> Ik was voor jou als diegenen die kinderen naar hun wang tillen.
> Ik neigde mij tot je, gaf je te eten. Hoe kan ik je prijsgeven?"'

Beide mannen hadden tranen in hun ogen toen rechercheur Bob Gaylor het kantoor verliet om op zoek te gaan naar Zach Winters.

Visioenen van dollarbiljetten, stapels dollarbiljetten, wervelden door het hoofd van Zach Winters toen hij zijn ogen opende en de man zag die zich over hem heen boog. Hij lag opgekruld op een van zijn favoriete plekken, een bouwput vlak bij de Brooklyn Bridge waar een parkeergarage was afgebroken, maar nog niet aan de bouw van iets anders was begonnen. De houten omheining was opengebroken en nu het buiten warm was, gebruikten hijzelf en veel van zijn vrienden de plek als een soort thuisbasis. Ongeveer om de twee weken kwam de politie langs om hen te verjagen, maar na een dag of twee kwamen alle vaste gasten er weer met hun spullen terug. Ze wisten net zo goed als Zach dat ze, wanneer met het nieuwe bouwproject zou worden begonnen, voorgoed zouden worden verdreven, maar zover was het nog niet.

Zach had liggen dromen over de beloning van vijftigduizend dollar die hem ten deel zou vallen zodra hij had bedacht hoe hij dat zonder zichzelf in moeilijkheden te brengen, voor elkaar zou kunnen krijgen. En toen had iemand hem wakker geschud.

'Vooruit, Zach, wakker worden,' zei de man luid.

Zach opende traag zijn ogen en meteen drong het tot hem door dat hij deze man kende. Een politieagent. Hij was erbij toen de broer van dat meisje Andrews hem had meegenomen naar het bureau. Wees voorzichtig, waarschuwde Zach zichzelf. Dit is de vent die toen die gemene opmerkingen maakte.

Hij rolde op zijn rug en drukte zich op zijn ellebogen overeind. Hij had zijn winterjack over zich heen gespreid en duwde het van zich af. Hij knipperde met zijn ogen in de middagzon en keek of zijn boodschappentas op wieltjes er nog was. Hij had hem op de grond gelegd en er zijn benen overheen gezwaaid, zodat niemand er zonder hem opzij te duwen iets uit kon halen. Dat was een veilige methode, al zag hij dat de kranten die hij bovenop had gelegd, uit de tas waren gegleden.

Hij knipperde nogmaals met zijn ogen en vroeg: 'Wat is er?'

'Ik wil met je praten. Sta op.'

'Ja, ja, rustig maar.' Zach pakte de wijnfles die naast hem had gestaan toen hij in slaap viel.

'Hij is leeg,' zei Gaylor bars. Hij greep Zach bij een arm en hees hem ruw overeind. 'Je hebt tegen je vrienden gezegd dat je meer weet over de verdwijning van Leesey Andrews, iets wat je ons een paar dagen geleden niet hebt verteld. Wat is dat?'

'Ik heb geen idee.'

'Dat heb je wel.' Gaylor bukte zich, pakte het handvat van het wagentje en zette het rechtop. 'Je hebt tegen je vrienden gezegd dat je iets hebt gevonden wat als bewijs kan dienen en je de beloning kan opleveren. Wat is het?'

Zach veegde het zand van zijn jack. 'Ik ken mijn rechten. Ga weg.' Hij stak zijn hand uit naar het boodschappenwagentje, maar Gaylor liet het niet los en versperde hem de weg.

'Zach, waarom wil je ons niet helpen?' vroeg Gaylor boos. 'Ik wil dat je me alles laat zien wat je in deze tas bij je hebt. We weten heus wel dat jij niets met de verdwijning van Leesey Andrews te maken hebt. Je bent altijd dronken, je had het niet voor elkaar kunnen krijgen. Maar als je iets in je bezit hebt wat ons zal helpen haar te vinden, krijg je de beloning. Dat beloof ik je.'

'Ja, dat zal wel.' Zach probeerde nogmaals het handvat van het karretje te grijpen en toen Gaylor het opzij trok, vielen er een paar kranten uit en zag hij meteen de dure make-uptas die gedeeltelijk in een smerig overhemd was gewikkeld.

'Hoe kom je hieraan?' vroeg hij bars.

'Dat gaat je niks aan.' Zach trok het wagentje naar zich toe en legde de kranten terug. 'Ik moet ervandoor.' Hij duwde het wagentje voor zich uit naar het dichtstbijzijnde trottoir.

Gaylor liep met hem mee, pakte zijn mobiel en belde Ahearn. 'Ik heb een bevel tot huiszoeking nodig om de inhoud van de boodschappenkar van Zach Winters te inspecteren,' zei hij. 'Hij heeft een dure zilverkleurig met zwarte make-uptas bij zich die volgens mij van Leesey Andrews is. Ik blijf bij hem tot je me terugbelt. Kun je intussen Leeseys huisgenote bellen om te vragen hoe Leeseys make-uptas eruitziet?'

Veertig minuten later haalde Gaylor met twee politieauto's achter zich en het bevel tot huiszoeking in zijn zak de make-uptas van Leesey Andrews uit Zachs boodschappenwagentje.

'Ik was bang dat jullie zouden denken dat ik hem gestolen had,' jammerde Zach. 'Toen ze in die SUV stapte, liet ze haar handtas vallen en toen rolde er van alles uit. Ze raapte bijna alles op en toen ze waren weggereden, ben ik nog gaan kijken of ze misschien een paar dollarbiljetten had laten liggen. Je snapt me wel. En toen zag ik dit tasje en heb ik het meegenomen, en om eerlijk te zijn, moet ik bekennen dat er een biljet van vijftig dollar in zat en dat ik mezelf alvast een kleine beloning heb gegeven en...'

'Waarom hou je niet even je mond?' zei Bob Gaylor. 'Als je ons dit meteen had gegeven of zelfs pas zaterdag, had het misschien geholpen.'

Behalve de make-upspullen die elke jonge vrouw bij zich had, zat er ook een visitekaartje in het tasje. Het was van Nick DeMarco en vermeldde het adres en telefoonnummer van zijn zolderappartement. Achter op het kaartje stond: 'Leesey, ik kan in de showbusiness deuren voor je openen en zal dat graag doen. Bel me op, Nick.'

56

Met een tevreden glimlach zette Derek Olsen zijn handtekening onder het laatste document van de stapel die de overdracht bevestigde van zijn vervallen herenhuis op de hoek van 104th Street en Riverside Drive aan Twining Enterprises, het steenrijke vastgoedbedrijf dat begonnen was aan de bouw van een luxueus appartementencomplex ernaast. Hij had erop gestaan dat Douglas Twining senior, de directeur van het bedrijf, er persoonlijk bij aanwezig zou zijn.

'Ik wist wel dat je me mijn vraagprijs zou betalen, Doug,' zei Olsen. 'Toen je zei dat je dat huis van mij niet nodig had, was dat flauwekul.'

'Ik had het niet nodig, maar ik wilde het wel hebben,' zei Twining kalm. 'Ik had ook zonder jouw huis mijn complex kunnen bouwen.'

'Zonder de hoek? Zonder het uitzicht? En stel dat ik het dan had verkocht aan iemand die er zo'n hoog, plat gebouw zou hebben neergezet, zodat jouw kopers aan de westkant tegen een muur zouden aankijken? Kom nou.'

Twining keek naar zijn advocaat. 'Zijn we klaar?'

'Volgens mij wel, meneer.'

Twining stond op. 'Dan wens ik je geluk, Derek.'

'Doe dat. Twaalf miljoen dollar voor een stuk grond van vijftien bij dertig meter met een vervallen huis erop waar ik veertig jaar geleden vijftienduizend dollar voor heb betaald, dat noem ik nog eens inflatie!' Olsen glimlachte triomfantelijk, maar keek meteen weer ernstig toen hij vervolgde: 'Misschien vind je het prettig te horen dat ik het geld voor een goed doel zal gebruiken. Een heleboel kinderen in de Bronx, kinderen die niet opgroeien in die chique appartementen van jou en niet de zomervakanties in de Hamptons doorbrengen, zullen over een poosje een mooi park hebben om in te spelen. Een Derek Olsenpark. Wanneer laat je dat huis slopen?'

'De sloophamer komt donderdagmorgen. Ik denk dat ik het zelf zal doen, dat heb ik niet verleerd.'

'Dan kom ik kijken. Tot ziens, Doug.' Tegen zijn advocaat, George Rodenburg, vervolgde Olsen: 'Oké, we gaan. Je mag me op een etentje trakteren, want ik kon van opwinding bij de lunch geen hap door mijn keel krijgen. En onder het eten zal ik mijn neef en Howie bellen om te zeggen dat het huis donderdagmorgen wordt gesloopt. Dat ik er twaalf miljoen dollar voor heb gekregen en dat het hele bedrag wordt besteed aan mijn parken. Ik wou dat ik dan hun gezichten kon zien. Ze krijgen allebei een hartaanval van schrik.'

57

Toen ik thuiskwam van mijn bezoek aan Gus en Lil Kramer, reed ik tussen flitsende camera's door rechtstreeks de garage van Sutton Place in. Ik ging naar boven, stopte wat spullen in een tas en ging met een grote zonnebril op weer naar beneden, naar de garage, waar ik de auto van mijn moeder nam om de media te misleiden. In de hoop dat ik niemand omver zou rijden, racete ik de garage uit en Fifty-seventh Street in en daarna door First Avenue tot aan Ninety-sixth Street, terwijl ik steeds in het spiegeltje keek om te zien of ik werd gevolgd. Ik wilde niet dat iemand wist waar ik naartoe ging.

Ik wist het natuurlijk niet zeker, maar ik dacht dat ik aan de media was ontsnapt toen ik rechtsaf Ninety-sixth Street insloeg en de FDR Drive naar het noorden nam. Deze weg is genoemd naar Franklin Delano Roosevelt en dat deed me denken aan Elliott. Als Mack die misdaden inderdaad had gepleegd en werd gevonden, dacht ik rillend, zouden er nog maanden van publiciteit en een of meer processen volgen. Elliott had een heleboel rijke, vooraanstaande cliënten. Weliswaar hield hij van mijn moeder, maar zou hij bij dat soort publiciteit betrokken willen zijn? En als hij met mama zou trouwen, zou hij dan al die tijd haar foto in de kranten willen zien?

Voorlopig nam hij haar in bescherming, maar zou hij daarmee doorgaan? Als papa nog zou leven en dit allemaal mee zou maken, zou hij, dat wist ik absoluut zeker, vierkant achter Mack staan en hemel en aarde bewegen om hem krankzinnig en dus ontoerekeningsvatbaar te laten verklaren. Ik dacht aan Elliotts te vaak vertelde anekdote over Roosevelt – dat hij toen Eleanor er een keer niet was een Republikeinse gastvrouw had uitgekozen omdat er in Hyde Park geen Democraten te vinden waren die op hetzelfde maatschappelijke niveau stonden als hijzelf – en vroeg me af of Roosevelt en Elliott de moeder van een veroordeelde seriemoordenaar in hun buurt zouden willen hebben. Zoals de zaken nu stonden, kon ik Elliott bijna 'laten we goede vrienden blijven' tegen mama horen zeggen.

Toen ik in het drukke verkeer van Cross Bronx terechtkwam, probeerde ik niet meer te denken en mijn aandacht bij het rijden te houden. In de trage file reserveerde ik telefonisch een plekje op de laatste veerboot van Falmouth naar de Vineyard. Vervolgens boekte ik een kamer in het Vineyard Hotel in Chappaquiddick en zette mijn mobieltje uit. Ik wilde niemand meer spreken.

Het was bijna halftien toen ik op het eiland aankwam, en even later bereikte ik het hotel. Uitgeput, maar nog te rusteloos om te gaan slapen, ging ik naar beneden en naar de bar, waar ik een hamburger at en twee glazen rode wijn dronk. Daarna nam ik tegen verstandig medisch advies in een van de slaappillen die ik in het nachtkastje van mijn moeder had gevonden en ging naar bed.

Ik sliep twaalf uur achter elkaar.

58

Om halfvijf 's middags zat Nick DeMarco in zijn kantoor in Manhattan toen de telefoon rinkelde. Het was commissaris Larry Ahearn, die hem op zakelijke toon verzocht meteen naar zijn bureau te komen. Nick voelde dat zijn mond kurkdroog werd en hij slikte voordat hij ermee instemde. Direct daarna belde hij zijn advocaat, Paul Murphy.

'Ik ga er meteen naartoe,' zei Murphy. 'Ik zal in de hal op je wachten.'

'Ik heb een beter plan,' zei Nick. 'Ik was al van plan om over een kwartier hier weg te gaan en Benny rijdt waarschijnlijk al rondjes om op me te wachten, dus bel ik je vanuit de auto en komen we je halen.'

Om vijf over vijf reden ze met Benny achter het stuur in zuidelijke richting door Park Avenue. 'Volgens mij proberen ze je alleen maar zenuwachtig te maken,' zei Murphy. 'Er zijn maar twee dingen die ze als indirect bewijs kunnen gebruiken, meer hebben ze niet. Het eerste is dat je Leesey in de bar had gevraagd naar je tafeltje te komen en het tweede is dat je een zwarte Mercedes SUV hebt, maar zo'n auto hebben duizenden anderen ook.'

Hij keek DeMarco aan en voegde eraan toe: 'Je had me de vorige keer dat we daar waren natuurlijk wel een verrassing kunnen besparen.'

Hoewel Murphy het laatste had gefluisterd, gaf Nick hem een duwtje met zijn elleboog. Hij wist dat Murphy bedoelde dat Benny's tweede vrouw hem een straatverbod had laten opleggen en Benny had een uitstekend gehoor, hem ontging niets.

Vanwege het drukke verkeer schoten ze zo langzaam op dat Murphy besloot Ahearn te bellen. 'Ik wil jullie laten weten dat we in de file staan en er niets aan kunnen doen dat we laat zijn.'

'Dat hindert niet,' zei Ahearn. 'Wij gaan nergens naartoe. Zit de chauffeur van DeMarco, Benny Seppini, achter het stuur?'

'Inderdaad.'

'Neem hem dan mee naar boven.'

Om tien voor zes kwamen Nick DeMarco, Paul Murphy en Benny Seppini het kantoor van Larry Ahearn binnen. Ze hadden alledrie gezien dat de agenten in het grote kantoor hen met kille blikken volgden.

In Ahearns kantoor was de sfeer nog killer. Weer zaten de rechercheurs Barrott en Gaylor aan weerskanten van Ahearn. Voor het bureau stonden drie stoelen. 'Ga zitten,' zei Ahearn kortaf.

Benny Seppini keek Nick aan. 'Meneer DeMarco, ik geloof niet dat het juist is als ik...'

'Hou op met die onderdanige houding, we weten allemaal dat je hem Nick noemt,' snauwde Ahearn. 'Ga zitten, zei ik.'

Seppini wachtte tot DeMarco en Murphy zaten en ging toen zelf ook zitten. 'Ik ken meneer DeMarco al jaren,' zei hij. 'Hij is een belangrijke man en als we niet met z'n tweeën zijn, noem ik hem meneer DeMarco.'

'Ach, wat aardig,' zei Ahearn sarcastisch. 'Laten we beginnen met hiernaar te luisteren.' Hij drukte op een toets van een bandrecorder en ze luisterden naar de stem van Leesey Andrews, die haar vader om hulp smeekte.

Daarna hing er een geladen stilte, tot Paul Murphy vroeg: 'Waarom vond u het nodig dat bandje voor ons af te spelen?'

'Dat zal ik u graag vertellen,' antwoordde Ahearn. 'Ik wilde uw cliënt eraan herinneren dat Leesey Andrews gisteren waarschijnlijk nog leefde. We dachten dat hij dan met de hand over zijn hart zou strijken en ons zou vertellen waar we haar kunnen vinden.'

DeMarco sprong op. 'Ik weet net zomin als jullie waar dat arme kind is en ik zou er alles voor over hebben als ik haar het leven kon redden!'

'Dat geloof ik graag,' zei Barrott, en het sarcasme droop van zijn stem. 'U vond haar een mooi meisje, nietwaar? Zo mooi dat u haar uw visitekaartje hebt gegeven met het adres van uw zolderappartement erop.'

Hij hield het kaartje omhoog, schraapte zijn keel en las: 'Leesey, ik kan in de showbusiness deuren voor je openen en zal dat graag doen. Bel me. Nick.'

Hij legde het kaartje op het bureau. 'Dat hebt u haar die avond gegeven, nietwaar?'

'Je hoeft niet te antwoorden, Nick,' waarschuwde Murphy.

Nick schudde zijn hoofd. 'Ik heb geen reden om niet te

antwoorden. Toen ze korte tijd aan mijn tafeltje zat, zei ik tegen haar dat ze erg goed kon dansen, en dat is waar. Toen vertrouwde ze me toe dat ze na haar afstuderen dolgraag een jaar vrij zou willen nemen om te zien of ze op het toneel iets zou kunnen bereiken. Ik ken veel mensen in de showbusiness, dus heb ik haar dat kaartje gegeven. Wat zou dat?' Hij keek Ahearn recht in zijn argwanende ogen.

'Dat hebt u ons blijkbaar vergeten te vertellen,' zei Ahearn misprijzend.

'Ik ben hier nu al drie keer geweest,' zei Nick, die zich begon op te winden, 'en elke keer doen jullie alsof ik iets met haar verdwijning te maken heb. Ik weet dat jullie een manier kunnen bedenken om me mijn alcoholvergunning voor de Woodshed af te pakken, ook al zouden jullie daar een reden voor moeten verzinnen...'

'Hou op, Nick,' beval Murphy.

'Ik hou niet op! Ik heb niets met haar verdwijning te maken. De vorige keer dat ik hier was, kreeg ik te horen dat ik te veel krediet had opgenomen. Dat is waar. Als ik dankzij jullie de Woodshed moet sluiten, ga ik failliet. Ik heb een paar verkeerde beslissingen genomen, dat ontken ik niet, maar ik zou het niet in mijn hoofd halen om een meisje zoals Leesey Andrews kwaad te doen of te ontvoeren.'

'U hebt haar wel uw kaartje gegeven,' zei Bob Gaylor.

'Inderdaad.'

'Wanneer verwachtte u dat ze naar uw zolderappartement zou bellen?'

'Naar mijn zolderappartement?'

'Op dat kaartje staat het adres van uw zolderappartement en uw vaste telefoonnummer daar.'

'Niet waar. Ik heb haar een kaartje gegeven met mijn kantooradres erop, Park Avenue 400.'

Barrott gooide hem het kaartje toe. 'Kijk zelf maar.'

Met zweetdruppeltjes op zijn voorhoofd las Nick een

paar keer wat er op het kaartje stond voordat hij weer iets zei. 'Het was vandaag twee weken geleden,' mompelde hij bij zichzelf. 'Ik had kaartjes laten drukken met alleen het adres van het zolderappartement erop en die had ik die dag opgehaald. Ik moet er een van in mijn portefeuille hebben gestopt en die per vergissing aan Leesey hebben gegeven.'

'Waarom zou u visitekaartjes met het adres en telefoonnummer van het zolderappartement laten drukken als het niet uw bedoeling was die aan mooie meisjes zoals Leesey te geven?' vroeg Barrott.

'Nick, we kunnen nu weggaan,' zei Murphy.

'Dat is niet nodig. Mijn appartement in Fifth Avenue staat te koop en ik ga in het zolderappartement wonen. Ik heb een heleboel vrienden lang niet gezien, omdat ik al mijn tijd in mijn restaurant en de bar moest steken. Die kaartjes waren bedoeld voor de komende tijd.' Nick legde het kaartje terug op het bureau.

'Is de zus van Mack MacKenzie, Carolyn, ook een van de mensen die u wilt uitnodigen daar op zolder?' vroeg Barrott. 'Leuke foto van uw tweeën, die van gisteravond, waarop u hand in hand naar uw auto rent. Ik moest er bijna van huilen.'

Ahearn keek Benny Seppini aan. 'Benny, laten we het nu eens over jou hebben. De nacht waarin Leesey Andrews verdween, had jij Nicks, o, neem me niet kwalijk, meneer DeMarco's zwarte Mercedes SUV meegenomen naar je huis in Astoria. Klopt dat?'

'Nee, ik ben in zijn sedan naar huis gereden.' Benny's verweerde, door littekens ontsierde gezicht werd rood.

'Heb je zelf dan geen auto? Je krijgt vast wel genoeg betaald om je eigen vervoermiddel te kunnen betalen.'

'Daar zal ik wel antwoord op geven,' zei Nick, voordat Benny het kon doen. 'Toen Benny vorig jaar tegen me zei dat hij zijn auto wilde inruilen, heb ik tegen hem gezegd dat het dom was om de verzekering en het onderhoud van een auto te betalen terwijl ik drie auto's in een garage in Manhattan had staan, voor het geld dat het daar kost. Dat hij beter de SUV voor zijn woon-werkverkeer kon gebruiken en de sedan nemen om mij in rond te rijden.'

Ahearn negeerde hem. 'Dus ben je op de avond, vandaag precies twee weken geleden, ook met de zwarte Mercedes SUV, die je sympathieke baas je voor eigen vervoer had aangeboden, naar huis gegaan, Benny.'

'Nee. Meneer DeMarco had de SUV in de garage van het zolderappartement staan omdat hij de volgende morgen zijn golfclubs mee naar het vliegveld wilde nemen. Ik heb hem om een uur of tien met de sedan bij de Woodshed afgezet en ben doorgereden naar huis.'

'Naar huis en naar bed.'

'Dat klopt. Ik was om een uur of elf thuis.'

'In jouw buurt heb je een parkeerprobleem, nietwaar?'

'Het hele centrum van New York heeft een parkeerprobleem.'

'Maar je had geluk. Je kon de auto van je baas recht voor je flatgebouw parkeren. Dat is toch zo?'

'Dat is zo. Thuis ben ik meteen naar bed gegaan en heb nog even naar Jay Leno gekeken. Die was heel leuk. Hij had het over...'

'Dat interesseert me geen zier. Wat me wel interesseert, is dat die zwarte Mercedes van Nick DeMarco niet de hele nacht voor je deur heeft gestaan. Je buurman van 6D heeft je daar om kwart over vijf 's ochtends die auto zien parkeren, toen hij naar zijn werk ging. Waar kwam je toen vandaan, Benny? Had meneer DeMarco gebeld dat je dringend moest komen? Was er een probleem?'

Benny Seppini keek Ahearn met een boze, koppige blik aan. 'Dat gaat u niks aan,' zei hij bot.

'Heb je een mobieltje met een prepaidkaart erin, Benny?' vroeg Ahearn.

'Daar hoef je geen antwoord op te geven, Benny!' zei Paul Murphy luid.

'Waarom niet? Dat heb ik, ja. Ik wed wel eens. Honderd dollar hier of daar. Wilt u me daarvoor arresteren? Ga uw gang.'

'Heb je niet eens een keer voor de grap zo'n mobieltje met een prepaidkaart gekocht als verjaarscadeautje voor Nick, ik bedoel meneer DeMarco?'

'Hou je mond, Benny!' riep Paul Murphy.

Benny stond op. 'Waarom? Ik zal jullie precies vertellen wat er die nacht is gebeurd. Omstreeks middernacht werd ik gebeld door een heel aardige vrouw. Ze leeft gescheiden van haar man, een waardeloze dronkelap. Ze was bang. Haar man weet dat zij en ik elkaar graag mogen. Hij had een dreigende boodschap achtergelaten op haar mobiel. Ik kon niet meer slapen, dus heb ik me weer aangekleed en ben naar haar toe gereden. Ze woont ongeveer anderhalve kilometer bij me vandaan. Ik ben voor het gebouw waar ze woont in de auto blijven zitten om te zien of die vent na sluitingstijd soms bij haar langs zou gaan. Daar ben ik tot vijf uur gebleven en toen naar huis gegaan.'

'Je bent een echte ridder, Benny,' zei Ahearn. 'Wie is die vrouw? En wie is de man die haar bedreigt?'

'Hij is politieagent,' zei Benny kalm. 'Een van de helden van New York. Ze heeft volwassen kinderen en die vinden hem een prima kerel met een drankprobleempje. Ze wil hem geen last bezorgen. Ik wil niemand last bezorgen. Dus dit is alles wat ik hierover wil zeggen.'

Paul Murphy stond op. 'Nu is het genoeg,' zei hij tegen Ahearn, Barrott en Gaylor. 'Ik weet zeker dat jullie Benny's verhaal zullen kunnen bevestigen en ik weet dat mijn cliënt al het mogelijke zal doen om dat vermiste meisje op te sporen.' Met een laatdunkend gezicht vervolgde hij: 'Jullie zijn de verkeerde weg ingeslagen, dus raad ik jullie aan om te keren en de juiste weg naar de ontvoerder van

Leesey en die andere jonge vrouwen te vinden. Verspil niet langer je tijd met de verkeerde persoon terwijl er misschien nog een kans bestaat dat jullie haar kunnen redden.'

De drie rechercheurs keken de mannen, terwijl ze het kantoor verlieten, zwijgend na. Toen ze de deur achter zich dicht hadden gedaan, zei Ahearn: 'Dat verhaal zit vol gaten. Benny kan natuurlijk best een alibi hebben bedacht door een tijdje voor het huis van zijn vriendin te gaan staan, maar hij had meer dan genoeg tijd om op verzoek van Nick Leesey Andrews uit dat zolderappartement te gaan halen.'

Ze keken elkaar gefrustreerd aan en hoorden in hun hoofd de nagalm van Leesey Andrews' noodkreet.

59

'*And the walls came tumbling down...*' Was dat niet een oud gospellied? Over Joshua en de muren van Jericho? Hij wist het niet zeker, maar wat hij wel zeker wist, was dat de tijd drong.

Ik wilde echt niet dat ik zo zou worden, dacht hij. Ik ben ertoe gedwongen. Ik heb na de eerste echt geprobeerd ermee op te houden. De echte eerste telt natuurlijk niet mee, daar weet niemand iets van. Maar toen mócht ik er niet mee ophouden.

Niet eerlijk. Niet eerlijk.

Het einde is nabij, dacht hij en hij voelde zijn hart sneller kloppen. Ik kan er niet meer mee ophouden. Het is afgelopen. Ze zullen me vinden, maar ik laat me niet arresteren. Ik ga dood, maar ik neem iemand mee. Wat is de beste manier, de meest opwindende manier, om het te doen?

Daar kom ik nog wel achter, verzekerde hij zichzelf.

Daar was hij tenslotte altijd achter gekomen.

60

Martha's Vineyard ligt ongeveer vierhonderdvijftig kilometer ten noordoosten van Manhattan en het warme weer komt er iets later. Toen ik dinsdagmorgen wakker werd en uit het raam keek, zag ik dat het een heldere, koude dag was. Ik voelde me lichamelijk en geestelijk een stuk sterker en toen ik opstond, overwoog ik wat ik voor mijn ontmoeting met Barbara Hanover Galbraith zou aantrekken. Het was koud genoeg voor het joggingpak dat ik in mijn tas had gestopt, maar dat leek me toch eigenlijk geen geschikte kleding voor ons gesprek.

Ik wilde er niet te netjes, maar ook niet te nonchalant uitzien, en vooral niet als Macks jongere zus. Barbara was kinderchirurg, maar ik was jurist en onlangs griffier van een rechtbank geweest. Ik had ook een witte spijkerbroek met een wit T-shirt en een donkergroen kasjmieren jasje bij me en dat leek me een verstandige keus.

Hoewel het bijna tijd voor de lunch was, bestelde ik zwarte koffie en een kaneelbroodje als ontbijt, dat ik opat terwijl ik me aankleedde. Ik merkte hoe nerveus ik was toen ik onhandig de kaartjes van de stomerij van mijn kleren haalde.

Ik besefte heel goed dat ik misschien voor niets was gekomen. Misschien waren Barbara en haar kinderen inmiddels teruggegaan naar Manhattan, maar dat geloofde ik toch niet. Ik vermoedde dat Barbara zich hier schuilhield om te voorkomen dat iemand haar vragen over Mack zou stellen en als dat waar was, dan zou ik haar hier nog vinden.

Als ik eerst zou bellen om een afspraak te maken, zou ze weigeren me te zien, dat wist ik zeker. Maar als ik onaangekondigd voor de deur zou staan, zou het heel ongemanierd van haar zijn als ze de deur voor mijn neus dichtdeed, vooral omdat ze vroeger wel eens bij ons thuis had gegeten.

Dat hoopte ik tenminste.

Ik keek op mijn horloge en besefte dat ik moest opschieten als ik haar thuis wilde aantreffen. In de auto zette ik het navigatiesysteem aan. Richard Hanover woonde ongeveer tien kilometer bij het hotel vandaan. Ik was van plan rechtstreeks naar zijn huis te rijden en aan te bellen. Als er niemand thuis was, zou ik naar de stad gaan en daar een poosje rondlopen, en regelmatig terugrijden naar het huis tot ze opendeed.

Ik vond het een goed plan, maar het liep natuurlijk heel anders. Ik kwam om half een bij het huis aan. Er was niemand thuis. Ik ging om het uur terug, tot het half zes was. Toen besloot ik dat ik voor niets was gekomen, en dat stelde me diep teleur. Maar net toen ik omkeerde, kwam er een Jeep met een nummerplaat uit New York aanrijden en sloeg de oprit van het huis in. Ik zag dat er een vrouw achter het stuur zat, met een man naast zich en kinderen achterin.

Ik reed nog een minuut of tien rond, ging terug naar het huis en belde aan. Een man van begin zeventig deed open. Hij wist natuurlijk niet wie ik was, maar hij glimlachte vriendelijk. Ik stelde mezelf voor en zei dat Bruce me had verteld dat zijn gezin hier logeerde. 'Kom binnen,' zei hij. 'Dan bent u een vriendin van Barbara.'

'Meneer Hanover,' zei ik toen ik naar binnen ging, 'ik ben de zus van Mack MacKenzie. Ik moet met Barbara praten over mijn broer.'

Zijn gezicht betrok. 'Dat lijkt me geen goed idee,' zei hij.

'Het doet er niet toe of het een goed idee is of niet,' zei ik. 'Het spijt me, maar het is absoluut noodzakelijk.' Ik gaf hem geen kans nog iets te zeggen en liep regelrecht door naar de woonkamer.

Het huis was een Cape Cod-ontwerp van vroeger en er was in de loop der jaren bij aangebouwd. De woonkamer was niet groot, maar wel gezellig en gemeubileerd met ouderwetse Amerikaanse meubels en een gehaakt kleed op de vloer. Boven mijn hoofd hoorde ik rennende voetstappen en gegil van het lachen. De kinderen waren waarschijnlijk nog vrij jong. Ik meende me te herinneren dat Bruce en Barbara een jongen en een meisjestweeling hadden gekregen.

Richard Hanover was niet mee naar binnen gekomen, dus nam ik aan dat hij Barbara was gaan vertellen dat ik er was. Terwijl ik stond te wachten, kwamen er drie kleine meisjes de trap afrennen, gevolgd door een meisje van een jaar of elf. De jongsten, onder wie een tweeling, kwamen naar me toe en begroetten me vrolijk.

'Hoe heet jij?' vroeg ik en ik wees een van de tweeling aan.

'Samantha Jean Galbraith,' antwoordde ze trots. 'Iedereen noemt me Sammy en we zijn vandaag met de veerboot naar Cape Cod geweest.'

Dus ze hadden een uitstapje gemaakt. Ik wees naar de andere helft van de tweeling. 'Hoe heet jij?'

'Margaret Hanover Galbraith. Ik ben vernoemd naar mijn oma, die in de hemel is en iedereen noemt me Maggie.' Ze hadden allebei het blonde haar van hun moeder.

'En is dat jullie nichtje of jullie vriendinnetje?' vroeg ik en ik wees naar het derde kleine meisje.

'Dat is Ava Grace Gregory, ons allerbeste vriendinnetje,' legde Samantha uit. Ava Grace kwam een stap dichterbij en lachte stralend. Samantha draaide zich om en trok het oudere meisje naar me toe. 'En dit is Victoria Somers. Ze komt soms hier bij ons en soms gaan we naar hun ranch in Colorado.'

'Dan mag ik wel eens mee,' zei Ava Grace met een ernstig gezicht. 'En mijn papa heeft ons een keer het Witte Huis laten zien.'

'Daar ben ik nog nooit geweest,' zei ik. 'Wat leuk, zeg.'

Wat houd ik toch veel van kinderen, dacht ik. Ooit wil ik er zelf vier, als dat mogelijk is.

'Kom, jongens, nu weer naar boven om je handen te wassen voordat we ergens gaan eten.' Het klonk luchtig en omdat de kinderen naar mij keken, konden ze de uitdrukking op het gezicht van Barbara Hanover Galbraith niet zien. Ze keek me met zo'n intense afkeer aan dat het me alleen maar verbaasde.

Ik had haar maar één keer tijdens het avondeten bij ons thuis ontmoet, toen ik zestien was. Ik was heel verdrietig geweest omdat ik de indruk had dat Nick verliefd op haar was, maar Nick had me onlangs verteld dat zij toen verliefd was op Mack. Plotseling vroeg ik me af of ik me wat de uitdrukking op haar gezicht betrof niet vergiste. Drukten haar samengeknepen ogen en gespannen lichaam inderdaad afkeer uit of iets anders?

De meisjes zeiden me luidkeels gedag en verdwenen naar boven. 'Laten we naar de studeerkamer gaan,' zei Barbara tegen mij.

Ik liep achter haar aan een smalle gang door. Aan het eind zag ik een grote, landelijke keuken met daarnaast nog een woonkamer. De studeerkamer lag links voor de keuken. Ik vermoedde dat Richard Hanover, wanneer hij alleen was, daar zijn avonden doorbracht. De muren waren behangen in een zonnige kleur, er lag een gedessineerd vloerkleed en er stonden een bureau met een stoel en een gemakkelijke stoel tegenover een televisietoestel dat aan de muur hing. Links achter die stoel stond een leeslamp met daarnaast een mand met boeken en tijdschriften.

Ik kon me voorstellen dat mijn vader zich in zo'n kamer ook thuis zou hebben gevoeld.

Barbara deed de deur dicht en ging achter het bureau zitten, waardoor ik gedwongen werd de leunstoel te nemen, die te groot en te diep voor me was. Ik wist dat ze even oud was als Mack, eenendertig, maar ze was een van die vrouwen wier jeugdige schoonheid niet van lange duur is. Haar gezicht, dat ik vroeger zo mooi vond, was te mager geworden en ze had smalle lippen. Haar lange, golvende blonde haar, waar ik vroeger zo jaloers op was geweest, was strak naar achteren gekamd en opgestoken. Toch was ze nog een slanke, aantrekkelijke vrouw met een autoritaire uitstraling. Het kwam bij me op dat ze met haar overwicht een troost zou zijn voor de ouders van haar jonge patiënten.

'Waarom ben je gekomen, Carolyn?' vroeg ze.

Ik keek haar aan en probeerde net zo'n vijandigheid uit te stralen als zij. 'Omdat ik heb begrepen dat jij en Mack een stel waren voordat hij tien jaar geleden verdween. Eerlijk gezegd heeft iemand me verteld dat je dolverliefd op hem was. Als Mack, zoals de politie denkt en jij vast wel in de kranten hebt gelezen, misdaden pleegt, kan daar maar één reden voor zijn en dat is dat hij geestelijk volledig is ingestort. Ik wil graag weten of jij daar destijds iets van hebt gemerkt.'

Ze zei niets.

Ik bleef haar strak aankijken. 'Ik zal je ook maar vertellen dat je man, toen ik op zijn kantoor met hem sprak, zo vijandig deed over Mack dat het me verbijsterde. Wat heeft Mack Bruce ooit aangedaan? En had dat iets met zijn verdwijning te maken? Waarom vond je het nodig om hiernaartoe te gaan en te voorkomen dat iemand je zou ondervragen? Als je denkt dat je je hier kunt blijven verstoppen, vergis je je. Voor ons huis in Sutton Place wemelt het van de verslaggevers. Elke keer als ik naar binnen of naar buiten ga, houden ze me microfoons voor. Als je me geen eerlijk antwoord op mijn vragen wilt geven en als ik niet zeker weet dat jij niets met zijn verdwijning te maken hebt gehad, zeg ik de volgende keer tegen die lui dat jij en je man informatie achterhouden die kan helpen bij de opsporing van Leesey Andrews.'

Ik zag haar verbleken. 'Dat durf je niet.'

'O ja, hoor, dat durf ik wel,' zei ik ferm. 'Ik zal alles doen om Mack te vinden en hem, als hij die misdaden inderdaad heeft gepleegd, te beletten ermee door te gaan. Of als hij onschuldig is, zijn naam te zuiveren. Misschien lijdt hij wel aan geheugenverlies en woont hij duizenden kilometers hiervandaan.'

'Ik weet niet waar hij is, maar ik weet wel waarom hij is verdwenen.' Barbara's kin begon te trillen. 'Als ik het je vertel, beloof je me dan dat je ons met rust zult laten? Bruce heeft niets met zijn verdwijning te maken gehad. Bruce houdt van me en heeft me het leven gered. Hij haat Mack om wat Mack mij heeft aangedaan.'

'Wat heeft hij je dan aangedaan?' vroeg ik moeizaam. Ik had me vergist. Barbara had me niet vol afkeer aangekeken, maar verbeten, om me niet haar verdriet te laten zien.

'Ik was gek op Mack. We waren een stel, maar ik wist dat het voor hem veel minder betekende dan voor mij. Toen merkte ik dat ik zwanger was en raakte ik in paniek. Mijn moeder was stervende. Onze ziektekostenverzekering keerde nauwelijks iets uit en van het geld dat mijn ouders opzij hadden gelegd om mij medicijnen te laten studeren, was niets meer over. Ik zou naar Columbia Presbyterian gaan en wist dat ik dat wel kon vergeten. Ik heb Mack alles verteld.'

Ze onderdrukte een snik. 'Hij zei dat hij voor me zou zorgen. Dat we zouden trouwen, dat ik mijn studie een jaar kon uitstellen en er dan aan kon beginnen.'

Zoiets zou Mack inderdaad hebben gezegd, dacht ik.

'Ik geloofde hem. Ik wist dat hij niet van me hield, maar ik wist zeker dat hij op den duur wél van me zou gaan houden. Toen verdween hij, zomaar op een dag. Ik wist niet wat ik moest doen.'

'Waarom ben je niet naar mijn ouders toe gegaan?' vroeg ik. 'Zij zouden je vast wel hebben geholpen.'

'Me geld hebben gegeven om het kind van hun zoon te kunnen onderhouden? Nee, dank je.' Barbara beet op haar lip. 'Ik ben kinderchirurg geworden. Ik vind het geweldig om het leven van een baby te redden. Ik heb baby's gered die zo klein waren dat ik ze op één hand kon dragen. Ik heb het talent om te kunnen genezen. Maar één baby heb ik niet gered, die van mij. Ik heb voor abortus gekozen omdat ik wanhopig was.' Ze wendde haar blik af en vervolgde: 'Zal ik je eens wat vertellen, Carolyn? Soms, als er in de babykamer een kleintje ligt te huilen en ik het in mijn armen neem om te troosten, moet ik denken aan de baby die ik uit mijn eigen baarmoeder heb laten wegschrapen.'

Ze stond op. 'Je broer wist niet of hij wel jurist wilde worden. Hij zei dat hij zijn rechtenstudie zou afmaken om zijn vader een plezier te doen, maar dat hij veel liever naar de toneelschool zou gaan. Ik denk niet dat hij krankzinnig is geworden, ik denk dat hij gewoon ergens anders zijn leven voortzet, en misschien is hij zo fatsoenlijk dat hij zich schaamt. Of ik geloof dat hij die misdaden heeft gepleegd? Geen sprake van. Ik verafschuw hem om wat hij mij heeft aangedaan, maar hij is geen seriemoordenaar. Het verbaast me dat die mogelijkheid zelfs maar bij je op is gekomen.'

'Ik ga nu weg en ik beloof je dat ik je naam nooit tegen iemand zal noemen en je niet meer lastig zal vallen,' zei ik zacht en ik stond op. 'Maar ik heb nog één vraag. Waarom heeft Bruce zo'n hekel aan Mack?'

'Daar kan ik je een heel eenvoudig antwoord op geven. Bruce houdt van me. Dat heb ik altijd geweten, vanaf het eerste jaar op de universiteit. Na de abortus ben ik naar een hotelkamer gegaan en heb slaappillen geslikt. En toen besloot ik dat ik toch wilde blijven leven. Ik heb Bruce gebeld, hij is meteen gekomen en heeft me het leven gered. Hij zal altijd voor me klaarstaan en daarom houd ik van hem. Bovendien heb ik in de loop der jaren geleerd ook om hemzelf van hem te houden. Doe me nu een plezier en ga weg.'

Beneden was het stil toen ik door de gang naar de voordeur liep. Boven hoorde ik de stemmen van de kinderen, en ik vermoedde dat Richard Hanover hen bezig had gehouden om te voorkomen dat ze ons konden horen.

Als ik zou proberen mijn emoties van dat moment te beschrijven, zou ik zeggen dat ik het gevoel had dat ik door een wervelwind werd meegesleurd en dan weer tegen de ene, dan weer tegen de andere muur werd gesmeten. Eindelijk wist ik waarom mijn broer was verdwenen. Mack had zich vreselijk egoïstisch gedragen. Hij had geen rechten willen studeren en niet van Barbara gehouden, en haar zwangerschap was het laatste zetje geweest om ervandoor te gaan. Ik begreep nu ook het citaat op de band: 'Nu ik in de ogen van Fortuna en de mensen in ongenade ben gevallen, beween ik heel alleen mijn verworpen staat en ontrief de dove hemel met mijn vergeefse kreten.'

Als verdediging voerde ik aan dat hij moest hebben gedacht dat Barbara beslist naar mijn ouders zou gaan om om hulp te vragen voor het kind.

Barbara's overtuiging dat Mack die misdaden niet op zijn geweten had en haar verbazing omdat ik de mogelijkheid daarvan had overwogen, voelde als een verwijt, maar ook als een opluchting. Ik was al bezig geweest een pleidooi op te stellen om hem ontoerekeningsvatbaar te laten verklaren, en opeens was mijn angst dat hij vrouwen ontvoerde en vermoordde voorbij. Ik besefte dat ik er op dat moment mijn onsterfelijke ziel onder zou verwedden dat hij onschuldig was.

Maar wie was dan de schuldige? Wie? Die vraag kwam bij me op toen ik in de auto stapte, en natuurlijk kon ik het antwoord niet bedenken.

Ik reed terug naar het hotel en hoopte dat ik de kamer nog een nacht zou mogen houden. Het hotel had hooguit tien kamers, en ik was van plan geweest om pas om zes uur te vertrekken en daar extra voor te betalen.

Gelukkig was mijn kamer na zessen ook nog vrij, want in mijn emotionele toestand was ik niet in staat om naar de veerboot te rijden, daar te wachten tot ik mee kon en dan nog door te rijden naar huis. Wat zou ik daar trouwens aantreffen? Verslaggevers, dacht ik verbitterd. Insinuerende telefoontjes van Barrott. Een afwezige moeder, die me niet wilde zien. Nick, een zogenaamde vriend, die me waarschijnlijk alleen maar gebruikte om zijn eigen naam te zuiveren.

Ik ging naar boven. Het was koud in de kamer. Ik had het raam open laten staan en het personeel had het niet gesloten. Ik deed het dicht en zette de thermostaat hoger, en toen keek ik in de spiegel. Ik zag er afgetobd en moe uit. Mijn haar, dat ik los had laten hangen, hing slap op mijn schouders.

Ik haalde de badjas van het hotel uit de kleerkast, ging naar de badkamer en liet het bad vollopen. Drie minuten later voelde ik de warmte van het water tot in mijn koude botten doordringen. Na mijn bad trok ik mijn joggingpak aan, blij dat ik het mee had genomen. Het gaf me een comfortabel gevoel en ik trok de rits dicht tot aan mijn kin. Ik kamde mijn haar naar achteren en stak het op, en ik maakte mezelf licht op om mijn gespannen gezicht wat op te fleuren.

Ik had altijd moeten lachen om bekende personen die 's avonds een zonnebril droegen en ik had me vaak afgevraagd hoe ze dan in een restaurant het menu konden lezen. Maar die avond zette ik de zonnebril op die ik de dag ervoor tijdens de autorit naar de Vineyard had gedragen en die mijn gezicht voor de helft bedekte, wat me een veilig gevoel gaf.

Ik pakte mijn schoudertas en ging naar beneden, naar het restaurant. Tot mijn teleurstelling zag ik dat er behalve de grote tafel in het midden, waar het bordje GERESERVEERD op stond, geen tafeltje meer vrij was. Maar de hoofdkelner kreeg medelijden met me. 'In de hoek bij de keukendeur is nog een tafeltje vrij,' zei hij. 'Ik zet er niet graag iemand neer, maar als u het niet erg vindt...'

'Ik vind het niet erg,' zei ik.

Net toen ik een glas wijn had besteld en het menu bestudeerde, kwamen ze de eetzaal binnen: Barbara Hanover Galbraith, haar vader en de vier meisjes. En nog iemand. Een jongen van een jaar of tien met rossig haar en een gezicht dat ik net zo duidelijk herkende als mijn eigen gezicht in de spiegel.

Ik staarde naar hem. Die ver uit elkaar staande ogen. Dat hoge voorhoofd met een lok haar erop. Die rechte neus. Hij lachte, en het was Macks lach. Ik keek naar Macks gezicht. Mijn god, ik keek naar Macks zoon!

Ik werd duizelig toen het tot me doordrong. Barbara had gelogen. Ze had géén abortus gehad. Wanneer ze in de babykamer een baby troostte, dacht ze nooit aan haar eigen baby die ze had laten weghalen. Ze had het kind ter wereld gebracht en bracht hem groot alsof hij de zoon van Bruce was.

Wat was er dan nog waar van de rest van haar verhaal?

Ik moest daar weg. Ik stond op en liep door de keuken, nagestaard door het personeel, naar de lobby en naar boven. In mijn kamer pakte ik mijn tas in en even later verliet ik het hotel. Ik kon nog net de laatste veerboot halen. Om twee uur 's nachts was ik terug in Sutton Place.

Alle busjes van de media waren uit de straat verdwenen, maar rechercheur Barrott stond in de garage. Blijkbaar had hij geweten dat ik op weg was naar huis en ik besefte dat iemand me had gevolgd. Ik was misselijk van vermoeidheid. 'Wat doet u hier?' schreeuwde ik bijna tegen hem.

'Carolyn, dokter Andrews heeft een uur geleden weer een boodschap van Leesey ontvangen. Ze zei letterlijk:

"Papa, Mack heeft gezegd dat hij me nu gaat vermoorden. Hij wil niet langer voor me zorgen. Dag papa. Ik hou van je, papa." '

De stem van Barrott galmde door de garage toen hij schreeuwde: 'En toen gilde ze "Nee, niet doen!" Hij heeft haar gewurgd. Gewurgd, Carolyn. We hebben haar niet kunnen redden. Waar is je broer, Carolyn? Waar is die ellendige moordenaar? Je moet het ons vertellen. Waar kunnen we hem vinden?'

61

Woensdagmorgen om drie uur, toen hij door SoHo reed op zoek naar een volgend slachtoffer, rinkelde zijn mobiel.

'Waar ben je?' vroeg een gespannen stem.

'Ik rij rond in SoHo. Niets bijzonders.' Het was zijn favoriete buurt en omstreeks deze tijd strompelden er overal dronken jonge vrouwen naar huis.

'Het wemelt daar van de smerissen. Je doet toch geen stomme dingen?'

'Geen stomme, wel spannende,' zei hij en zijn ogen flitsten heen en weer door de straat. 'Ik moet er nog één vinden. Ik kan er niets aan doen.'

'Ga naar huis en naar bed. Ik heb al iemand voor je en zij zal voor de grootste sensatie zorgen van allemaal.'

'Ken ik haar?'

'Je kent haar.'

'Wie is het dan?'

Hij luisterde naar de naam. 'O, wat een fantastisch idee!' riep hij. 'Heb ik ooit tegen je gezegd dat je mijn lievelingsoom bent?'

62

Zelfs het geharde team rechercheurs had vol ontzetting geluisterd naar Leeseys afscheid van haar vader. Allemaal namen ze zich heilig voor dat ze de seriemoordenaar zouden pakken voordat hij nog een keer kon toeslaan. Steeds weer gingen ze alle feiten na die tijdens het onderzoek aan het licht waren gekomen.

Woensdagmorgen stonden ze allemaal weer in Ahearns kantoor.

Gaylor meldde wat hij te weten was gekomen. Het verhaal van Benny Seppini klopte. Hij was bevriend met Anna Ryan, de vrouw die gescheiden leefde van Walter Ryan, een sergeant van politie die erom bekendstond dat hij te veel dronk en een opvliegend karakter had. Anna Ryan had bevestigd dat ze Benny twee weken geleden op maandagavond had opgebeld en had gezegd dat ze bang was voor haar man. Toen Gaylor haar had verteld dat Benny had gezegd dat hij de hele nacht in zijn auto voor haar appartement had gestaan, had ze glimlachend geantwoord: 'Dat is echt iets voor hem.'

'Maar dat betekent niet dat Benny die nacht geen alarmtelefoontje van DeMarco heeft gekregen,' zei Ahearn. 'Al zullen we dat nooit kunnen bewijzen.'

Ahearn las zijn aantekeningen voor. In de paar dagen dat hij Nick DeMarco door rechercheurs in burger had laten volgen, had DeMarco niets bijzonders gedaan. Zijn afgetapte telefoongesprekken gingen over zakelijke onderwerpen. Enkele telefoontjes van makelaars bevestigden dat zijn appartement in Park Avenue inderdaad te koop stond. Iemand had er een bod op gedaan en DeMarco had gezegd dat hij erover zou nadenken. Hij had meerdere keren geprobeerd Carolyn MacKenzie te bellen, maar ze had haar mobiel uitgezet. 'Wij weten dat ze naar Martha's Vineyard is gegaan,' zei Ahearn. 'Maar dat weet DeMarco niet en hij begint zich zorgen om haar te maken.'

Ahearn keek op om zich ervan te verzekeren dat iedereen nog aandachtig luisterde. 'Carolyn is op bezoek geweest bij de vroegere vriendin van haar broer, dokter Barbara Hanover Galbraith, maar ze is er niet lang gebleven. Barbara's man was er niet. En toen Barbara en haar familie later die dag de eetzaal van het hotel waar Carolyn logeerde binnenkwamen, is Carolyn meteen opgestaan en naar huis gereden. Ze is in het hotel door niemand gebeld en heeft haar mobiel niet meer gebruikt sinds ze maandag de stad verliet na haar bezoek aan de Kramers.'

'Toen ze maandagmorgen uit het appartement van de Kramers kwam, huilde ze. We hebben een foto van haar toen ze naar buiten kwam. Toen ze naar haar auto liep, ging er een man achter haar aan. Dit is een foto van die man en haar.' Ahearn legde zijn aantekeningen neer en gaf Barrott een paar foto's. 'We zijn nagegaan wie hij is. Hij heet Howard Altman en hij werkt voor Derek Olsen, de eigenaar van een aantal kleine appartementencomplexen, ook dat waar Mack MacKenzie heeft gewoond. Altman kreeg die baan een paar maanden nadat Mack was verdwenen.'

De foto's deden de ronde en werden teruggelegd op het bureau. 'We hebben maandagmiddag een paar mensen naar de Kramers toe gestuurd,' vervolgde Ahearn op vermoeide toon. In zijn hoofd hoorde hij nog steeds Leesey roepen: 'Nee, niet doen!' Hij schraapte zijn keel. 'Gus Kramer zei dat hij tegen Carolyn had gezegd dat zijn vrouw Mack had gezien bij die mis, toen hij dat briefje in de collectemand had gestopt, dat hij een moordenaar was en dat Carolyn hen met rust moest laten. Carolyn begon te huilen en rende naar buiten.'

'Maar toen we mevrouw Kramer de eerste keer spraken,' zei Gaylor, 'zei ze dat ze er niet zeker van was dat het

Mack was die ze in de kerk had gezien, omdat ze haar bril niet op had en hem niet scherp had kunnen opnemen. En maandagmiddag wist ze dus opeens wel zeker dat het Mack was. Geloven we haar?'

'Ik geloof geen woord van wat de Kramers ons vertellen,' zei Ahearn ronduit. 'Maar ik zie Gus Kramer niet voor een seriemoordenaar aan.' Hij keek naar Barrott. 'Vertel hun wat Carolyn MacKenzie tegen jou zei toen je haar vanmorgen in de garage opwachtte.'

De donkere kringen onder Roy Barrotts ogen waren dikke wallen geworden. 'We hebben elkaar daar flink de waarheid gezegd. Ze bezwoer me dat haar broer onschuldig is, dat het feit dat Leesey zijn naam noemde ook kan betekenen dat iemand haar daartoe dwong. Ze zei dat ze elke verklaring die we afleggen of hebben afgelegd zal uitpluizen, net als alles wat al is gepubliceerd, en dat ze, als er ook maar een keer staat dat haar broer een moordenaar is, ons allemaal voor de rechter zal slepen.' Hij zweeg en wreef over zijn voorhoofd. 'Ze zei dat ze jurist is en een heel goede, en dat ze ons dat zou bewijzen. Ze zei dat als haar broer schuldig zou zijn, zij de eerste zou zijn die hem zou aangeven om te voorkomen dat hij uiteindelijk zou worden neergeschoten, en dat ze in dat geval haar uiterste best zou doen om hem ontoerekeningsvatbaar te laten verklaren.'

'Geloof je haar?' vroeg Chip Dailey, een van de jongste rechercheurs.

Barrott haalde zijn schouders op. 'Ik geloof dat zij gelooft dat hij onschuldig is, dat wel. Ik geloof nu ook dat ze geen contact met haar broer heeft. Als hij degene is die met Leeseys mobiel het appartement van haar moeder heeft gebeld, is dat gewoon weer een spelletje van hem.'

Ahearns telefoon rinkelde. Hij nam op en toen hij luisterde, veranderde de uitdrukking op zijn gezicht. 'Denk eraan dat je zeker weet dat het waar is,' zei hij tegen de beller. Hij verbrak de verbinding en zei tegen de mannen in zijn kantoor: 'Lil Kramer heeft toen ze vierentwintig was twee jaar gevangengezeten. Ze was in dienst geweest bij een oude vrouw en nadat die was overleden, bleek een groot deel van haar juwelen te zijn verdwenen. Lil is voor die diefstal veroordeeld.'

'Heeft ze destijds bekend?' vroeg Barrott.

'Nee. Maar dat doet er niet toe. Ze is veroordeeld. Ik wil dat zij en Gus naar het bureau komen.' Hij keek zijn kantoor rond. 'Jullie weten allemaal wat je moet doen.' Hij liet zijn blik rusten op Barrott, die bijna omviel van de slaap. 'Roy, ga naar huis en ga slapen. Je bent ervan overtuigd dat Carolyn geen contact heeft met haar broer?'

'Ja.'

'Dan hoef je haar niet meer te laten volgen. We hebben niet genoeg om de Kramers vast te houden, maar als ze hier weggaan, moeten ze allebei worden gevolgd.'

Toen de rechercheurs het kantoor verlieten, zei Ahearn iets waarvan hij niet zeker was geweest of hij het zou zeggen. 'Ik heb minstens honderd keer naar die band geluisterd en misschien denken jullie dat ik gek ben, maar volgens mij hebben we te maken met een psychopaat. Jullie hebben Leesey horen gillen en toen hoorden jullie een hijgend, borrelend geluid, maar daarna werd de verbinding verbroken. We hebben niet gehoord dat ze stierf.'

'Denk je dan echt dat ze nog leeft?' vroeg Gaylor ongelovig.

'Ik denk dat de vent met wie we te maken hebben in staat is zich tot dit soort spelletjes te verlagen, ja.'

63

Toen ik na mijn schreeuwpartij met rechercheur Barrott naar boven ging, hadden zowel Nick als Elliott een bezorgde boodschap op mijn antwoordapparaat achtergelaten.'Waar ben je, Carolyn? Wil je me alsjeblieft bellen? Ik maak me ongerust over je.' Die was van Nick. Zijn laatste boodschap was van middernacht. 'Carolyn, je mobiel staat niet aan. Bel me zodra je thuis bent, het geeft niet hoe laat.'

Elliott had driemaal ingesproken, het laatst om halftwaalf. 'Carolyn, je mobiel staat niet aan. Bel me alsjeblieft. Ik maak me zorgen om je. Ik ben vanavond bij je moeder geweest en heb de indruk dat ze emotioneel weer veel sterker is, maar ik ben bang dat ik in mijn bezorgdheid om haar jou heb verwaarloosd. Je weet hoe lief je me bent. Bel me meteen nadat je dit bericht hebt afgeluisterd.'

Toen ik deze bezorgde boodschappen had gehoord, had ik het gevoel dat ik vanuit een sneeuwstorm een warme kamer was binnengegaan. Ik hield van hen allebei, maar ik was niet van plan hen om halfvier in de morgen terug te bellen. Ik was zonder eerst te eten uit het restaurant op Martha's Vineyard weggerend en merkte opeens dat ik honger had. Ik ging naar de keuken, dronk een glas melk en at een boterham met pindakaas. Ik had in geen tijden pindakaas gegeten, maar opeens snakte ik ernaar. Daarna kleedde ik me uit en ging naar bed. Ik was zo opgewonden dat ik dacht dat ik niet zou kunnen slapen, maar ik viel meteen in slaap.

Wat later liep ik door een doolhof van droevige dromen, huilende schimmen en nog iets anders. Wat was dat andere? Welk gezicht probeerde ik te zien terwijl het me steeds plagend ontweek? Niet dat van Mack. Als ik over hem droomde, zag ik een tienjarige jongen met rossig haar, een lok op zijn voorhoofd en wijd uit elkaar staande ogen. De zoon van Mack. Mijn neefje. Ik werd om een uur of acht wakker, trok mijn ochtendjas aan en ging nog steeds een beetje slaperig naar de keuken.

In het morgenlicht was de keuken geruststellend vertrouwd. Wanneer mijn moeder met vakantie ging, gaf ze Sue, onze huishoudster, die al heel lang voor ons werkte, grotendeels vrijaf. Ze kwam dan nog maar één keer per week om het appartement schoon te maken en ik zag aan allerlei dingen dat ze de dag ervoor was geweest, toen ik op de Vineyard was. In de koelkast stond verse melk en de post, die ik slordig op het aanrecht had gelegd, was netjes gesorteerd. Ik was blij dat ze was gekomen toen ik er niet was, want ik had het niet kunnen verdragen als ze medelijden had getoond vanwege Mack.

Ik had absoluut geen honger, maar ik kon weer helder nadenken en wist dat ik een paar beslissingen moest nemen. Terwijl ik drie koppen koffie dronk, probeerde ik dat te doen.

Rechercheur Barrott. Ik wist vrijwel zeker dat ik hem ervan had overtuigd dat ik Mack niet in bescherming probeerde te nemen, maar ik had iets voor hem verzwegen wat op Macks verdwijning van grote invloed kon zijn geweest.

Barbara had me verteld dat Bruce kwaad was op Mack omdat Mack haar slecht had behandeld, maar misschien stak er veel meer achter. Bruce was altijd verliefd op Barbara geweest en hij was op haar voorwaarden met haar getrouwd, dat was duidelijk: wees de vader van mijn kind en laat me medicijnen studeren. Had hij Mack op de een of andere manier gedwongen om te verdwijnen? Had hij hem bedreigd? En zo ja, waarmee?

Nee, dat ging me te ver.

De zoon van Mack. Ik moest hem beschermen. Barbara wist niet dat ik hem had gezien. Hij groeide op als de zoon van een kinderchirurg en een rijke vastgoedhandelaar. Hij had twee zusjes. Ik mocht zijn wereld niet verstoren, en als ik zou proberen Bruce verdacht te maken en als Barrott zich dan zou gaan verdiepen in de relatie tussen Barbara en Mack voordat Mack verdween, zou dat kunnen gebeuren.

Ik moest met iemand praten, met iemand die ik volledig kon vertrouwen. Nick? Nee. Onze advocaat, Thurston Carver? Nee. Toen kwam het antwoord en dat lag zo voor de hand dat het me verbaasde dat het niet eerder bij me op was gekomen: Lucas Reeves. Hij was sinds het begin bij het onderzoek betrokken. Hij had gesprekken gevoerd met Nick, Barbara, Bruce en de Kramers. Ik belde zijn kantoor. Het was pas halfnegen, maar hij was er al. Hij zei dat ik meteen langs mocht komen en dat hij en zijn personeel al hun tijd besteedden aan het zoeken naar de ontvoerder van Leesey Andrews.

'Zelfs als het Mack zou zijn?' vroeg ik.

'Natuurlijk, maar ik geloof geen moment dat hij er iets mee te maken heeft.'

Ik nam een douche en zette toen ik me aankleedde de tv aan. De politie had de media verteld dat Leesey nog een keer had gebeld. 'De inhoud van het telefoongesprek is niet bekendgemaakt, maar de politie heeft bevestigd dat de kans groot is dat ze inmiddels dood is,' zei de nieuwslezer van CNN.

Toen ik een spijkerbroek en een katoenen trui met lange mouwen aantrok, bedacht ik dat ze, door de inhoud van het gesprek niet te vermelden, Macks naam er in elk geval buiten hadden gehouden.

Ik houd van sieraden en draag altijd oorbellen en een ketting. Die dag koos ik een dunne gouden ketting met een parel eraan, die ik van papa had gekregen, en vervolgens zocht ik in een la naar de oorbellen die Mack me voor mijn zestiende verjaardag cadeau had gedaan: gouden zonnetjes met een diamantje in het midden. Door beide sieraden die dag te dragen, had ik het gevoel dat ze allebei dicht bij me waren.

Het kantoor van Reeves ligt ongeveer anderhalve kilometer bij Sutton Place vandaan, maar ik besloot dat een wandeling me goed zou doen. Ik had de dagen daarvoor zo veel in de auto gezeten dat ik wel wat lichaamsbeweging kon gebruiken. De vraag was hoe ik de pers zou kunnen ontwijken. Dat deed ik door naar de garage te gaan en te wachten tot er een andere bewoner van het appartement naar beneden kwam, aan wie ik vroeg of ik met hem mee mocht rijden. Hij was een gedistingeerde oudere man, die ik niet eerder had ontmoet. 'Mag ik me voor de achterbank op de vloer verstoppen tot we een paar straten verder zijn?' smeekte ik hem.

Hij keek me meelevend aan. 'Mevrouw MacKenzie, ik begrijp volkomen dat u de media wilt ontwijken, maar tot mijn spijt mag ik u niet helpen. Ik ben rechter bij het Openbaar Ministerie.'

Ik begon bijna te lachen om de bizarre situatie. Maar toen wenkte de rechter iemand die op dat moment uit de lift stapte en zei: 'Hallo, David. Deze jongedame heeft hulp nodig, die jij haar vast wel kunt geven.' Mijn wangen gloeiden van verlegenheid toen ik hen allebei bedankte.

David en hoe hij verder ook mocht heten, zette me af op de hoek van Park Avenue en Fifty-seventh Street. Ik liep de rest van de weg en mijn gedachten dwarrelden net zo wild door mijn hoofd als de wind stukjes papier door de straten blies. Het was inmiddels eind mei. *O Mary, we crown thee with blossoms today, Queen of the Angels, Queen of the May*. Dat zongen we altijd in de maand mei op de School van het Heilige Hart en toen ik een jaar of zeven was, mocht ik de kroon op het hoofd van het Mariabeeld zetten.

Wat een verschil met de scène van vandaag: ik op mijn knieën op de vloer van een auto om microfoons en camera's te ontwijken!

In het kantoor van Lucas Reeves voelde ik me gesterkt

toen ik die kleine man met zijn krachtige gezicht en welluidende stem naar me toe zag komen. Hij gaf me een stevige hand, alsof hij wist dat ik behoefte had aan menselijk contact. 'Kom binnen, Carolyn,' zei hij. 'Het is hier een hele uitstalling.' Hij ging me voor naar een grote vergaderkamer, waar de muren vol hingen met foto's waarop de gezichten waren vergroot. Sommige foto's waren binnen genomen, andere buiten. 'Ze beginnen op het tijdstip van de verdwijning van de eerste jonge vrouw, tien jaar geleden,' legde Reeves uit. 'We hebben ze verzameld uit kranten, televisienieuws en video's van bewakingscamera's en ze zijn genomen in en om de uitgaansgelegenheden waar die vier jonge vrouwen het laatst waren gezien voordat ze verdwenen. Ik heb het rechercheteam van de officier van justitie gevraagd hierheen te komen en ze ook te bekijken, want wie weet is er een gezicht bij dat hen op een nieuw idee brengt. Wil jij ook eens kijken?'

Ik liep langs de muren en bleef stilstaan voor de gezichten van Mack, Nick en hun vrienden in de eerste bar. Wat zagen ze er toen nog jong uit, dacht ik. Ik liep verder langs de muren, van de ene naar de andere verzameling, en bestudeerde de foto's aandachtig. Opeens stond ik stil. Dat lijkt... dacht ik, en toen moest ik er bijna om lachen. Wat dom van me. Ik kon het gezicht van die man niet eens helemaal zien, alleen zijn voorhoofd en ogen.

'Valt je iets op?' vroeg Lucas.

'Nee. Ik herken alleen Mack en Nick in die eerste bar.'

'Laten we dan naar mijn kantoor gaan.'

Daar gingen we zitten. Na het koffieritueel vertelde ik Lucas Reeves wat ik op Martha's Vineyard had ontdekt. Hij luisterde en keek steeds ernstiger. 'Dus nu lijkt het erop dat Mack een goede reden had om te verdwijnen. Een vrouw van wie hij niet hield, zou een kind van hem krijgen. Hij wilde niet met haar trouwen. Hij wilde geen rechten studeren. Om zijn ouders en vooral zijn vader een diepe teleurstelling te besparen, ging hij ervandoor. De echte reden voor het merendeel van de misdaden die worden gepleegd, is een van twee dingen: liefde en geld. In het geval van Mack zou je als voornaamste reden voor zijn verdwijning zijn gebrek aan liefde voor Barbara kunnen noemen.'

Hij leunde achterover op zijn stoel. 'Er zijn mensen om minder belangrijke redenen verdwenen. Als, en ik herhaal: áls Mack iets met de dood van die eerste jonge vrouw te maken zou hebben gehad, zou dat ook een verklaring kunnen zijn voor de diefstal van die banden van zijn vroegere docente. Toen zij werd ondervraagd, kon ze geen reden bedenken waarom hij zou zijn verdwenen, behalve dat hij een uitstekende acteur was. Maar misschien was hij te openhartig tegen haar geweest en vond hij dat hij daarom die banden moest hebben. Ik heb alle dossiers nog eens doorgelezen. Ze is niet gestorven door de klap op haar hoofd zelf, maar doordat ze bewusteloos op straat viel. Dat heeft de hersenbloeding veroorzaakt waaraan ze is overleden.'

Hij stond op en liep naar het raam. 'Er zijn vragen die we nog niet hebben beantwoord, Carolyn. Zelfs als je broer hierbij betrokken is, geloof ik niet dat hij de enige is.' Hij zweeg even en voegde eraan toe: 'Toen ik commissaris Ahearn belde, heeft hij me niet woordelijk verteld wat Leesey in dat laatste bericht heeft gezegd, maar wel dat ze Macks naam noemde.'

'Rechercheur Barrott heeft mij wel verteld wat ze heeft gezegd.' Mijn keel kneep dicht toen ik Leeseys verschrikkelijke boodschap herhaalde en vervolgens wat ik tegen Barrott had geschreeuwd.

'Je hebt gelijk. Misschien werd ze gedwongen zijn naam te noemen.'

'Het maalt steeds maar door mijn hoofd dat Bruce Galbraith Mack haat,' zei ik. 'Hij moet hem nog meer hebben gehaat toen Mack en Barbara met elkaar omgingen. Stel dat

Mack er inderdaad zomaar vandoor is gegaan,' vervolgde ik. 'En stel dat Bruce nog steeds bang is dat hij op een dag weer boven water zal komen en dat Barbara dan weer voor Mack zal kiezen. Ze zei dat ze Mack haat, maar ik weet niet of dat waar is. Mack was een heel bijzonder mens. Hij zei altijd dat Bruce een nietszeggende jongen was. Toen ik vorige week met Bruce praatte, deed hij erg vijandig, dus was het geen normaal gesprek. Maar hij heeft een onopvallend uiterlijk en ook al is hij erg succesvol in zijn werk, ik wil wedden dat hij in het dagelijks leven nog steeds een heel saaie man is. Nick zei dat ze hem vroeger de Lone Stranger noemden, en hij was er ook bij toen ze die avond waarop dat eerste meisje verdween in die kroeg zaten.' Ik keek Reeves onderzoekend aan en probeerde zijn gedachten te raden.

'Ik vraag me af of meneer Galbraith tien jaar geleden wel stevig genoeg aan de tand is gevoeld,' zei Reeves. 'Dat zal ik eens nagaan.'

Ik stond op. 'Ik zal je niet langer ophouden, Lucas,' zei ik. 'Maar ik ben blij dat je aan mijn kant staat. En aan die van Mack,' voegde ik er vlug aan toe.

'Dat is zo.' Hij liep met me mee langs de receptie naar de deur. 'Als ik persoonlijk mag worden, Carolyn, wil ik je erop wijzen dat je onder een spanning leeft waaraan de sterkste man zou bezwijken. Kun je ergens naartoe waar je even tot jezelf kunt komen, misschien samen met een vriend of vriendin?' Hij keek me bezorgd aan.

'Ik zal erover nadenken,' antwoordde ik. 'Maar eerst ga ik mijn moeder opzoeken, of ze dat wil of niet. Je weet misschien al dat Elliott haar naar een particulier rustoord in Connecticut heeft gebracht.'

'Dat weet ik.' Bij de deur gaf Reeves me een hand. 'Carolyn, alle rechercheurs van de officier van justitie zullen hier vanmiddag langskomen, en misschien zal een van hen in die zee van gezichten een gezicht zien dat ons op een nieuw spoor brengt.'

Ik liep naar huis. Deze keer deed ik geen poging om ongezien naar binnen te glippen. De portieren van de busjes van de media vlogen open en een horde verslaggevers stormde op me af.

'Carolyn, wat denk jij ervan?'

'Mevrouw MacKenzie, bent u bereid om uw broer op tv te smeken zichzelf aan te geven?'

Ik draaide me om naar de microfoons. 'Ik wil iedereen smeken ervan uit te gaan dat mijn broer geen enkele misdaad heeft gepleegd. Denk er wel aan dat niemand ook maar enig bewijs tegen hem heeft kunnen aanvoeren. Alles is gebaseerd op toespelingen en veronderstellingen. Ik wil u er bovendien aan herinneren dat het verboden is iemand te belasteren en dat daar strenge straffen op staan.'

Toen rende ik naar binnen, voordat iemand commentaar kon geven. In het appartement belde ik degenen terug die een boodschap voor me hadden achtergelaten. Eerst Nick. Zijn opluchting toen hij mijn stem hoorde klonk zo gemeend dat ik me voornam er later over na te denken.

'Carolyn, dit mag je me niet nog een keer aandoen. Ik was in alle staten. Ik heb zelfs commissaris Ahearn gebeld om te vragen of ze je daar vasthielden. Hij zei dat ze niets van je hadden gehoord.'

'Dat niet, maar ze wisten wel waar ik was,' zei ik. 'Ze hadden iemand achter me aan gestuurd.'

Ik vertelde dat ik op Martha's Vineyard met Barbara had gesproken, maar dat het uitstapje niets had opgeleverd. Ik was voorzichtig met wat ik hem nog meer vertelde. 'Ik ben het met je eens. Ze is waarschijnlijk met Bruce getrouwd om op die manier medicijnen te kunnen gaan studeren, maar het lijkt erop dat ze zich houdt aan wat ze destijds overeen zijn gekomen.' Ik kon mezelf niet beletten er een beetje venijnig aan toe te voegen: 'Ze maakte me duidelijk dat ze een toegewijde, liefhebbende kinderchirurg is, die soms wanneer ze door de babykamers loopt, een huilende baby in haar armen neemt en sust.'

'Dat klinkt als Barbara,' zei Nick. 'Hoe gaat het met je, Carolyn?'

'Het gaat wel.' Ik hoorde hoe mat ik klonk.

'Met mij ook. De politie heeft Benny en mij nog een keer verhoord. Maar ik heb ook goed nieuws,' vervolgde hij opgewekt. 'Mijn appartement in Park Avenue is verkocht.'

'Dat appartement waarin je je net Roy Rogers voelt?' vroeg ik glimlachend.

'Precies. De makelaar heeft me verteld dat de koper het vanbinnen helemaal zal slopen en opnieuw zal inrichten. Ik wens hem veel geluk.'

'Waar ga jij nu wonen?'

'Op mijn zolderappartement. Daar verheug ik me op, als ik me op dit moment tenminste ergens op kan verheugen. Gisteravond hebben we in de club een negentienjarige betrapt met een vals rijbewijs. Als we haar drank hadden verkocht, had ons dat onze alcoholvergunning kunnen kosten. Het zou me niets verbazen als de politie haar had gestuurd om me onder nog meer druk te zetten.'

'Mij zal niets meer verbazen,' zei ik oprecht.

'Zullen we vanavond ergens gaan eten? Ik wil je graag zien.'

'Nee, dat kan niet. Ik ga naar Connecticut om mijn moeder op te zoeken. Ik wil met eigen ogen zien hoe het met haar gaat.'

'Dan zal ik je erheen brengen.'

'Nee, het is beter dat ik alleen ga.'

'Mag ik je iets vragen, Carolyn? Jaren geleden heeft Mack me verteld dat je verliefd op me was en dat ik ervoor moest zorgen dat ik je niet aanmoedigde.' Hij zweeg even en vervolgde op luchtige toon: 'Kan ik die verliefdheid weer tot leven brengen of ben ik nu de enige die verliefd is?'

Ik wist dat mijn stem mijn glimlach verried. 'Wat gemeen van hem om je dat te vertellen.'

'Nee hoor, helemaal niet.' Weer ernstig vervolgde hij: 'Goed, ga dan maar alleen. Maar houd je vast aan de gedachte dat we deze ellende te boven zullen komen.'

Ik begon te huilen en omdat ik niet wilde dat hij het zou horen, verbrak ik de verbinding. Metcen vroeg ik me af of ik Nick 'samen' had horen zeggen, of had ik me dat alleen maar verbeeld omdat ik zo zielsgraag wilde dat het zo zou gaan?

Opeens kwam het bij me op dat mijn mobiel en de telefoon in het appartement misschien werden afgeluisterd. Ach natuurlijk, dacht ik. Barrott wil zeker weten dat ik geen contact heb met Mack en ze willen niet het risico lopen dat ze, als hij me zou bellen, dat niet zouden weten.

Toen ik terugdacht aan mijn gesprek met Nick, hoopte ik dat hun oren waren gaan gloeien bij Nicks veronderstelling dat ze hem met die te jonge klant in de Woodshed in de val wilden laten lopen.

64

Lil en Gus Kramer zaten stijf van de zenuwen in het kantoor van Larry Ahearn. Ahearn nam hen onderzoekend op en probeerde te bedenken hoe hij hen het beste kon aanpakken. Toen Gaylor hen had binnengelaten, had hij meteen gezien dat Lil Kramer op instorten stond. Haar handen trilden en ze had een zenuwtrek om haar mond. Zou hij voorzichtig beginnen of haar meteen de volle laag geven? Hij besloot er geen doekjes om te winden.

'Lil, je hebt ons niet verteld dat je wegens juwelendiefstal twee jaar in de gevangenis hebt gezeten,' zei hij bars.

Ze reageerde alsof hij haar een stomp in haar gezicht

had gegeven. Ze slaakte een kreet, sperde haar ogen wijd open en begon te kreunen. Gus sprong op. 'Hou je mond!' schreeuwde hij tegen Ahearn. 'Als je dat dossier nog eens doorleest, weet je dat ze toen een jong meisje uit Idaho was, zonder familie, dat dag en nacht voor die oude vrouw moest zorgen. Ze heeft die juwelen nooit aangeraakt! Alleen de neven en nichten van die oude vrouw kenden de cijfercombinatie van de brandkast. Ze hebben Lil er ingeluisd, zodat ze niet alleen de juwelen konden inpikken, maar ook de verzekeringsuitkering. De rotzakken.'

'Ik heb nog nooit iemand ontmoet die naar de gevangenis moest en er niet was ingeluisd,' zei Ahearn bot. Hij keek weer naar Lil. 'Ga zitten, mevrouw Kramer. Heeft Mack u er ooit van beschuldigd dat u iets had gestolen?'

'Niks zeggen, Lil. Ze proberen je er nog een keer in te luizen.'

Lil liet gelaten haar schouders hangen. 'Daar kan ik toch niks tegen doen. Niemand zal me geloven. Vlak voordat Mack verdween, vroeg hij me of ik zijn nieuwe horloge soms had gezien. Ik wist dat hij dacht dat ik het had meegenomen. Ik werd zo kwaad dat ik tegen hem begon te schreeuwen. Ik zei dat zij, die drie jongens in dat appartement, zulke sloddervossen waren dat ze, als zij iets niet konden vinden, mij daar de schuld van gaven.'

'Wie had je dan nog meer de schuld ergens van gegeven?' vroeg Ahearn.

'Die nare Bruce Galbraith. Hij was de ring van zijn universiteit kwijt, alsof ik daar iets aan zou hebben. Een week later zei hij dat hij hem in een van zijn broekzakken terug had gevonden. Zonder verontschuldiging, natuurlijk. Geen "het spijt me, mevrouw Kramer".' Lil begon te huilen, de wanhoop nabij.

Ahearn en Gaylor keken elkaar aan en wisten allebei wat de ander dacht: dit kunnen we checken.

'U weet niet of Mack zijn horloge terugvond voordat hij verdween?'

'Nee, dat weet ik niet. Daarom ben ik zo bang dat hij, als hij terugkomt, me opnieuw zal beschuldigen.' Jammerend vervolgde ze: 'Daarom heb ik, toen ik onlangs dacht dat ik hem in de kerk had gezien...'

'U dácht dat u hem had gezien?' onderbrak Ahearn haar. 'Eerder hebt u tegen ons gezegd dat u zeker wist dat u hem had gezien.'

'Ik heb iemand gezien die ongeveer net zo groot was als hij en toen ik hoorde dat hij een briefje had achtergelaten, wist ik zeker dat hij het was geweest, maar daarna wist ik dat niet meer zeker en ik denk dat ik het nu wel zeker weet, maar...'

'Waarom hebben jullie zo plotseling besloten om naar Pennsylvania te verhuizen?' vroeg Gaylor abrupt.

'Omdat de neef van meneer Olsen, Steve Hockney, had gehoord dat Mack me toen vroeg naar zijn horloge en nu bedreigt Steve me daarmee!' schreeuwde Lil. 'Omdat hij wil dat we tegen zijn oom gaan klagen over Howie zodat die wordt ontslagen en... en... ik kan niet... ik kan er niet meer tegen. Ik wou dat ik dood was. Ik wou dat ik dood was...'

Lil Kramer leunde voorover en sloeg haar handen voor haar gezicht. Ze snikte en haar magere schouders schokten. Gus knielde naast haar neer en sloeg zijn armen om haar heen. 'Stil maar, Lil,' suste hij. 'Stil maar. Kom, we gaan naar huis.'

Hij hief zijn hoofd op en keek eerst Ahearn en toen Gaylor aan. 'Weten jullie hoe ik over jullie denk? Zo.' Hij spuugde op het vloerkleed.

65

Nadat ik met Nick had gepraat, belde ik Jackie Reynolds, mijn vriendin de psychologe, die ook had geprobeerd me te bereiken en die ik nog steeds niet terug had gebeld. Zij had natuurlijk wel de kranten gelezen, maar sinds ons etentje samen, toen dit allemaal was begonnen, hadden we elkaar nog nauwelijks gesproken. Omdat ik vermoedde dat de telefoon werd afgetapt, gaf ik neutrale antwoorden op haar vragen.

Ik wist dat ze het meteen begreep. 'Carolyn, er zijn een paar afspraken afgezegd,' zei ze. 'Heb je plannen voor de lunch?'

'Nee.'

'Kom dan naar me toe, dan laat ik broodjes en koffie brengen.'

Dat vond ik een goed idee. Jackies kantoor ligt naast haar appartement op de hoek van East Seventy-fourth Street en Second Avenue. Toen ik had opgehangen, besefte ik dat ik dolgraag haar raad wilde over mijn voorgenomen bezoek aan mijn moeder. Dat herinnerde me eraan dat ik Elliott nog niet had gesproken.

Ik belde zijn kantoor en werd meteen doorverbonden. 'Carolyn! Ik heb me al die tijd afgevraagd waar je was!'

Ik hoorde het verwijt in zijn stem en zei dat het me speet. Dat was ik hem verschuldigd, vond ik. Toen legde ik hem uit dat ik naar Martha's Vineyard was geweest en waarom. Terwijl ik me scherp bewust was van afluisteraars, vertelde ik hem dat het bezoek niets had opgeleverd en dat ik later die middag naar mama zou gaan. 'Als ze me niet wil zien, heb ik het in elk geval geprobeerd. Ik zal zorgen dat ik er tussen vier en vijf aankom,' zei ik.

'Dat lijkt me een geschikt tijdstip,' zei hij langzaam. 'Ik hoop dat ik er om een uur of vijf ook kan zijn. Ik wil Olivia en jou graag samen spreken.'

Daar lieten we het bij. Ik vroeg me af waarover hij het met ons beiden wilde hebben. Ik kon me niet voorstellen dat hij mama, nu ze zo fragiel was, in de steek zou laten. Alsjeblieft niet! Ze had hem nodig. Ik dacht terug aan de avond na de vondst van dat briefje van Mack, nog maar een paar weken geleden, toen ze tijdens ons etentje had aangekondigd dat ze Mack zijn eigen leven zou laten leiden. Ik dacht terug aan de manier waarop zij en Elliott elkaar toen hadden aangekeken. Hij had gezegd dat hij met haar mee naar Griekenland zou gaan en toen ze, nadat we uit Le Cirque naar buiten waren gekomen, samen wegliepen, hadden hun schouders elkaar geraakt. Elliott kon mama gelukkig maken. Mama was tweeënzestig, ze kon nog wel twintig of dertig jaar een heel prettig leven leiden. Tenzij ik dat voor haar had bedorven door in mijn onbezonnenheid die afspraak met rechercheur Barrott te maken.

Ik trok een lange broek met een jasje aan en net als die avond op Martha's Vineyard probeerde ik de donkere kringen onder mijn ogen te verdoezelen met foundation en mijn kleurloze gezicht met lipstick en mascara wat op te fleuren.

Toen ik in mijn eigen auto de garage uitreed, zag ik tot mijn verbazing dat alle mediabusjes waren verdwenen. Ik nam aan dat het tot ze door was gedrongen dat ze van mij die dag geen uitspraken meer konden verwachten.

In Seventy-fourth Street parkeerde ik de auto in Jackies garage en ging naar boven. Ze deed open en we omhelsden elkaar. 'Geen enkel dieet kan tippen aan een berg stress,' zei ze. 'Ik heb je twee weken niet gezien en je bent minstens drie kilo afgevallen.'

'Minstens,' beaamde ik toen ik achter haar aan liep naar haar kantoor. Het is een comfortabel vertrek, niet groot en niet klein, met twee gemakkelijke leunstoelen voor haar bureau. Ze verzamelt negentiende-eeuwse Engelse prenten van honden en paarden, en ik bewonderde een paar heel mooie, ingelijste exemplaren aan de muur. Ik stelde me voor dat nieuwe patiënten hetzelfde deden voordat ze begonnen te praten over de problemen waarvoor ze haar hulp nodig hadden.

We kozen bruine broodjes met sla, ham, Zwitserse kaas en mosterd, en zwarte koffie. Ze gaf de bestelling telefonisch door en we gingen zitten om te praten. Ik vertelde haar over mijn ontmoeting met Barbara, maar niet dat ze Macks zoon had gekregen. In plaats daarvan gaf ik haar Barbara's versie van de abortus en voelde me een leugenaar.

'Het zou een geloofwaardige reden voor Macks verdwijning kunnen zijn,' beaamde Jackie. 'Maar stel dat hij toch naar je vader of je moeder was gegaan, wat zouden die dan volgens jou hebben gedaan?'

'Ze zouden het goed hebben gevonden dat Mack en Barbara gingen trouwen en Macks rechtenstudie hebben betaald.'

'Ook Barbara's studie medicijnen?'

'Dat weet ik niet.'

'Voor zover ik je vader heb gekend, denk ik niet dat hij Mack een kans zou hebben gegeven om een toneelcarrière te proberen.'

'Dat weet ik wel zeker.' Vervolgens zei ik tegen Jackie dat ik bang was dat Elliott niet meer zo happig was op een huwelijk met mijn moeder sinds Mack als verdachte van die moorden was aangemerkt, vooral als hij ooit zou worden opgepakt en berecht.

'Daar zou ik me ook zorgen om maken,' zei Jackie eerlijk. 'Mensen zoals Elliott hechten veel waarde aan hun imago. Ik ken ook zo iemand. Hij is ongeveer even oud als Elliott, weduwnaar, een ontzettend sympathieke man, maar een snob. Ik heb een keer voor de grap tegen hem gezegd dat hij nog liever dood zou gaan dan omgaan met een vrouw die niet tot een vooraanstaande familie behoorde, hoe slim of mooi ze ook was.'

'Wat zei hij toen?' vroeg ik.

'Hij lachte, maar ontkende het niet.'

Iemand van de receptie belde dat onze bestelling eraan kwam. Even later zaten we te eten, en Jackie herinnerde me eraan dat ik van plan was geweest te solliciteren naar een baan bij de officier van justitie in Manhattan. En toen zag ik dat ze spijt had van wat ze eruit had geflapt. Want wie kon zich voorstellen dat de officier van justitie de zus van een man die werd verdacht van moord in dienst zou nemen?

66

De hele middag gingen de leden van het rechercheteam, alleen of met z'n tweeën, langs bij het kantoor van Lucas Reeves om de foto's te bekijken die hij aan de muren had gehangen. Soms bleven ze wat langer voor een foto staan, en allemaal keken ze aandachtig naar het portret van Mack zoals hij er inmiddels waarschijnlijk zou uitzien. Een enkele keer vergeleken ze het met een van de vergrote gezichten op de foto's, maar uiteindelijk gingen ze allemaal schouderophalend en teleurgesteld weer weg.

Roy Barrott kwam als laatste, om kwart voor vijf. Hij was naar huis gegaan en had drie uur geslapen. Daarna had hij zich geschoren en nu bestudeerde hij zorgvuldig de honderden foto's aan de muren, terwijl Lucas Reeves geduldig in zijn kantoor zat te wachten.

Toen Lucas om kwart over zeven kwam kijken hoe het ermee ging, gaf Barrott het eindelijk op. 'Ze beginnen allemaal op elkaar te lijken,' zei hij. 'Maar ik heb wel het gevoel dat ik daar iets over het hoofd zie, al weet ik niet wat.' Hij wees naar de muur tegenover hen.

Lucas Reeves trok een bedenkelijk gezicht. 'Gek genoeg bleef Carolyn MacKenzie daar ook langer staan dan bij de andere foto's. Ik had de indruk dat haar daar iets was opgevallen, maar blijkbaar had ze zich vergist, anders zou ze het beslist hebben gezegd.'

Barrott liep naar de desbetreffende foto toe. 'Dus we zijn geen stap verder gekomen vandaag.'

Reeves haalde zijn visitekaartje uit zijn zak. 'Ik heb er ook het nummer van mijn mobiel op geschreven. Als je alsnog iets te binnen schiet en je wilt die foto nog een keer bekijken, mag je me bellen en zal ik de bewaking waarschuwen dat ze je binnen moeten laten.'

'Dat zal ik doen. Bedankt.'

Barrott ging terug naar het bureau, waar de rechercheurs met nieuwe moed aan de slag waren gegaan. Ahearn ijsbeerde met losgetrokken das en een vermoeid gezicht door zijn kantoor. 'Misschien hebben we een nieuw spoor gevonden,' zei hij. 'Steve Hockney, de neef van de eigenaar van het appartementencomplex waar MacKenzie heeft gewoond, heeft een strafblad. We hebben zijn dossier bekeken en het zijn ernstige delicten, maar er is geen geweld aan te pas gekomen. Hij is opgepakt voor handel in marihuana, inbraak en diefstal. Zijn oom heeft hem door een paar uitstekende advocaten laten verdedigen en hem op die manier uit een strafinrichting voor jeugdige delinquenten kunnen houden. Lil Kramer zei dat Hockney haar bedreigde met het feit dat MacKenzie een keer zijn horloge kwijt was en haar van diefstal beschuldigde. Dat gebeurde een paar dagen voordat MacKenzie verdween. We zijn nu op zoek naar Hockney. Zijn band treedt regelmatig op in SoHo en Greenwich Village en dan dost hij zich op allerlei manieren uit, zelfs met steeds andere pruiken en met behulp van stopverf om zijn gezicht te veranderen.'

'Wat ben je na je gesprek met de Kramers nog meer te weten gekomen?'

'We hebben Bruce Galbraith gesproken. Een kouwe kikker. Hij gaf toe dat hij Lil Kramer destijds had gevraagd of ze wist waar zijn ring was gebleven en zei dat ze dat verkeerd had opgevat, dat hij haar nergens van had beschuldigd. Hij had alleen gevraagd of ze zijn ring misschien bij het schoonmaken ergens had zien liggen, en toen was ze helemaal van streek geraakt. Nu we haar achtergrond kennen, kun je je voorstellen waarom dat soort dingen bij haar gevoelig liggen.'

Intussen was Bob Gaylor binnengekomen en hij zei: 'Iemand heeft zojuist met de oom van Hockney gepraat, Derek Olsen, die oude man die eigenaar is van een heel stel gebouwen. Hij heeft bevestigd dat er sprake is van rivaliteit tussen zijn rechterhand, Howard Altman, en zijn neef, Steve Hockney, en zei dat hij schoon genoeg heeft van allebei. Hij heeft op hun antwoordapparaat de boodschap achtergelaten dat hij al zijn onroerend goed heeft verkocht en dat het pand in 104th Street morgenochtend wordt gesloopt. We hebben hem niet verteld dat we op zoek zijn naar zijn neef, alleen gezegd dat we het verhaal van de Kramers wilden controleren.'

'Wat zei hij over hen?'

'Hardwerkende, beste mensen. Hij vertrouwt ze voor honderd procent.'

'Hebben we foto's van Hockney?' vroeg Barrott. 'Ik wil hem vergelijken met een gezicht dat ik vandaag bij Reeves heb gezien. Ik heb het gevoel dat me iets is ontgaan.'

'Op mijn bureau ligt een publiciteitsfoto van hem en zijn band,' zei Ahearn. 'Onze mensen op straat hebben er allemaal een bij zich.'

Barrott begon te zoeken tussen de papieren op het bureau en vond de foto die Ahearn bedoelde. 'Dit is hem,' zei hij triomfantelijk.

Ahearn en Gaylor keken hem aan. 'Waar heb je het over?' vroeg Ahearn.

'Ik heb het over déze man,' antwoordde Barrott en hij wees naar de foto. 'Waar is die foto waarop Leesey voor haar vriendin poseert, die met Nick DeMarco op de achtergrond?'

'Die ligt ook ergens op die stapel.'

Barrott zocht verder en even later gromde hij tevreden. 'Hebbes.' Hij hield de foto's naast elkaar om ze te vergelijken en toen belde hij het nummer van de mobiel van Lucas Reeves.

67

Zoals ik had verwacht, was het rustoord waar mijn moeder verbleef vanbuiten en vanbinnen net zo luxueus als ik me van een plek die door Elliott was uitgekozen, had voorgesteld. Dik tapijt, sfeerverlichting, mooie schilderijen aan de muren. Ik kwam er om ongeveer half vijf aan en de receptioniste wist al dat ik zou komen.

'Uw moeder zit op u te wachten,' zei ze met een professioneel welluidende stem die paste bij de omgeving. 'Haar suite ligt op de vierde verdieping en heeft een prachtig uitzicht over het park.' Ze stond op en ging me voor naar de lift, een fraai versierd object met een liftbediende en een fluwelen bankje.

'De suite van mevrouw Olivia, Mason,' murmelde mijn begeleidster, en het schoot me te binnen dat ze in sommige dure psychiatrische inrichtingen geen achternamen gebruiken. Dat is maar goed ook, dacht ik. De andere gasten hoeven niet te weten dat mevrouw Charles MacKenzie sr. hier ook logeert.

Op de vierde verdieping stapten we uit en mijn begeleidster liep met me mee de gang door naar de suite op de hoek. Ze klopte aan en opende de deur. 'Mevrouw Olivia?' zei ze, iets luider dan normaal, maar nog steeds op beschaafde toon.

Achter haar aan ging ik een fraai gemeubileerde zitkamer binnen. Ik had wel eens foto's van het Plaza Athénée in Parijs gezien en had het gevoel dat ik een van die hotelsuites betrad. Mijn moeder kwam de slaapkamer uit en bleef in de deuropening staan. Zonder nog iets te zeggen, ging de receptioniste weg, en mama en ik keken elkaar aan.

Allerlei tegenstrijdige emoties, de stortvloed van emoties die de afgelopen week over me heen was gespoeld terwijl mama haar toevlucht had gezocht in Elliotts appartement, raasden door me heen. Schuldgevoel. Woede. Verbittering. Maar ze werden weggespoeld en wat overbleef, was liefde. Haar mooie ogen stonden diepbedroefd. Ze keek me aarzelend aan, alsof ze niet wist wat ze van me kon verwachten.

Ik liep naar haar toe en sloeg mijn armen om haar heen. 'Het spijt me verschrikkelijk,' zei ik. 'Het spijt me echt verschrikkelijk. Maar hoe vaak ik ook tegen mezelf zeg dat ik nooit had moeten proberen om Mack te vinden, en al zou ik er alles voor over hebben om dat ongedaan te maken, ik kan er niets meer aan veranderen.'

Toen hief ze haar handen en streelde mijn haar, zoals ze had gedaan wanneer ik, toen ik nog klein was, ergens door van streek was geraakt. Ze deed het op zo'n tedere, troostende manier dat ik wist dat ze had geaccepteerd wat ik had gedaan.

'Carolyn, we komen er wel doorheen,' zei ze. 'Wat er ook gebeurt. Als Mack heeft gedaan wat ze beweren, kan ik alleen maar concluderen dat hij geestesziek is.'

'Hoeveel hebben ze je verteld?' vroeg ik.

'Alles, denk ik. Ik heb gisteren tegen dokter Abrams, mijn psychiater, gezegd dat ze me niet meer in bescherming mogen nemen. Ik mag hier weg wanneer ik wil, maar ik geef er de voorkeur aan alles wat ik moet weten hier te verwerken, waar ik er met hem over kan praten.'

Dat was de moeder die ik kwijt was geraakt, degene die papa had gekalmeerd nadat Mack was verdwenen, degene die in eerste instantie aan mij had gedacht nadat papa op 11 september was omgekomen. Ik was toen derdejaars aan Columbia en had toevallig thuis liggen slapen toen het eerste vliegtuig tegen de toren vloog. Dodelijk geschrokken had mama er helemaal alleen naar zitten kijken. Papa's kantoor lag op de honderdenderde verdieping van de North Tower, de eerste die was getroffen. Ze had hem gebeld en hem zelfs aan de lijn gekregen. 'Liv, de boel beneden staat in brand,' had hij gezegd. 'Ik geloof niet dat we het zullen redden.'

Toen werd de verbinding verbroken en een paar minuten later zag ze het gebouw instorten. Ze had me laten slapen tot ik uit mezelf wakker werd, ongeveer drie kwartier later. Toen ik mijn ogen opende, zat ze in mijn kamer hartverscheurend te huilen. Ze wiegde me in haar armen heen en weer terwijl ze me vertelde wat er was gebeurd.

Zo was mijn moeder voordat ze in de loop der jaren door Macks telefoontje op Moederdag steeds ongelukkiger was geworden.

'Als je je hier op je gemak voelt, kun je inderdaad beter nog een poosje blijven,' zei ik. 'Je kunt beter bij Sutton Place uit de buurt blijven en als de media te horen zouden krijgen dat je terug bent in Elliotts appartement, komen ze je daar lastigvallen.'

'Dat weet ik, Carolyn. Maar jij dan? Ik weet heus wel dat je niet hier wilt komen, maar kun je ergens anders naartoe waar ze je niet kunnen vinden?'

Je kunt wel weglopen, maar je kunt je niet verbergen, dacht ik. 'Mama, ik denk dat ik beter zichtbaar kan blijven,' zei ik. 'Want tot we absoluut zeker weten dat het niet zo is, blijf ik geloven en in het openbaar verklaren dat Mack onschuldig is.'

'Dat zou je vader ook doen.' Mama glimlachte en ik zag dat het een oprechte glimlach was. 'Kom, laten we gaan zitten. Ik wou dat we een borrel konden drinken, maar dat mag hier niet.' Ze keek me een beetje bezorgd aan en vroeg: 'Je weet toch dat Elliott straks ook komt?'

'Ja, ik vind het leuk hem weer te zien.'

'Hij is een rots in de branding.'

Ik moet toegeven dat ik heel even jaloers was en me daar toen meteen schuldig om voelde. Elliott was inderdaad een rots in de branding, maar twee weken geleden had mama gezegd dat ik haar steun en toeverlaat was. Mijn schuldgevoel verdween toen het me te binnen schoot dat ik had vermoed dat Elliott ons wilde vertellen dat hij niets meer met onze problemen te maken wilde hebben. Ik dacht aan wat Jackie had gezegd: dat status voor mensen zoals Elliott erg belangrijk is.

Maar toen hij kwam, bleek mijn angst volkomen ongegrond. Op zijn vertederende, formele manier wilde hij zelfs mijn zegen hebben om met mama te trouwen. Hij ging naast haar op de bank zitten en begon op plechtige toon tegen me te praten.

'Carolyn, ik denk dat je wel weet dat ik altijd van je moeder heb gehouden. Maar ik heb altijd gedacht dat ze een stralende ster was die buiten mijn bereik stond, terwijl ik nu weet dat ik haar in deze heel moeilijke tijd als haar echtgenoot zal kunnen beschermen.'

Ik wist dat ik hem moest waarschuwen. 'Elliott, ben je er goed van doordrongen dat als Mack ooit als seriemoordenaar zou worden berecht, de publiciteit ons tot wanhoop zal drijven? En dat cliënten van het soort dat jij hebt, het waarschijnlijk niet leuk zullen vinden dat hun financiële raadsman regelmatig in de roddelkranten staat?'

Elliott keek eerst naar mijn moeder en toen weer naar mij, en met een twinkeling in zijn ogen antwoordde hij: 'Carolyn, je moeder heeft letterlijk hetzelfde tegen me gezegd. Maar ik kan je verzekeren dat ik liever tegen al mijn vooraanstaande cliënten zeg dat ze wat mij betreft de pot op kunnen dan dat ik nog een dag het gezelschap van je moeder zou moeten missen.'

We aten in een van de privé-eetkamers om het nieuws rustig te vieren. Ik was het ermee eens dat ze zo gauw mogelijk en in alle stilte moesten trouwen. Toen ik later naar huis reed, was ik wat mijn moeder betrof helemaal gerustgesteld, maar had ik het vreemde gevoel dat Mack me probeerde te bereiken. Het was zo sterk dat het leek alsof hij naast me zat. Waarom?

Opnieuw zag ik in onze straat geen verslaggevers meer. Ik ging naar bed en zette het nieuws van elf uur aan. Ze lieten een flits zien van mijn verklaring aan de pers, en ik vond dat ik zowel vechtlustig als defensief klonk. Het was inmiddels uitgelekt, al of niet met opzet, dat Leesey had gezegd dat Mack haar ontvoerder was.

Ik zette de tv weer uit. Liefde of geld, dacht ik, toen ik mijn ogen sloot. Volgens Lucas Reeves waren dat de twee voornaamste oorzaken van een misdaad. Liefde of geld. Of, zoals in het geval van Mack, gebrek aan liefde.

Om drie uur hoorde ik de intercom zoemen. Ik stapte uit bed en rende naar beneden om te horen wie het was. Het was de conciërge. 'Het spijt me erg, mevrouw MacKenzie,' zei hij, 'maar iemand heeft de portier zojuist een briefje overhandigd en erbij gezegd dat het een kwestie van leven of dood is en dat u het onmiddellijk moet lezen.'

Hij aarzelde en voegde eraan toe: 'Met al die publiciteit kan het natuurlijk best zijn dat iemand een grap met u wil uithalen, maar...'

'Breng het maar boven,' zei ik vlug.

Ik wachtte in de deuropening tot Manuel naar me toe kwam met een witte envelop in zijn hand. Er zat een vel wit briefpapier in waarop stond: 'Carolyn, ik stuur je dit via een boodschapper, omdat je telefoon waarschijnlijk wordt afgetapt. Mack heeft zojuist gebeld. Hij wil ons spreken. Hij wacht op de hoek van 104th Street en Riverside Drive. Kom daar naar ons toe. Elliott.'

68

'Daar staat hij!' riep Barrott. 'Voor de Woodshed, in de nacht dat Leesey Andrews verdween. Als je kijkt vanuit dezelfde hoek als de bewakingscamera, kun je zien dat hij het tafeltje van DeMarco kon zien. En daar heb je hem nog een keer, op die foto waar ook DeMarco op staat, terwijl hij naar Leesey kijkt toen ze poseerde voor haar vriendin.'

In het bijzijn van de bewaker van het gebouw, die toestemming had gekregen om hen binnen te laten, stonden ze in het kantoor van Lucas Reeves. Ze hadden de honderden foto's aan de muren opnieuw bekeken en het gezicht dat ze zochten, gevonden.

'Op deze foto staat hij ook, alleen met korter haar,' zei Gaylor met een klank van opwinding in zijn stem.

Het was halfelf. Ze wisten dat ze nog een lange nacht voor de boeg hadden, dus gingen ze snel terug naar het bureau om zo veel mogelijk informatie over hun nieuwe verdachte te verzamelen.

69

Lucas Reeves kon woensdagavond de slaap niet vatten. 'Liefde of geld', dat ging voortdurend als een deuntje door zijn hoofd. Toen hij om zes uur wakker werd, kwam de vraag bij hem op die hij zichzelf al veel eerder had moeten stellen: wie had er baat bij dat iemand die dood was, de schijn moest wekken dat hij nog leefde?

Liefde of geld.

Geld, natuurlijk. De puzzelstukjes begonnen op hun plaats te vallen. Als hij gelijk had, was het belachelijk eenvoudig. Lucas, die zelf altijd heel vroeg opstond, zat er nooit mee als hij iemand anders moest wekken om een antwoord op een vraag te krijgen. Gelukkig was zijn adviseur, een vooraanstaande jurist en specialist in vastgoedzaken, ook een vroege vogel.

Lucas viel met de deur in huis. 'Kan een buitenstaander beschikken over een beheerd fonds van een erfenis, of is dat onmogelijk?' vroeg hij.

'Hij kan erover beschikken, maar dat is heel moeilijk. Als hij een heel goede en geldige reden kan aanvoeren, geeft de beheerder er meestal wel toestemming voor.'

'Dat dacht ik al. Ik zal je niet langer storen. Dank je wel, kerel.'

'Geen dank, Lucas. Maar bel de volgende keer niet voor zevenen, hè? Ikzelf sta vroeg op, maar mijn vrouw blijft altijd graag nog een poosje liggen.'

70

Ik trok een lange broek en een paar sandalen aan, pakte een lange regenjas om over mijn pyjamajasje aan te trekken en rende naar de lift. In de gang propte ik het briefje van Elliott in mijn schoudertas. In de haast om bij Mack te komen voordat hij van gedachten zou veranderen en me toch niet zou willen zien, vergat ik dat de garage om drie uur in de nacht op slot ging, maar daar herinnerde Manuel me aan toen ik tegen hem zei dat ik daarheen wilde.

De enige oplossing die ik kon bedenken, was naar buiten gaan en proberen een taxi aan te roepen. In Sutton Place was geen taxi te bekennen, maar toen ik de hoek omging naar Fifty-seventh Street, zag ik daar een onofficiële taxi aankomen. De chauffeur moet zich hebben afgevraagd wie die verwilderd uitziende vrouw was die zo druk met haar armen stond te zwaaien, maar hij stopte. Ik stapte in en we keerden om en reden in westelijke richting.

Op de hoek van 104th en Riverside Drive was niemand te zien. Ik betaalde de chauffeur en stapte uit in de stille straat. Een eindje verderop zag ik een bestelbusje staan en hoewel de lichten waren gedoofd, had ik het vermoeden dat Elliott en Mack daarin zaten. Ik liep erheen om het beter te kunnen zien en deed alsof ik in mijn tas naar mijn sleutel zocht, alsof ik een gebouw binnen wilde gaan. Aan de overkant van de straat lag een bouwput met daarnaast een dichtgetimmerd oud herenhuis op de hoek.

Plotseling kwam er vanuit het donkere portiek van het volgende gebouw een man naar me toe. Even dacht ik dat het Elliott was, maar toen zag ik dat het een veel jongere man was en hij kwam me bekend voor. Het was de vertegenwoordiger van de eigenaar van het appartementencomplex waar Mack had gewoond. Ik had hem de eerste keer dat ik naar de Kramers ging ontmoet, en toen ik maandag huilend hun appartement had verlaten, had hij me aangesproken.

Wat zou hij hier in vredesnaam uitvoeren, vroeg ik me af. En waar was Elliott?

'Mevrouw MacKenzie,' zei hij haastig, 'ik weet niet of u nog weet wie ik ben. Ik ben Howard Altman.'

'Dat weet ik. Waar is meneer Wallace?'

'Bij de een of andere kerel die dat huis had gekraakt. Het is van meneer Olsen. Ik ga er zo nu en dan kijken, ook al zit het op slot.' Hij knikte in de richting van het dichtgetimmerde huis. 'De kerel die ik er aantrof, gaf me vijftig dollar als ik meneer Wallace wilde bellen, en meneer Wallace beloofde me nog vijftig dollar als ik een boodschap voor u wilde schrijven en die bij u afgeven.'

'Zijn ze in dat huis? Hoe ziet die andere man eruit?'

'Hij is een jaar of dertig, schat ik. Hij begon te huilen toen meneer Wallace binnenkwam. Die huilde ook.'

Dus Mack was in dat vervallen huis. Ik liep achter Howard Altman aan naar de overkant van de straat en langs de omheining om de bouwput heen naar de achterdeur van het huis. Hij opende de deur en gebaarde dat ik naar binnen moest gaan, maar toen ik in de donkere ruimte keek, raakte ik in paniek en deed een stap achteruit. Ik wist dat er iets niet in orde was. 'Vraag maar aan meneer Wallace of hij naar buiten wil komen,' zei ik tegen Howard.

Hij greep me beet en trok me mee naar binnen. Ik was zo verbaasd dat ik me niet verzette. Hij trok de deur achter zich dicht en voordat ik kon schreeuwen of me losrukken, duwde hij me een trap af naar beneden. Ergens halverwege sloeg ik met mijn hoofd tegen de muur en verloor het bewustzijn. Ik weet niet hoelang het duurde voordat ik weer bijkwam. Het was pikdonker en het stonk er verschrikkelijk. Ik voelde dat mijn gezicht onder het bloed zat. Ik had barstende hoofdpijn en er was iets mis met mijn rechterbeen. Het lag dubbel onder me en deed vreselijk pijn.

Toen voelde ik naast me iets bewegen en een ijle stem kreunde: 'Water. Geef me water...'

Ik probeerde me te bewegen, maar dat lukte niet. Ik besefte dat mijn been gebroken was. Het enige wat ik kon bedenken, was aan een vinger likken en in het donker tasten naar de verdroogde lippen van Leesey Andrews.

71

Doordat zijn artritis verergerde, werd Derek Olsen vaak midden in de nacht wakker van een knagende pijn in zijn heupen en knieën. Toen hij woensdagnacht door zijn pijnlijke gewrichten was gewekt, kon hij daarna niet meer slapen. Het telefoontje van de politie eerder die avond over zijn neef Steve betekende natuurlijk dat die zich weer in de nesten had gewerkt. Nu kan hij de vijftigduizend dollar die ik hem wilde nalaten wel vergeten, dacht Olsen. Hij kan ernaar fluiten!

Het enige wat hem nog genoegen deed, was dat hij er over een paar uur getuige van zou zijn dat de sloopkogel dat vervallen herenhuis tot puin zou slaan. Elk brokje steen vertegenwoordigt het geld dat ik aan die transactie heb verdiend, dacht hij voldaan. En ik zie Doug Twining ervoor aan dat hij de sloopkogel zelf bedient, uit woede omdat het hem zo veel geld heeft gekost.

Bij die gedachte verkneuterde hij zich zo dat hij voor de ochtendschemering toch nog in slaap viel, de diepe slaap waaruit hij meestal pas om een uur of acht ontwaakte. Maar op donderdagmorgen rinkelde al om zes uur de telefoon. Het was rechercheur Barrott, die wilde weten waar Howard Altman was. Hij was die nacht niet in zijn appartement geweest.

'Ben ik soms zijn oppasser?' vroeg Olsen sikkeneurig. 'Maak je me alleen wakker om te vragen waar Altman kan zijn? Hoe moet ik dat weten? Ik breng mijn vrije tijd niet met hem door. Hij werkt voor me.'

'Wat voor auto heeft hij?' vroeg Barrott.

'Als hij mij moet rondrijden, gebruikt hij mijn SUV. Ik geloof niet dat hij zelf een auto heeft en dat interesseert me ook niet.'

'Rijdt hij wel eens 's avonds in uw SUV?'

'Niet dat ik weet. Het is hem geraden van niet, want het is een Mercedes.'

'Welke kleur?'

'Zwart. U denkt toch niet dat ik op mijn leeftijd nog in een rode auto wil rijden?'

'Meneer Olsen, we moeten het echt over Howard hebben,' zei Barrott. 'Wat weet u van zijn privéleven?'

'Niets. Daar wil ik ook niets over weten. Hij werkt al bijna tien jaar voor me en doet dat niet slecht.'

'Hebt u, toen u hem aannam, zijn aanbevelingsbrieven gecontroleerd?'

'Hij is me aanbevolen door iemand met een smetteloze reputatie, mijn financieel adviseur, Elliott Wallace.'

'Dank u, meneer Olsen. Nog een prettige dag.'

'U hebt hem al voor me bedorven, want nu zal ik de hele dag doodmoe zijn.' Derek Olsen legde de hoorn met een klap terug op het toestel. Nou ja, niet de hele dag, dacht hij, en hij zag alvast voor zich hoe de sloopkogel zijn spaarpot aan diggelen sloeg.

Op het recherchebureau kon Barrott zijn triomf nauwelijks onderdrukken toen hij zei: 'Elliott Wallace had Altman voor die baan aanbevolen.'

'Dat stemt dan overeen met de theorie van Lucas Reeves,' zei Ahearn. 'Maar we moeten dit zorgvuldig aanpakken. Wallace is in Wall Street een invloedrijke figuur.'

'Jawel, maar hij zou niet de eerste zijn die zich te goed doet aan beheerde fondsen van een cliënt, als dat het geval zal blijken te zijn,' zei Barrott. 'Weten we al van wie die vingerafdrukken zijn?'

'Nog niet. We weten ook niet zeker of de afdrukken op de buitendeur van Howards appartement wel van hemzelf zijn, maar we laten ze in elk geval vergelijken. Ik weet zeker dat die man al een strafblad heeft,' zei Gaylor.

Barrott keek op zijn horloge. 'De bewaker van het kantoor van Wallace zei dat hij meestal om halfnegen op kantoor komt, dan zullen we daar op hem wachten.'

72

Weer nam Carolyn haar mobieltje niet op. Nick belde haar donderdagmorgen om acht uur om te vragen of ze met hem wilde ontbijten. Hij wilde haar zien. Ik móét haar zien, dacht hij. De avond ervoor had hij op het nieuws gezien hoe ze Mack heftig had verdedigd.

Hij wilde weten hoe het bezoek aan haar moeder was verlopen. Hij wist hoe verdrietig ze was geweest toen haar moeder haar niet meer had willen zien.

Haar mobieltje stond gelukkig wel aan. Het rinkelde. Terwijl het maandagmiddag en dinsdag de hele dag uit had gestaan. Omdat Nick het knagende gevoel had dat er iets mis was, besloot hij langs Sutton Place te gaan om te zien of ze thuis was.

De conciërge was zojuist aan zijn dagdienst begonnen. 'Ik geloof niet dat ze al terug is,' zei hij toen Nick hem vroeg of Carolyn thuis was. 'Er is me verteld dat ze om drie uur vannacht voor een belangrijke boodschap uit haar bed is gehaald en daarna haastig is vertrokken. Degene die de brief aan de portier had overhandigd, had erbij gezegd dat het een zaak van levensbelang was. Ik hoop niet dat er iets ergs is gebeurd.'

Er is wél iets ergs gebeurd, dacht Nick geschrokken. Hij toetste het inmiddels vertrouwde telefoonnummer van rechercheur Barrott in.

73

'Dank u dat u ons wilde ontvangen, meneer Wallace,' zei Barrott beleefd.

'Geen dank. Weten jullie al iets meer over Mack?' vroeg Elliott.

'Nee, jammer genoeg niet, maar misschien kunt u een paar zaken voor ons ophelderen.'

'Ik zal mijn best doen.' Elliott gebaarde dat de rechercheurs mochten gaan zitten.

'Kent u Howard Altman?'

'Die ken ik. Hij werkt voor mijn cliënt Derek Olsen.'

'Klopt het dat u Altman tien jaar geleden bij meneer Olsen hebt aanbevolen?'

'Dat zou best kunnen.'

'Hoe kende u meneer Altman?'

'Dat weet ik eigenlijk niet meer. Ik geloof dat een vroegere cliënt zijn gebouwen had verkocht en hem een andere baan wilde bezorgen.' Elliotts gezicht stond volkomen neutraal.

'Wie was die cliënt?'

'Dat kan ik me niet meer herinneren. Ik heb weinig met hem te maken gehad. Het was gewoon toeval. Olsen was bij me geweest en had gezegd dat hij moeite had om een geschikte assistent te vinden, en toen heb ik hem Altmans naam gegeven.'

'Hm. Toch zouden we graag willen weten wie die cliënt was, en u wilt dat vast wel voor ons uitzoeken. Altman is een mogelijke verdachte in de ontvoeringszaak van Leesey Andrews en als hij de schuldige zou blijken te zijn, zou dat Mack MacKenzies naam zuiveren.'

'Alles wat zou kunnen helpen om Macks naam te zuiveren, is voor mij van onschatbaar belang,' zei Elliott met van emotie trillende stem.

Barrott nam Elliott aandachtig op: het perfect zittende pak, het smetteloos witte overhemd, de dure blauw met rode das... Hij zag hoe Wallace zijn bril afzette, de glazen poetste en de bril weer opzette. Wat zie ik toch aan die man, vroeg hij zich af. Zijn ogen, zijn voorhoofd... Ze komen me bekend voor. Ach, nee toch, zou dat mogelijk zijn? Mijn god, hij lijkt op Altman! Hij knikte tegen Gaylor om hem te laten weten dat hij de ondervraging moest voortzetten.

'Meneer Wallace, klopt het dat u de executeur-testamentair van Mack MacKenzie bent?'

'Ik beheer alle fondsen van de familie MacKenzie.'

'Bent u de enige die dat doet?'

'Ja.'

'Wat zijn de voorwaarden bij het uitkeren van de erfenis aan Mack MacKenzie?'

'Zijn grootvader heeft bepaald dat hij daar pas vanaf zijn veertigste verjaardag een inkomen uit zal ontvangen.'

'En intussen wordt het fonds steeds meer waard.'

'Dat spreekt vanzelf. Ik heb het zorgvuldig geïnvesteerd.'

'Wat gebeurt ermee als Mack sterft?'

'Dan gaat het naar zijn kinderen en als hij die niet heeft, naar zijn zus Carolyn.'

'Zou Mack een voorschot uit dat fonds hebben kunnen krijgen als hij u als beheerder daar een heel geldige reden voor zou hebben gegeven?'

'Dat zou dan wel een heel bijzondere reden moeten zijn. Zijn grootvader wilde niet dat zijn erfgenaam een playboy zou worden.'

'Stel dat hij wilde trouwen, dat zijn toekomstige vrouw hun kind verwachtte, dat hij niet wilde dat zijn ouders nog langer iets voor hem betaalden, dat hij voortaan zijn eigen studie wilde betalen en ook de studie geneeskunde van zijn vrouw? Zou dat een geldige reden zijn geweest om het fonds aan te spreken?'

'Dat zou kunnen, maar daar is geen sprake van geweest.' Elliott Wallace stond op. 'U begrijpt vast wel dat ik het erg druk heb en...'

Barrotts mobiel rinkelde. Het was Nick DeMarco. Terwijl Barrott luisterde, deed hij zijn best om zijn gezicht in de plooi te houden. Carolyn MacKenzie was verdwenen. Het volgende slachtoffer, dacht hij.

Wallace stak een arm uit en probeerde hen te dwingen zijn kantoor te verlaten. Lucas Reeves heeft gelijk, dacht Barrott. Het sluit als een bus. Hij besloot Wallace met valse informatie in de val te lokken.

'Wacht even, meneer Wallace,' zei hij. 'We gaan nog niet weg. We hebben Howard Altman opgepakt. Hij zit op te scheppen over de ontvoeringen. Hij beweert dat hij voor u werkt.' Hij zweeg even. 'U hebt ons niet verteld dat hij familie van u is.'

Eindelijk verried Elliotts gezicht dat hij in het nauw was gedreven. 'Ach, die arme Howie,' verzuchtte hij. Hij leunde met zijn ene hand op het bureau en trok met de andere de bovenste la open. 'Hij kletst natuurlijk uit zijn nek.'

'Nee, dat doet hij niet,' zei Barrott bars.

Elliott Wallace zuchtte nog een keer. 'Mijn neefje de psychopaat had me beloofd dat hij op een adembenemende manier zou sterven en Carolyn en Leesey Andrews mee zou nemen, maar zelfs dat is hem niet gelukt.'

Razendsnel haalde hij een kleine revolver uit de la van zijn bureau en zette die tegen zijn voorhoofd. 'Zoals neef Franklin zou zeggen: Amerikaanse landgenoten, vaarwel!' zei hij en hij haalde de trekker over.

74

Larry Ahearn was in het grote kantoor toen Barrott hem belde. 'Larry, die theorie over Wallace is correct. Hij heeft zich zojuist door het hoofd geschoten. Vlak daarvoor heeft hij ons verteld dat Altman zijn neef is. Dat Altman Carolyn en Leesey heeft ontvoerd, hen gaat vermoorden en dan zelfmoord pleegt. Maar hij heeft ons niet verteld waar ze zijn.'

IJzig kalm nam Ahearn de verbijsterende informatie in

zich op. 'De laatste paar uur hebben we geen van beide mobieltjes meer kunnen volgen,' zei hij. 'Iemand heeft ze uitgezet of ze bevinden zich ergens waar geen ontvangst is. Maar Altman heeft vast zelf ook een mobieltje. Ik zal zijn baas, Olsen, bellen via een andere lijn. Wacht even.'

75

Met een kampeerstoeltje in zijn hand wilde Derek Olsen net zijn huis uit lopen om een paar straten verder te gaan kijken naar het slopen van dat oude herenhuis toen hij voor de tweede keer door de recherche werd gebeld. Nog steeds geërgerd om hun eerste telefoontje die morgen, antwoordde hij kwaad: 'Natuurlijk heeft Howie een mobieltje. Natuurlijk weet ik het nummer. Dat is 917-555-6262. Maar ik wil erbij zeggen dat ik ervoor betaal, ik krijg de rekening. En die controleer ik zorgvuldig. Alleen zakelijke gesprekken. Dus misschien heeft hij er nog een, maar daar weet ik niets van. En nu moet ik weg naar een heel bijzonder evenement. Goedemorgen.'

Terwijl Barrott in het kantoor van Wallace wachtte tot Ahearn Olsen had gebeld, deed rechercheur Gaylor vlug met zijn ene hand de deur op slot en haalde met zijn andere hand zijn mobiel uit zijn zak om de alarmcentrale te bellen.

Hij hoorde Barrott fel reageren op wat Ahearn hem ten slotte vertelde: 'Dat zakelijke mobieltje staat niet aan! Maar wacht even. Wallace zou nooit zo stom zijn om Altman op dat nummer te bellen, dus moet hij een ander nummer hebben gebruikt. Een ogenblikje, Larry.'

Vlug liep Barrott naar het lichaam van Wallace toe en voelde in de zakken van zijn pak. 'Aha, ik heb het!' Hij haalde Elliotts minuscule, ultramoderne mobieltje te voorschijn, klapte het open en bekeek de nummers die erin waren opgeslagen. Dit moet het zijn, dacht hij toen hij de initialen H.A. zag staan. Hij drukte op de 5 en de verzendtoets, deed een schietgebedje en drukte met ingehouden adem het toestel tegen zijn oor.

Het rinkelde tweemaal voordat er werd opgenomen. 'Oom Elliott,' zei een zenuwachtige, hoge stem, 'we hebben gisteravond al afscheid van elkaar genomen. Ik wil u niet meer spreken. Over een paar minuten is het afgelopen.'

De verbinding werd verbroken. Meteen gaf Barrott het nummer van Howard Altman door aan Ahearn, die gespannen had gewacht tot hij het op zijn beurt kon doorgeven aan de technici die het zouden traceren.

76

Hij kwam in die lange nacht drie keer de trap af naar de kelder. Terwijl ik op die vochtige aarden vloer naast Leesey lag, met pijnscheuten door mijn hele been, opgedroogd bloed op mijn gezicht en mijn vingers verstrengeld met de hare, hoorde ik hem huilen, lachen, kreunen en giechelen. Steeds wanneer ik zijn voetstappen dichterbij hoorde komen, welde er doodsangst in me op. Zou hij ons deze keer komen vermoorden?

'Herinneren jullie je de Zodiacmoordenaar?' vroeg hij de eerste keer dat hij beneden was. 'Hij wilde er niet mee doorgaan. Dat wil ik ook niet. Hij schreef een brief aan een krant omdat hij wist dat ze er op die manier achter zouden komen waar hij was. Dat heb ik ook gedaan, maar ik heb hem verscheurd. Dit is een kwelling voor me, maar ik wil niet naar de gevangenis. Het eerste meisje was toen ik zestien was, daar was ik overheen. Toen gebeurde het nog een keer. Ik was beheerder van een landgoed en de dochter van de huishoudster was een heel mooi meisje. Toen ze haar vonden, verdachten ze mij. En toen heeft mijn moeder me naar New York gestuurd en toevertrouwd aan de zorgen van haar lieve oudere broer, mijn oom Elliott Wallace.'

Elliott Wallace! Maar dat kan toch niet, dacht ik. Dat is onmogelijk.

Ik voelde zijn adem langs mijn wang strijken. 'Je gelooft me niet, hè? Maar je moet me geloven. Mijn moeder zei tegen hem dat hij me moest helpen, anders zou ze openbaar maken dat hij een bedrieger was. Maar nog voordat ik hem ontmoette, gebeurde het nog een keer, meteen nadat ik in New York was aangekomen. Dat eerste meisje in die nachtclub. Ik heb haar lichaam met stenen verzwaard en haar in de rivier gegooid. Daarna maakte ik kennis met oom Elliott en heb ik het hem verteld en gezegd dat het me speet, en dat hij een baan voor me moest zoeken, anders zou ik naar de politie gaan en mezelf aangeven en tegen de kranten zeggen dat hij een bedrieger was.'

Op sarcastische toon voegde hij eraan toe: 'Natuurlijk vond hij toen een baan voor me.' Hij kuste mijn voorhoofd. 'Nu geloof je me wel, hè Carolyn?'

Leeseys ademhaling was overgegaan in zacht, doodsbang gehijg. Ik gaf haar hand een kneepje. 'Ik geloof je,' zei ik. 'Ik weet dat je de waarheid spreekt.'

'Weet je ook dat het me spijt?'

'Ja. Ja, dat weet ik ook.'

'Mooi zo.'

Het was zo donker dat ik hem niet kon zien, maar ik voelde dat hij wegliep en even later hoorde ik hem naar boven gaan. Wanneer zou hij terugkomen? vroeg ik me in paniek af. Wat was ik stom geweest. Niemand wist waar ik was. Het kon nog uren duren voordat iemand me ging zoeken. Nick, dacht ik. Nick, maak je alsjeblieft zorgen.

Besef dat er iets mis is. Ga me zoeken. Ga ons zoeken.

Ik geloof dat er een paar uur voorbijgingen voordat ik het uitgilde. Hij was zo geluidloos naar beneden gekomen dat ik het niet had gehoord, en hij legde meteen zijn hand op mijn mond.

'Schreeuwen helpt niet, Carolyn,' zei hij. 'Leesey heeft in het begin ook geschreeuwd. Toen ik beneden kwam en haar vertelde dat haar foto in de krant stond. Ze wilde die boodschappen voor haar vader niet inspreken en toen heb ik gezegd dat ze, als ze dat wel deed, misschien weg mocht. Maar dat meende ik niet. Denk eraan dat je niet meer schreeuwt. Als je het toch doet, vermoord ik je.'

Hij ging weer weg. Mijn hart bonkte. De pijn in mijn been was ondraaglijk. Zou Lucas Reeves of rechercheur Barrott proberen me te vinden? Zouden zij en Nick al begrijpen dat er iets mis was?

De laatste keer dat hij terugkwam, was volgens mij de dag al aangebroken. Ik zag zijn schaduw op de trap. 'Ik had me voorgenomen om nooit meer een misdaad te begaan, Carolyn,' zei hij. 'Ik had plezier in mijn werk als manager van die gebouwen en ik vond het fijn dat ik op het internet zo veel vrienden had gemaakt. Ik dacht dat ik ermee kon stoppen. Ik heb het echt geprobeerd. Maar toen zei oom Elliott dat ik op mijn beurt hém een dienst moest bewijzen. Hij wilde dat ik je broer liet verdwijnen. Mack was naar Elliott toe gegaan omdat hij zijn erfenis wilde aanspreken. Zijn vriendin was zwanger en hij wilde met haar trouwen en voor zijn eigen en haar studie betalen. Maar oom Elliott had het grootste deel van het geld van zijn deel van de erfenis en dat van jou al opgemaakt. Hij had een fortuin geïnvesteerd in iets wat fout was gegaan. Hij probeerde Mack met een kluitje in het riet te sturen, maar hij wist dat Mack argwaan had gekregen. Ik moest hem vermoorden.'

Ik moest hem vermoorden. Ik moest hem vermoorden.

Mack is dood, dacht ik verbitterd. Ze hebben hem vermoord.

'Maar Elliott moest ervoor zorgen dat iedereen bleef denken dat Mack nog leefde, want anders zou er een onderzoek komen naar de beheerde fondsen. Ik heb Mack gedwongen te zeggen wat jullie op die eerste Moederdag te horen kregen en daarna heb ik hem doodgeschoten. Een jaar later moest ik van Elliott die docente vermoorden en de banden stelen met de stem van Mack erop, zodat hij nieuwe Moederdagtelefoontjes kon maken. Elliott is een technisch genie. Al die jaren heeft hij de woorden van Mack voor die telefoontjes gemixt. Je broer is hier samen met de andere meisjes begraven. Kijk maar, Carolyn.'

Hij scheen met de smalle bundel van een zaklantaarn over de keldervloer en ik tilde mijn hoofd op.

'Zie je die kruisen? Daar liggen je broer en die meisjes naast elkaar.'

Dus Mack was al die jaren dat wij erop hadden gehoopt en erom hadden gebeden dat hij terug zou komen, al dood. Toen het tot me doordrong dat hij hier in deze ellendige, smerige kelder lag begraven, werd ik overmand door verdriet. Ik had altijd geloofd dat ik hem ooit zou vinden. Mack. Mack. Mack.

Altman lachte, een hoog, giechelend geluid. 'Elliott is inderdaad in Engeland geboren. Zijn moeder kwam uit Kansas. Ze was dienstmeisje bij een Amerikaanse familie die werd overgeplaatst naar Engeland. Ze was in Engeland in verwachting geraakt en na de geboorte van haar kind teruggestuurd naar huis. Zij had al die verhalen bedacht over hun familierelatie met president Roosevelt. Ze werkten die verhalen samen uit en zij leerde hem dat snobistische Engelse accent. Hij kan goed stemmen nadoen. De afgelopen drie jaar heeft hij zelf Macks stem geïmiteerd, omdat hij wist dat jullie de stem van de vorige telefoontjes al met die in jullie familiefilms hadden vergeleken. Hij heeft jullie behoorlijk voor de gek gehouden, hè?'

Zijn stem werd steeds schriller. 'We hebben nog maar een kwartier, dan is het voorbij. Ze gaan dit huis slopen. Maar ik wil je ook nog vertellen dat ik dat briefje in die collectemand heb gedaan. Oom Elliott was bang dat je Mack toch zou gaan zoeken en hij zei dat ik dat moest doen. Lil Kramer zag me in de kerk zitten, ik zag dat ze een paar keer naar me keek. Maar later dacht ze dat het Mack was geweest, toen jij haar had verteld dat hij die mis had bijgewoond. Dag Carolyn. Dag Leesey.'

Voor het laatst hoorde ik zijn voetstappen naar boven gaan. Een kwartier. Het huis zou over een kwartier worden gesloopt. Ik ga dood, dacht ik. En mama gaat met Elliott trouwen.

Leesey lag te trillen. Ik wist zeker dat ze had verstaan wat hij had gezegd. Ik hield haar hand vast en bevochtigde steeds haar lippen, ik praatte tegen haar en smeekte haar het nog even vol te houden omdat iedereen ons zocht. Maar zelf geloofde ik dat niet meer. Ik was ervan overtuigd dat Leesey en ik de laatste slachtoffers zouden zijn van Elliott Wallace en van deze psychopaat. De gedachte flitste door mijn hoofd dat ik dan in elk geval weer bij Mack en papa zou zijn.

77

'We hebben hem! Hij bevindt zich op de hoek van 104th en Riverside Drive!' riep Larry Ahearn.

Alle politieauto's in de buurt werden gewaarschuwd. Met loeiende sirenes raceten ze naar het opgegeven adres.

De sloopmachine stond klaar. Derek Olsen zag tot zijn grote genoegen dat zijn zakelijke rivaal, Doug Twining, in de cabine zat.

'Een!' Derek ging staan en begon te tellen.

'Twee!' Maar zijn triomf werd in de kiem gesmoord. Iemand was bezig een van de dichtgetimmerde ramen op de tweede verdieping van het oude pand open te breken. Iemand zwaaide zijn benen over de vensterbank en begon te wuiven. Altman. Het was Howie Altman.

De sloopkogel slingerde naar het huis toe. Op het laatste moment zag Twining Altman staan en zorgde er met een ruk aan de stuurknuppel voor dat de kogel rakelings langs het huis vloog.

Politieauto's kwamen met piepende banden de hoek om.

'Kom terug! Kom terug!' Schreeuwend rende Howie Altman over het dak van de veranda en zwaaide wild met zijn armen naar de sloopmachine. Terwijl hij op en neer sprong, begon het verrotte hout te versplinteren en toen zakte het hele pand als een kaartenhuis in elkaar, de ene na de andere verdieping. Toen Altman merkte wat er gebeurde, dook hij nog net op tijd door het raam weer naar binnen om met het puin mee omlaag te storten.

Uit alle politieauto's kwamen agenten aanrennen. 'De kelder!' schreeuwde een van hen. 'De kelder! Als ze daar zijn, overleven ze het misschien!'

78

Het plafond viel overal om ons heen naar beneden. Ik kwam half overeind en probeerde boven op Leesey te gaan liggen. Ze ademde nauwelijks meer. Ik voelde een klomp pleisterwerk op mijn schouder vallen en toen nog een op mijn hoofd en mijn arm. Te laat, te laat, dacht ik. Net als Mack en die andere meisjes zijn Leesey en ik gedoemd hier ons leven te eindigen.

Maar toen hoorde ik dat de buitendeur van de kelder werd geopend en dat schreeuwende stemmen dichterbij kwamen. Op dat moment stond ik mezelf toe weg te zakken om te ontsnappen aan de pijn. Ze moeten me een heel zwaar slaapmiddel hebben gegeven, want ik werd pas twee dagen later wakker. Mijn moeder zat in de ziekenhuiskamer in een stoel bij het raam te wachten, net als op 11 september. En net als op die dag huilden we in elkaars armen, deze keer om Mack, de eerbare jongeman, zoon en broer, die was gestorven omdat hij zijn verantwoordelijkheid wilde nemen.

Epiloog

Een jaar later

Toen de boekhouding werd nagekeken, kwam aan het licht dat Elliott een fortuin van ons had gestolen. Het was dus waar dat Mack, zoals Altman in zijn waanzin had gezegd, had beseft dat er iets mis was met zijn erfenis en dat hem dat zijn leven had gekost.

Het was een wonder dat Leesey nog leefde. Ze had zestien dagen en nachten vastgebonden op die smerige keldervloer gelegen, terwijl Altman haar dan weer dreigde te vermoorden en dan weer pestte omdat ze zomaar voor de Woodshed in die SUV was gestapt toen hij had gezegd dat Nick hem had opgedragen haar naar huis te brengen. Het enige wat hij haar had gegeven, was elke dag een paar slokjes water. Ze was uitgedroogd en uitgehongerd toen ze in kritieke toestand naar het ziekenhuis werd gebracht. Zoals mijn moeder bij mij de wacht had gehouden, hadden haar vader en broer bij haar bed gezeten en haar gesmeekt en aangemoedigd om te blijven leven.

De familie Andrews en wij zijn goed bevriend geraakt. Dokter David Andrews, de vader van Leesey, nodigt mama en mij regelmatig uit om in zijn club in Greenwich te komen eten. Hun vriendschap is een grote troost voor ons in ons verdriet om Macks dood. En ik weet dat wij Leesey helpen om emotioneel over haar verschrikkelijke beproeving heen te komen. Mijn moeder heeft het appartement in Sutton Place verkocht en woont nu in Central Park West. Het is me opgevallen dat David regelmatig bij haar langskomt om haar mee uit eten te nemen of met haar naar het theater te gaan.

We zijn erin geslaagd voor de pers geheim te houden dat

Mack argwaan had gekregen met betrekking tot zijn erfenis. Ik heb mama natuurlijk wel verteld dat Mack een zoon heeft, ik vond niet dat ik dat voor haar geheim hoorde te houden. Barbara Hanover Galbraith is bij ons geweest en heeft tegen ons gezegd dat het haar vreselijk spijt dat ze had gedacht dat Mack haar in de steek had gelaten. Maar ze was nog steeds niet helemaal eerlijk. Ze gaf pas toe dat ze Macks baby had gekregen toen ik haar met dat feit confronteerde. Toen smeekte ze ons te wachten tot hij wat ouder is voordat we hem de waarheid vertellen en daar hebben we met tegenzin in toegestemd. Mama en ik willen eigenlijk niets liever dan Macks zoon leren kennen en vriendschap met hem sluiten. We gaan onopgemerkt naar voorstellingen en concerten op zijn school, Sint David's, en dan is het net alsof we naar Mack kijken. Ze hebben hem Gary genoemd, maar voor mama en mij zal hij altijd Charles MacKenzie de derde zijn.

De Kramers genieten van hun leven in Pennsylvania. Nadat hun was verteld wat de reden was van Macks verdwijning, zijn ze bij ons geweest om ons hun verontschuldigingen aan te bieden. Lil vertelde ons dat ze, omdat ze als jonge vrouw wegens diefstal in de gevangenis had gezeten, overdreven gevoelig had gereageerd toen Mack haar naar zijn horloge had gevraagd. Ze hebben het in het appartement van Howard Altman teruggevonden. We zullen nooit weten of hij het destijds uit Macks appartement heeft gestolen of pas nadat hij Mack had vermoord.

Lil heeft ons ook uitgelegd wat ze in Macks kamer had gevonden en waarom Gus daar zo boos om was geworden. 'Het was een raar briefje, waarin ik Mack zogenaamd had gevraagd of hij ergens met me wilde gaan dansen, maar ik was erdoor gekwetst,' zei ze. Dat was natuurlijk het briefje dat Nick had geschreven en weggegooid, en hij had dus gelijk toen hij zei dat Lil veel te nieuwsgierig was geweest. Toen ik hem er nog een keer naar vroeg, zei hij dat hij het had verfrommeld en in de prullenmand naast Macks bureau had gegooid. Daarom had Lil gedacht dat Mack het had geschreven.

Ik ben blij dat ik ook kan vermelden dat ik tegenwoordig een van de nijvere assistenten van de officier van justitie ben en regelmatig samenwerk met de rechercheurs die me eerst als verdachte beschouwden en die nu dierbare vrienden en collega's zijn.

Nick en ik zijn drie maanden geleden getrouwd. We hebben Nicks zolderetage verbouwd tot een heel gezellig appartement. De Woodshed is een bloeiende zaak geworden. Een van onze favoriete restaurants is Pasta en Pizza in Queens, het restaurant van zijn vader, dat helemaal is vernieuwd en heropend. Ik heb altijd gezegd dat ik vier kinderen wilde hebben, en we verheugen ons op de geboorte van onze eerste. Ik hoop dat het een jongen is. Officieel zal hij Charles MacKenzie DeMarco heten.

Maar we noemen hem Mack.

Woord van dank

De vraag die me waarschijnlijk het vaakst wordt gesteld, is: 'Waar haal je je ideeën vandaan?' Het is niet moeilijk daar antwoord op te geven: ik lees een artikel in de krant of een tijdschrift en om de een of andere reden blijft het me bij. Dat gebeurde ook toen ik een verhaal had gelezen over een jongeman die vijfendertig jaar geleden van de campus van zijn universiteit is verdwenen en ongeveer één keer per jaar opbelt, en dan niet wil vertellen waarom hij weg is gegaan of waar hij is.

Zijn moeder is nu een oude vrouw, en ze hoopt nog steeds dat ze hem voordat ze sterft terug zal zien.

Als een bepaalde situatie me intrigeert, stel ik mezelf drie vragen: Stel dat? Hoe komt het dat? Waarom?

Ik dacht: *stel dat een laatstejaars student tien jaar geleden is verdwenen, hoe komt het dan dat hij alleen op Moederdag belt en waarom is hij verdwenen?*

En dan beginnen alle *stel dats* en *hoe komt het dats* en *waaroms* door mijn hoofd te tollen en ontstaat er een nieuw verhaal.

Schrijven is voor mij steeds weer een heerlijk avontuur, al is het natuurlijk wel een eenzaam avontuur. Gelukkig kan ik altijd vertrouwen op de adviezen en aanmoediging van mijn oude redacteur en vriend Michael Korda, dit jaar geholpen door hoofdredactrice Amanda Murray. Hartelijk dank, Michael en Amanda.

Sergeant Stephen Marron, NYPD, en rechercheur Richard Murphy, NYPD, beiden met pensioen, zijn mijn geweldige deskundigen wat betreft de gang van zaken bij de politie en misdaadonderzoek. Proost en bedankt, Steve en Rich.

Co-manager copyediting Gypsy da Silva en ik werken al ruim drie decennia samen. Zoals altijd dank ik haar, mijn publiciste Lisl Cade en mijn agent Sam Pinkus, en ook mijn lezers-van-werk-in-uitvoering Agnes Newton, Nadine Petry en Irene Clark.

Oneindig liefdevol breng ik een heildronk uit op het thuisfront: John Conheeney, 'voorbeeldig echtgenoot', en onze kinderen en kleinkinderen. We zijn een gezegende familie.

Voorjaarsbloesems en bergen goede wensen voor u, geliefde lezers. Ik hoop dat u dit verhaal met evenveel plezier hebt gelezen als ik het heb geschreven. Volgend jaar dezelfde tijd? Daar kunt u op rekenen!